L'Horloge
aux Souvenirs

ÉDITION DU CLUB QUÉBEC LOISIRS INC.
© Avec l'autorisation des Éditions Libre Expression
© Éditions Libre Expression, 1996
Dépôt légal — Bibliothèque nationale du Québec, 1997
ISBN 2-89430-267-3
(publié précédemment sous ISBN 2-89111-697-6)

Imprimé au Canada

Johanne Poulin Gagnon

L'Horloge
aux Souvenirs

À ma mère, Mia.
À mon père, Wilfrid Poulin.

De chacun j'ai pris le meilleur.
Le pire eût été de ne pas les avoir pour parents.

I

La grosse Adélaïde sentait la terre et le tabac. Cléophas, son mari, aimait renifler sur elle ces odeurs. Tous deux regrettaient la liberté de leur jeunesse, quand ils pouvaient se prendre en toute insouciance dans les champs ou dans l'étable, du temps où les enfants étaient encore des enfants. Si parfois il arrivait qu'ils se le permettent, les occasions se faisaient tout de même de plus en plus rares.

En cueillant des tomates au milieu de son potager, Adélaïde soupirait. «Une vraie journée pour ça, se dit-elle en hochant la tête. Mais, comme avait coutume de dire ma mère, quand les enfants grandissent, les parents rapetissent.» Sa cueillette terminée, elle remonta l'allée jusqu'à la maison. Malgré son poids, ses cinquante-quatre ans bien sonnés et dix maternités, c'était toujours une belle femme, avec de la gourmandise au fond des yeux.

Les bottes ruisselantes, Adélaïde déposa son panier de tomates et s'assit sur la dernière marche de l'escalier pour fumer une bonne pipe. C'était un rituel dont elle savourait chaque étape. D'abord fouiller au fond de sa grande poche de tablier, en ressortir la pipe, la blague à tabac et les allumettes de bois, bourrer ensuite le fourneau d'une juste pipée, pas trop ni trop peu de tabac, faire craquer l'allumette, tirer sur le tuyau à petits coups saccadés, puis fermer les yeux à demi pour jouir enfin d'une plus longue bouffée.

À travers le nuage de fumée qui l'enveloppait, Adélaïde scruta le ciel. L'averse de l'après-midi avait été de trop courte durée et la chaleur revenait en force. Les mouches bourdonnaient de nouveau et se faisaient collantes. Tout en les chassant d'une main, elle plissa les yeux vers la ligne d'horizon de leurs terres pour tenter d'apercevoir ses hommes. Ne les voyant pas, elle tourna la tête vers les champs de maïs, mais les épis étaient si hauts qu'ils obstruaient sa vue. «La pluie les aura sûrement retardés, tout comme nous», pensa-t-elle.

C'est à Bois-Franc qu'Adélaïde a vu le jour, près de la rivière des Prairies, un peu au nord de la paroisse Saint-Laurent, où elle vit depuis son mariage. En cette année 1898, elle n'aurait pas échangé ce coin de terre, pas même contre tout l'or du monde, tant elle fait corps avec ce pays.

L'odeur du bouilli qui mijotait depuis plusieurs heures lui rappela qu'il restait encore les tomates à laver, une dernière cordée de lavage à rentrer, et c'est à regret qu'elle allait se relever quand Florence sortit de la maison, un panier sous le bras.

– Le linge doit être sec maintenant, dit-elle en descendant l'escalier.

– Tu as besoin d'aide, ma fille?

– Pensez-vous! C'est l'affaire de quelques minutes. Fumez à votre aise!

Adélaïde ne se laissait pas prier deux fois pour rallumer sa pipe et, ce faisant, elle observait sa fille. «Un vrai cadeau du ciel», se disait-elle en admirant son beau profil, ses gestes précis, ses vêtements d'une propreté impeccable malgré une longue journée de travail. Elle jeta un coup d'œil sur les siens, sur ses mains aux ongles noircis de terre, et se demanda comment Florence parvenait à garder cette allure fraîche à travers toutes les tâches journalières. «Si sérieuse avec ça, pour ses seize ans, tellement à son affaire qu'on la croirait une femme déjà», pensa-t-elle en tirant inutilement sur le tuyau de sa pipe éteinte.

L'odeur des grands pins mouillés parvint sur la dernière marche de l'escalier et Adélaïde s'en imprégna, laissa surgir des images en elle. Il en allait toujours de même avec l'odeur des grands pins mouillés ou celle des sapins et des cèdres à l'avant de la maison après la pluie ; quand les conifères relâchaient leur parfum, elle devenait nostalgique. Les yeux fermés, elle ne souffrait plus de la chaleur, ne sentait pas la mouche explorant sa main. Elle entendait le rire des enfants sous la pluie, un dimanche matin de septembre, avant la naissance de Florence. Ils arrivaient de la messe, la pluie tombait à boire debout et leurs beaux habits des jours de fête dégoulinaient. Pourtant, elle riait. «Je riais tout le temps, à cette époque, d'un vrai rire franc, sans arrière-pensée qui freine l'élan au beau milieu. Oui, mais c'était avant», se dit-elle en chassant la mouche et le souvenir.

Florence pliait le linge à mesure qu'elle le décrochait de la corde, tout en fredonnant. Adélaïde s'imposa des images du présent. Ses fils si durs à l'ouvrage, tout comme leur père, ses deux filles exilées à l'autre bout du pays et qui l'avaient faite grand-mère plusieurs fois, sa bru d'à côté qui allait avoir un cinquième enfant dans quelques mois, son Émile parti tenter sa chance chez les Américains, oubliant plus souvent qu'autrement de donner de ses nouvelles. Puis, sans qu'elle le veuille, de nouveau le souvenir douloureux refit surface.

– Je vous trouve bien songeuse, dit Florence en montant les marches, son panier bien rempli. On croirait que vous avez perdu un pain de votre fournée.

– Mais non, ma fille, dit Adélaïde en retirant ses bottes.

«Plutôt trois pains de ma fournée», pensa-t-elle en se relevant.

– Pourvu qu'il pleuve durant la nuit, dit-elle à Florence en entrant. C'est pas chrétien, une chaleur pareille !

La cuisine d'été avait gardé une certaine fraîcheur. Peut-être étaient-ce les rideaux et la nappe de cotonnade à larges rayures jaunes et blanches qui créaient cette illusion, mais l'effet était le même. Comme Florence avait déjà dressé la table, elle prit le panier de tomates des mains de sa mère.

– Laissez-moi m'occuper de ça, tandis que vous allez vous rafraîchir.

– J'en ai grand besoin, dit Adélaïde en riant, je sais !

– C'est vous qui le dites ; moi, j'oserais jamais ! répondit moqueusement Florence.

Les hommes arrivèrent légèrement en retard, passant d'abord par l'étable où de grandes bassines leur permettaient de se décrotter sommairement. Florence vit son père arriver le premier, suivi de près par René et Maurice. Ferdinand ne les accompagnait pas.

– Vous ne travaillez pas ce soir ? demanda-t-elle.

Ferdinand prenait habituellement ses repas à la maison paternelle, le dîner et le souper, pour plus de commodité et pour sauver du temps. Même s'il habitait la maison voisine, il y avait dix minutes de marche en coupant à travers les champs et sa mère estimait qu'une bouche de plus ou de moins à nourrir ne comptait pas, tandis que quelques minutes de repos en plus s'avéraient inestimables. Seule la maison appartenait à l'aîné, bâtie sur la terre du père. Il en serait ainsi chaque fois qu'un fils se marierait et à la condition qu'il travaille sur la terre, car elle était immense. Ordinairement, quand Ferdinand coupait à travers les champs pour rentrer chez lui, c'était que les hommes avaient décidé de ne pas travailler le soir.

– Pour sûr, qu'on travaille ce soir, répondit Cléophas à sa fille. Avec tout le travail qui reste à abattre avant septembre !

– Et Ferdinand ? demanda Florence en regrettant sa question au même moment.

– Un besoin urgent ! lança René.

Les trois hommes partirent à rire et Florence, offusquée de n'avoir pas retenu sa question et d'avoir à supporter maintenant leurs sous-entendus, tourna les talons pour aller aider sa mère qui commençait à servir les hommes.

– On peut jamais faire de farces sans que Florence monte sur ses grands chevaux, dit René qui aimait l'étriver.

– Sérieuse comme un pape, la cadette, renchérit Maurice.

– C'est ma faute, aussi, dit Adélaïde en apportant une assiette bien remplie à son mari, avec plus de viande que de légumes, comme il aimait.

Elle avait eu le temps de se faire une toilette rapide, de recoiffer ses cheveux et de changer son vieux tablier sale, celui des gros labeurs, contre un autre tout blanc.

– Si j'avais pas envoyé les deux plus jeunes se faire garder chez leur sœur, poursuivit-elle, en plein cœur de la ville, si y'avait pas eu le grand fléau juste à ce moment-là, je les aurais pas perdus tous les trois du même coup, pis j'aurais pas tant pleuré à la naissance de Florence, termina-t-elle en ravalant ses larmes.

Le souvenir obsédant l'avait poursuivie jusqu'à l'heure du souper et aboutissait sur la table en même temps que le bouilli.

– C'est vrai, dit Cléophas. Quand Florence est née, toute la maisonnée pleurait à longueur de journée. Veut, veut pas, ça met du sérieux dans la tête d'une enfant, pour sûr!

– Le bouilli est bon en v'limeux, dit Maurice, la bouche pleine.

– T'as bien raison de vouloir changer de sujet, mon garçon. Parlez-nous donc de votre après-midi! La pluie vous a retardés?

Cette fois, c'est Cléophas et lui seul qui éclata d'un rire incontrôlable, tout en essayant de raconter aux femmes que Maurice et René s'étaient étalés tout du long dans la terre détrempée, l'un entraînant l'autre à sa suite en voulant éviter de tomber.

– Même le vieux Picouille riait d'eux autres! Vous pourrez demander à Ferdinand, voir si je conte des menteries. Assez qu'on voyait toutes ses dents jaunies à travers son rire de cheval!

Florence la trouva bien bonne et fut heureuse que la conversation ait pris cette tournure. On parla encore de la pluie, pas assez généreuse et qui serait la bienvenue durant la nuit.

– Tout ce qu'on demande, dit finalement Maurice, c'est du beau temps pour samedi soir.

– C'est pourtant vrai, réalisa René, c'est l'épluchette de blé d'Inde chez les Grand-Maison. Sait-on jamais si Florence va pas se trouver un beau cavalier pour danser?

– Tiens! Ferdinand arrive, dit Cléophas en avalant sa dernière gorgée de thé, debout près de la porte.

– Demande-lui s'il a mangé, dit Adélaïde.

– Avec son sourire fendu jusqu'aux oreilles, on croirait qu'il a calmé son appétit, ma belle Adélaïde.

Tandis qu'ils riaient tous, Florence en profita pour commencer à desservir la table.

➤ ❦ ❦ ❦ ❦ ❧

Rue Saint-Jacques, l'horloge extérieure du building avoisinant la Banque de Montréal marquait six heures. La chaleur demeurait pourtant aussi insupportable qu'en début d'après-midi. Les chevaux avançaient uniquement sur leur erre d'aller et c'est à peine s'ils bavaient, tant l'air se raréfiait. Sous leur chapeau à larges bords, les femmes se défraîchissaient à vue d'œil, tandis qu'une chape de plomb semblait posée sur les épaules de tous les passants. À l'intérieur du magasin Max Beauvais, sis au numéro 385, on se préparait à fermer sans regret. La secrétaire, Mme Charlotte Labonté, partit la première en saluant le patron et l'assistant-gérant.

– Bonsoir, monsieur Richard. Bonsoir, monsieur Grand-Maison. Souhaitons-nous de la pluie !

Les deux hommes lui rendirent son salut, puis retournèrent rapidement à leur discussion. Une commande de chapeaux Borsalino retardait, tandis que les grandes caisses de bois contenant les paletots d'Écosse étaient arrivées au port en fin d'après-midi, soit deux jours avant la date prévue. Il fallait donc organiser la journée du lendemain en conséquence, d'autant plus que le gérant était malade une fois de plus et que la marchandise devait être récupérée dans les plus brefs délais, M. Richard étant très pointilleux à cet égard. «Tout ce qui traîne se salit», répétait-il dès l'arrivée d'une quelconque commande. Face à sa clientèle huppée, il ne pouvait agir autrement qu'avec une constante vigilance. Des juges, des avocats, des notaires, des gens d'affaires et d'argent s'habillaient dans sa maison dont la réputation n'était plus à faire. Une petite toux discrète les avertit que tous les employés étaient partis, ce qui signifiait par la même occasion que M. Lachance avait terminé les vérifications d'usage et qu'il serait devant la porte du magasin dans dix minutes exactement.

– Un homme fiable comme il s'en fait de moins en moins, dit M. Richard en le regardant s'éloigner.

Homme à tout faire et conducteur du patron, M. Lachance semblait aussi raffiné et élégant que la bâtisse du magasin, à la condition qu'il n'ouvre pas la bouche, son langage laissant à désirer. Comme il n'était pas vendeur et n'avait aucun rapport avec la clientèle, sauf pour la livraison, M. Richard ne s'en formalisait pas. Au contraire, il prenait plaisir à raconter certaines de ses tournures de phrases à son épouse, du genre: «C'est un bon joual, mais vaut mieux pas l'asticoter les jours de pleine lune. Des plans qui s'énarve pis qui nous viraille à l'envers, cul par-dessus tête!» Mme Richard s'amusait immanquablement de ce langage coloré.

Dix minutes après la petite toux discrète de M. Lachance, les deux hommes se quittèrent courtoisement sur le trottoir, M. Richard montant dans sa calèche, Arthur Grand-Maison partant à pied dans le sens inverse.

Beau temps, mauvais temps, chaleur ou froid excessifs, Arthur savourait ses allers et retours quotidiens, délaissant le tramway pourtant plus rapide, préférant la marche qui lui procurait un bon exercice et lui permettait d'économiser du même coup. Non qu'il fût pingre, loin de là, mais il avait de grandes ambitions et une volonté de réussite à toute épreuve. Ainsi pensait-il que chaque sou épargné le menait à un nouveau dollar à ajouter à ses économies, et que chaque dollar additionnel le rapprochait de son but. La rue Saint-Jacques avait pour lui l'odeur de l'argent et du prestige, et il se prenait parfois à respirer goulûment l'air de la rue. La première fois qu'il y avait mis les pieds, il avait su, de façon définitive, qu'il y ferait sa place un jour. Il reconnaissait le rôle déterminant de la chance dans la vie de chaque être humain, la sienne relevant de sa rencontre avec M. Richard, mais savait qu'il fallait bien souvent forcer la chance et les rencontres pour arriver à ses fins. Comme il était dans sa nature de s'aider lui-même plutôt que d'implorer les grâces du ciel en attendant sagement, il se félicitait de son audace en toutes circonstances.

Il venait de tourner dans la rue Saint-Sacrement et arrivait à présent devant l'édifice de la Bourse. Il ralentit le pas, c'était plus fort que lui, et se dit en se moquant de lui-même que, s'il n'y prenait garde, il allait bientôt soulever son chapeau en passant devant l'édifice, tout comme on le faisait en passant devant une église. Il poursuivit sa route et le fil de sa pensée en se disant que la chance, toujours, l'avait fait naître le dernier d'une famille nombreuse, sur une terre se refusant à garder tous ses fils, forçant ainsi sa venue à la ville.

⁕⁎⁕

Pour M. Richard, la vie se présentait, en quelque sorte, sous l'aspect d'un secrétaire à multiples tiroirs et cloisons. Un meuble dont on pouvait ouvrir ou rabattre le panneau selon son bon vouloir, avec un casier différent pour chaque moment de la journée, sans toutefois emmêler les papiers d'un compartiment à l'autre.

Ainsi jouissait-il de sa vie bien ordonnée, profitant du moment présent sans empiéter sur celui à venir ou passé. Pour l'heure, les Borsalinos retardataires n'existaient plus jusqu'au lendemain matin et la pensée de sa femme, tout en haut de l'escalier, ne l'effleurait pas encore. Seuls importaient le balancement régulier de la calèche, le claquement sec des sabots du cheval sur les dalles du pavement et la voix monocorde de M. Lachance.

Ce dernier racontait une histoire à dormir debout, concernant une de ses sœurs à qui tous les malheurs arrivaient. La disproportion entre la monotonie de la voix et l'incroyable récit fit sourire M. Richard. «Le pauvre homme, se disait-il, a le don de transformer les événements les plus insignifiants en tragédies grecques, récitées sous forme de litanies.»

Le trajet entre la rue Saint-Jacques et la rue Querbes, où tournaient d'ailleurs le cheval et son attelage, durait juste assez longtemps pour permettre une transition idéale entre le travail et le retour au calme du foyer.

Comme à chaque soir, la frêle Zélia attendait son mari tout en haut de l'escalier, élégante, parée de bijoux discrets dont la valeur pourtant n'échappait pas à l'œil averti. La tête légèrement inclinée de côté, un soupçon de fard sur les joues pour en masquer la pâleur, un beau sourire un peu triste, elle tendait ses lèvres en fermant les

16

yeux. M. Richard aimait ce moment où elle fermait les yeux, quand il cueillait un baiser sur sa bouche fraîche. Il aimait aussi respirer son parfum, et, si parfois Zélia le voyait humer l'air, elle s'empressait de lui annoncer le plat du jour, ignorant qu'il reniflait son odeur à elle. M. Richard ne parlait pas d'amour et Zélia, qui mourait d'envie d'en entendre parler, refoulait ses propres élans, confondant pudeur et indifférence. Le plat du jour avait, ce soir-là, l'odeur de l'agneau.

– Avec de la gelée de menthe?

– Comment pourrait-il en être autrement? demanda Zélia, tout heureuse de l'intérêt suscité.

Commençait alors le rituel immuable de la soirée, Zélia aidant son mari à retirer son veston puis à enfiler une veste d'intérieur dont la soie procurait à M. Richard un indéfinissable bien-être. On passait alors au salon où les meubles et les objets raffinés reflétaient bien cette fin de dix-neuvième siècle.

Un verre de scotch, dans lequel les glaçons avaient vite fondu sous la chaleur, reposait sur le marbre du guéridon, juste à côté d'un fauteuil rembourré, à capitons, où s'installait confortablement M. Richard pour la lecture des journaux.

On passait ensuite à table et le couple aimait le moment du repas où chacun racontait à l'autre sa journée. L'impressionnante salle à manger, aux meubles de style victorien, se prêtait d'ailleurs à merveille aux conversations de bon aloi, les seules permises dans cet élégant foyer. La table dressée comme en un jour de fête tous les jours de la semaine, les repas fins, les gestes délicats de Zélia, tout concourait à rendre l'atmosphère agréable.

Le reste de la soirée s'écoulerait tout aussi paisiblement jusqu'à l'heure du coucher. Après sa toilette, M. Richard s'agenouillerait au pied de son lit pour y réciter un chapelet, ce qui lui prenait, en général, une quinzaine de minutes. Pendant ce temps, retirée dans son boudoir où ne pénétrait jamais son mari sans y avoir été invité, Zélia, qui ne priait plus depuis longtemps, ouvrirait le petit carnet de cuir rouge, à tranche dorée, préalablement subtilisé dans le veston de son mari, admirerait d'abord l'écriture régulière dont seuls les *r* et les *v* prêtaient parfois à confusion, lirait ensuite la pensée inscrite en date du jour, puis, confortablement installée dans son malheur, souffrirait en méditant sur cette pensée. En ce mercredi 17 août 1898, M. Richard avait écrit un proverbe: «Les grandes douleurs sont muettes.» Les yeux fermés, Zélia retournait les mots dans sa tête. Elle souffrait depuis si longtemps, seule et silencieuse dans sa douleur, que l'écho de ces mots se répercutait dans tout son être avec une tristesse infinie.

Elle referait surface, irait sans bruit remettre le petit carnet de cuir rouge dans la poche intérieure du veston de son mari, entrerait dans sa chambre au moment où ce dernier se glisserait sous les draps, ignorant des souffrances de son épouse.

~>>※▓▓※﴿<~

Dans l'est de la ville, rue Saint-Denis, il en avait été bien autrement du déroulement de la soirée. En entrant dans son appartement douillet, Mme Charlotte Labonté, veuve et secrétaire depuis sept ans, dont cinq au service de M. Richard, avait couru à sa chambre pour troquer sa robe de travail, grise et sévère, contre une autre beaucoup plus affriolante et sous laquelle ni corset ni soutien-gorge n'entravait son corps. À la hâte, elle avait défait son chignon, brossé ses cheveux pour les retenir ensuite par un ruban rouge rappelant la bordure de sa robe. Son miroir lui avait renvoyé l'image d'une femme rajeunie de quinze ans et avait fait naître un sourire espiègle sur ses lèvres.

Parfumée, pieds nus, elle s'activait maintenant à la cuisine, tout en chantant. Il n'y avait qu'à laisser mijoter son bœuf préparé la veille, en brassant de temps en temps afin que la sauce brune et onctueuse ne colle pas. Les pommes de terre cuisaient déjà au four et les haricots seraient cuits à la dernière minute pour demeurer croquants.

Quand elle entendit frapper quatre coups bien rythmés à sa porte elle venait de découvrir que la glacière était vide, le bloc de glace ayant fondu sous l'insoutenable chaleur de la journée. Elle prit le verre de whisky, sans les habituels glaçons, et courut accueillir Arthur Grand-Maison, lui offrant d'abord sa bouche, le verre ensuite.

Bien calé au creux d'un canapé fleuri, sur fond bourgogne, journaux et cendrier à portée de la main, Arthur prit le temps de savourer une première gorgée avant d'allumer sa pipe. Tandis qu'elle dressait la table, Charlotte se remit à fredonner et l'air langoureux parvint à Arthur qui sourit en se remémorant sa première visite chez la très sérieuse veuve. «J'avais tout à apprendre des femmes», se dit-il en appuyant son verre sur son front et ses joues pour tenter de se rafraîchir, oubliant qu'il ne contenait pas de glaçons comme à l'accoutumée. «Où donc ai-je lu que la femme varie sans cesse et en contient mille?», se demanda-t-il en se reportant à ce jour où Charlotte, il y avait bien trois ans de cela maintenant, l'avait fait venir à son bureau pour lui expliquer ce que le patron attendait de lui au sujet d'une livraison. Arthur avala une autre gorgée, puis, songeur, réalisa le chemin parcouru depuis, avant de poursuivre son idée. Ce jour-là, tandis qu'elle lui parlait, elle avait retiré ses lunettes et, l'espace de quelques minutes, ses yeux lui avaient semblé troubles et beaux. Elle les avait ensuite rajustées sur son nez et, comme si de rien n'était, lui avait demandé s'il mangeait bien à la pension de famille anglaise où il habitait. Avant même qu'il réponde, elle avait dit, sur un ton moqueur, que leur réputation n'était plus à faire, que s'ils mangeaient comme des oiseaux, c'était que leur cuisine était trop insipide pour qu'ils servent des assiettées convenables. Poursuivant sur le même ton, et prétextant sa maigreur, elle l'avait invité à souper, soi-disant pour le remplumer. C'est ainsi qu'il s'était retrouvé à sa porte le soir même, hébété de découvrir une femme fort différente de la secrétaire à chignon et à lunettes. «C'est une ruse que j'ai mise au point afin d'être acceptée par les épouses des patrons», lui avait-elle expliqué par la suite, et cette première leçon dans son apprentissage de la femme l'avait amené à se questionner sérieusement sur leur apparente fragilité.

Depuis, il revenait chez Charlotte une ou deux fois par semaine, jamais plus. Une limite qu'il s'imposait, sans trop savoir pourquoi, sans vraiment se poser la question, évitant même d'y réfléchir et évitant ainsi de laisser monter en lui un sentiment de culpabilité ou un relent de péché dans lequel il ne voulait pas s'empêtrer inutilement.

La voix de Charlotte se fit plus grave, avec un trémolo qui le secoua de sa léthargie. Son désir, soudainement, devint si puissant qu'aucune force n'aurait pu le retenir plus longtemps sur le canapé.

Charlotte l'aperçut dans l'embrasure de la porte et un frisson la secoua à son tour. Elle l'entraîna avec fougue dans sa chambre. Ce fut bref et sauvage mais l'intensité de leur plaisir les cloua au lit et ils s'endormirent. Une odeur de brûlé les réveilla et ils rirent aux larmes devant les restes calcinés du souper, décidant qu'il valait mieux retourner au lit. Leurs corps se rejoignirent de nouveau dans une douce langueur et Arthur se dit que Charlotte avait le cœur et le corps bien généreux.

Elle ne voulut pas le laisser partir avec l'estomac vide, de peur qu'il s'évanouisse en pleine rue après tant d'efforts, et improvisa un souper froid. Sur le pas de la porte, comme il allait la quitter, elle offrit à la blague et sans avoir l'air d'insister de lui préparer un vrai souper pour le samedi qui venait.

– Une autre fois, ma douce Charlotte. Ce samedi, je suis attendu dans ma famille pour une épluchette de blé d'Inde, et laisse-moi te dire que ma mère veut m'y voir !

⚜

À huit heures tapantes, Zoé Grand-Maison vit le ciel s'embraser et pensa que c'était de bon augure pour l'épluchette de blé d'Inde. Les gens commençaient d'ailleurs à arriver et tout était fin prêt.

Sa nièce, la belle Hortense, était venue lui prêter main-forte dès la fin de l'après-midi. Vers cinq heures, le souper terminé, Eugène et son fils Raoul, le seul à travailler sur la terre avec son père, s'étaient empressés de remonter aux champs pour une petite heure ou deux, avec une vigueur accrue face à la soirée prometteuse. Les pluies de la veille assuraient un temps idéal, et si la chaleur persistait, elle ne s'accompagnait plus de l'humidité insupportable des jours précédents.

Une fois la corvée de vaisselle terminée, Zoé avait rapidement mis en branle l'organisation de la soirée. Grande et maigre, elle battait constamment l'air de ses bras tout en parlant et, pour qui ne la connaissait pas, ses yeux noirs au regard inquisiteur pouvaient lui prêter une sévérité trompeuse. Il suffisait d'entendre son rire saccadé pour se détromper. Malgré son énergie à tout crin, elle n'était pas fâchée d'avoir Hortense pour la seconder.

Au beau milieu de la cour arrière, entre la grange et l'étable, elles avaient monté de grandes planches sur des tréteaux et les avaient ensuite recouvertes de vieux draps blancs en guise de nappe. Elles avaient allumé les feux sous les marmites suspendues et, tandis qu'Hortense cueillait des fleurs à l'orée du champ, Zoé emplissait des salières métalliques un peu cabossées, qu'on ne craindrait pas de salir avec des doigts graisseux. Elle finissait de préparer des platées de beurre, assez larges pour y rouler les épis à souhait, quand Hortense entra avec une énorme brassée de marguerites. Elle alla droit au poêle à bois et prit la théière de faïence émaillée qui trônait sur le dessus, pompa ensuite de l'eau pour l'emplir et y arrangea les fleurs joliment.

Elles ressortirent toutes deux avec des plateaux remplis. Les salières et les platées de beurre bien distribuées, la théière fleurie en plein centre, leur table improvisée avait belle allure et les deux femmes en furent satisfaites.

– Avez-vous invité votre amie de Sainte-Dorothée, ma tante ? demanda Hortense de sa belle voix chantante.

– Beau dommage que je l'ai invitée ! Quand il s'agit d'être ensemble, Rose-Aimée, Adélaïde et moi, on saute sur toutes les occasions qui passent !

– Elle vient avec toute sa famille ? demanda encore Hortense en rajoutant du bois aux feux des marmites, sur un ton qu'elle eût souhaité négligent.

Zoé eut un de ces grands éclats de rire qu'accompagnait souvent une claque sèche sur sa cuisse.

– La langue a dû te démanger pas mal fort pour que tu te décides à poser ta question, l'air de rien. La réponse est oui, ma belle Hortense, toute sa famille, le beau Louis y compris !

Hortense s'en voulut d'être découverte, quand elle avait si bien réprimé sa question jusque-là.

– En vieillissant, ma fille, tu verras qu'on peut pas apprendre à un vieux singe à faire la grimace. Sois sans crainte, va, c'est un secret entre nous.

Les hommes étaient revenus des champs et, comme à l'accoutumée, ils avaient travaillé plus longtemps que prévu. Après avoir déchargé un amoncellement impressionnant d'épis à côté des marmites, ils s'étaient empressés d'aller faire leur toilette. Raoul avait beau habiter juste en face, c'est au pas de course qu'il s'était rendu.

Le grand Eugène, comme tout le monde l'appelait, encore plus grand et plus sec que sa femme, capable de rire tout autant qu'elle mais avec plus de retenue, allumait à présent les fanaux aux quatre coins de la cour, avant que la noirceur survienne.

– Mon grand snoreau, par exemple ! s'écria soudainement Zoé. Es-tu tombé dans la bouteille de « sent bon » ou si c'est la bouteille qui t'est tombée dessus ?

Les femmes riaient, tout en retirant leur tablier et en rajustant leur coiffure. L'air empestait la lotion bon marché, l'eau commençait à bouillonner dans les marmites et le ciel flamboyait de tous ses feux quand, à huit heures tapantes, les invités commencèrent à arriver.

Il y avait bien une cinquantaine de personnes déjà quand ce fut au tour d'Arthur de faire son entrée. Il fut acclamé comme un roi, roulant carrosse doré, avec cheval et attelage que son patron, M. Richard, lui avait prêtés avec insistance. D'un groupe à l'autre, tel un paon faisant la roue, Zoé paradait fièrement au bras de son fils, ses yeux noirs étincelants de plaisir.

La jeunesse s'était vite réunie autour des marmites, afin d'éplucher les épis qu'on jetait au fur et à mesure dans l'eau bouillante. À voir les coups de coude que les garçons se donnaient en la regardant, les clins d'œil échangés, Hortense comprit ce qui l'attendait et ne fut pas surprise de voir l'épi rouge lui tomber entre les mains. Elle se leva de bonne grâce et commença la tournée où elle devait embrasser tous les hommes présents. Elle ne pouvait y échapper, la tradition l'exigeait.

Aussitôt après, la jeunesse se dispersa et les hommes, feignant d'entretenir les feux et de surveiller la cuisson, faisaient à présent circuler la bouteille de gros gin entre eux, comme si les femmes ignoraient leur manège. Le grand Eugène venait tout juste de crier à la ronde qu'on allait bientôt se régaler, car le maïs avait presque atteint son jaune éclatant, que la famille Beauchamp arrivait enfin, s'excusant de son retard, dû à un pépin de dernière minute. Hortense vint accueillir son amie Florence en courant, tandis que Zoé faisait de grands signes à Arthur pour qu'il s'approche.

– On a beau habiter le même village, ça fait bien quatre ans au moins, dit-elle à la famille Beauchamp, que vous avez vu Arthur. Faut dire que mon gars vient pas nous visiter aussi souvent qu'on le voudrait!

Le regard noir inquisiteur de sa mère, la tête haute et les épaules rejetées vers l'arrière, ce qui le faisait paraître plus grand qu'il ne l'était, Arthur arriva près du groupe. Imperceptiblement, l'air se densifia, Adélaïde et Zoé le perçurent immédiatement. C'était pourtant trois fois rien, un regard échangé entre Arthur et Florence, qui dura à peine quelques secondes de trop, un frémissement des narines chez l'un, un mouvement vif de la tête chez l'autre, mais cela suffit aux deux femmes pour comprendre ce qui se passait. L'arrivée de la famille Charbonneau, Rose-Aimée en tête, détourna rapidement l'attention.

– Vinguienne! s'écria Eugène, la grande visite de Sainte-Dorothée!

Hortense et Louis se saluèrent timidement, puis Arthur les entraîna, ainsi que Florence, vers la table où un concours allait bientôt se dérouler, entre Émile Durocher et Henri Meloche, pour voir lequel des deux pouvait manger le plus d'épis.

Adélaïde, Zoé et Rose-Aimée formaient un trio parfait et leurs retrouvailles faisaient plaisir à voir et à entendre. Jamais plus de trois phrases qui ne soient ponctuées de rires sonores et de grands mouchoirs déployés à s'éponger les yeux.

De temps à autre, les hommes jetaient des regards de bisque en coin, vers elles, pour s'assurer qu'elles ne comptaient pas les rasades de gros gin. Un peu à l'écart et à travers leurs rires, les trois femmes ne manquaient pourtant rien du déroulement de la soirée. Adélaïde, derrière la fumée de sa pipe, observait Florence tournoyant dans les bras d'Arthur, tandis que Rose-Aimée faisait de même pour Louis et Hortense.

– Une belle danse carrée pour quatre belles jeunesses, dit soudainement Zoé qui, elle, observait ses deux amies.

– Zoé Grand-Maison ! s'écria Adélaïde, tu joues les marieuses, à c't'heure ? Me penses-tu trop naïve pour voir clair dans ton jeu ?

– Je vous ai bien eues, toutes les deux, s'esclaffa Zoé avec une grande claque sur les cuisses. D'une pierre deux coups, pour ne pas dire deux couples !

– Pour ce qui est de ton Arthur et de Florence, dit Rose-Aimée en dodelinant de la tête, je dirais que ton épluchette de blé d'Inde cachait bien tes plans ratoureux. Pour ce qui est de mon Louis et de ta nièce Hortense, je dirais plutôt que ça tient du hasard.

– Peut-être pas autant que tu le penses, Rose-Aimée, répondit Zoé en se relevant de sa chaise. J'ai comme dans l'idée que nos hommes ont assez bu, vous trouvez pas ?

– T'as bien raison, approuva Adélaïde, et si on veut se dégourdir les jambes, c'est le moment d'en profiter, parce que nos hommes oseront rien nous refuser !

À l'approche des trois femmes, la bouteille de gros gin se volatilisa comme par enchantement et les hommes, soudainement très galants, invitèrent leurs épouses à danser.

Si Jean-Baptiste Meloche, violoneux de toutes les fêtes et père d'Henri, celui-là même qui avait remporté le concours et dégobillait à présent du côté de l'étable, demandait un moment de répit, soit pour manger ou boire un coup, il y avait continuellement quelqu'un pour prendre sa relève. Quand ce n'était pas le vieux

Elphège Audette, attendant avec impatience qu'on lui torde un peu le bras pour sortir son ruine-babines, c'était Maurice Beauchamp, qui maniait assez bien la bombarde, ou quelques hommes jouant des cuillères, de sorte que la musique ne dérougissait pas de la soirée. Certains fêteraient jusqu'aux petites heures du matin, d'autres, plus raisonnables, commençaient à partir. Rose-Aimée fut des premières, avisant son fils Louis d'aller chercher son père qui trinquait trop fort à son goût. Elle promit à Zoé et à Adélaïde de les revoir le plus tôt possible et, comme toujours, elles se quittèrent à regret.

Sur le coup de deux heures, la famille Beauchamp était sur son départ et n'attendait plus qu'Adélaïde faisant une dernière tournée pour retrouver sa pipe. Zoé l'assura qu'on finirait bien par la dénicher quelque part, à la clarté du jour, et elle se résigna à abandonner ses recherches, d'autant plus que son homme commençait à chanceler.

Après leur départ, les yeux pétillants de malice, Arthur ouvrit son veston et laissa entrevoir à sa mère la pipe enfouie au fond de sa poche. La grande Zoé riait, se disant que l'affaire était dans le sac, son beau Arthur se croyant bien rusé avec sa pipe volée pour se donner une raison d'aller chez Florence le lendemain, mais qu'il avait affaire à plus rusée que lui et que beaucoup d'eau coulerait au moulin avant qu'il l'apprenne.

Cette nuit-là, Adélaïde eut toutes les misères du monde à s'endormir. Elle venait de perdre sa Florence, elle le savait d'instinct, et devait s'habituer à cette idée avant de pouvoir se réjouir pour sa fille. Elle se blottit contre son homme, qui ronflait depuis belle lurette, et cacha sa tête dans son cou pour éviter les relents de gros gin.

— Après le coucher de soleil d'hier soir, il fallait pas s'attendre à autre chose que de la grosse chaleur aujourd'hui, dit Cléophas en s'épongeant le front et le cou.

À l'abri du soleil, Adélaïde et lui se berçaient sur la galerie à l'avant de la maison. Après avoir assisté à la messe et mangé un bon rôti, c'était leur passe-temps dominical préféré. La lente oscillation des chaises, leur craquement régulier sur le bois et les croassements continus des corneilles avaient assoupi Adélaïde quelques instants.

– Oui, dit-elle en secouant le sommeil qui l'engourdissait, un coucher de soleil qu'on pourra pas oublier de sitôt.

– Pour sûr, répondit Cléophas en imprimant un balancement plus rapide à sa chaise berçante.

Sans qu'ils ajoutent rien, leurs pensées se rejoignirent sous le ciel rouge, violet et or de la veille, tandis que toute la famille enterrait Picouille. Maurice, considéré comme le moins émotif de la famille, avait eu la charge d'abattre le fidèle percheron, à la suite d'une blessure aussi stupide qu'inattendue, mais qu'on savait inguérissable. Une fois l'animal enterré, Cléophas s'était senti obligé de prononcer quelques mots.

«Une brave bête, dure à l'ouvrage, à qui on doit beaucoup. Merci, mon Dieu, de nous avoir prêté Picouille durant toutes ces années.»

La mention du nom de Dieu leur avait permis de faire un signe de croix sans se sentir trop ridicules, ce qu'ils s'étaient tous empressés de faire. Tout cela avait passablement retardé leur arrivée à l'épluchette mais, sans même se consulter, personne n'avait soufflé mot de ce malheureux événement, s'excusant simplement d'un pépin de dernière minute pour ne pas ternir la soirée.

– J'ai vu le vieux Elphège à la sortie de la messe et il doit passer en fin d'après-midi, conclut laconiquement Cléophas, rendu au bout de son souvenir.

Sans autre explication, Adélaïde comprit qu'un autre percheron prendrait la relève et elle s'assoupit de nouveau. N'eurent été les chiffres avec lesquels il devait jongler avant l'arrivée du vieux Elphège pour l'achat du cheval, Cléophas en aurait fait tout autant. Perdu dans ses calculs, il mit un certain temps à reconnaître la personne qui avançait sur le chemin d'un pas décidé. Il secoua légèrement le bras de sa femme.

– Regarde donc qui vient, ma belle Adélaïde.

– Sans même ouvrir les yeux, dit-elle la tête encore renversée sur le dossier de sa chaise, je mettrais ma main au feu que c'est Arthur Grand-Maison.

Tout en fronçant les sourcils, Cléophas pensa une fois de plus que les femmes possédaient un sixième sens. Adélaïde se redressa, remettant un peu d'ordre à ses cheveux et à sa robe, puis plissa les yeux en direction du chemin de terre menant à leur maison. Elle trouva fière allure à cet Arthur Grand-Maison qui allait lui enlever sa fille et se dit que, malgré tout, il ne pouvait y avoir meilleur parti dans tout le comté.

– Bonjour, madame Beauchamp. Bonjour, monsieur Beauchamp. Je vous rapporte votre pipe, dit Arthur en la tendant à Adélaïde qui la prit avec un sourire narquois.

– Va donc savoir pourquoi, j'étais certaine que c'est toi qui allais la retrouver, personne d'autre !

À l'intérieur de la maison, Florence eut un petit sourire flatté et sortit sur la galerie en relevant fièrement la tête.

Quatre chaises craquaient allègrement sur la galerie des Beauchamp quand Henri Meloche passa devant chez eux en les saluant. Il allait sûrement jouer aux cartes chez Ferdinand, et Florence sut que la présence d'Arthur à leurs côtés serait colportée à tout un chacun. Cléophas, dont le sixième sens s'était finalement éveillé, posait une série de questions à Arthur, concernant la nature de son travail et ses chances d'avancement au sein de l'entreprise. Florence s'était éclipsée à la première question, prétextant le thé à préparer.

On était ensuite passé à la cuisine d'été, plus fraîche que partout ailleurs, où Florence avait joliment dressé la table, sa mère retenant un sourire en avisant le charmant bouquet de fleurs au milieu. La tarte aux pommes avait été déclarée délicieuse et le thé rafraîchissant par cette journée torride. Arthur remerciait et prenait congé quand Adélaïde tendit un sac de papier à Florence.

– Va donc ramasser des pommes pour Arthur et fais-lui visiter notre verger.

– J'ai justement affaire dans la grange, mentit Cléophas, je vous suis.

Une trentaine de pommiers, six pruniers et quatre cerisiers composaient le verger, tout à côté de la grange. Florence guida Arthur tout au bout, là où les premières pommes d'automne commençaient à mûrir.

– Mes préférées, dit-elle en commençant la cueillette, si on les aime bien surettes. Tu nous en donneras des nouvelles.

– J'y compte bien, répondit Arthur qui n'allait pas perdre une si belle occasion. Dimanche prochain, peut-être?

– Ça nous fera plaisir, répondit Florence en évitant exprès la première personne, trop orgueilleuse pour démontrer aussi facilement son contentement.

– Tu as beaucoup changé en quatre ans. C'est à peine si je t'ai reconnue, hier soir.

– La dernière fois, j'avais douze ans !

– Douze ans et un joli surnom.

– Quel surnom?

– Justement, je me demande bien ce qui a pu se passer, parce que le surnom ne te va plus du tout. On disait «le petit écureuil», à cause de tes dents légèrement avancées, ce qui n'est plus le cas.

Florence se sentit rougir et s'enfouit la tête sous une branche. Elle en ressortit avec deux pommes et plus d'aplomb.

– Tu sauras, Arthur Grand-Maison, que ton surnom à toi te va toujours aussi bien, parce que tu n'as pas changé du haut de tes vingt-trois ans et que tu es aussi «grand fend l'vent» qu'avant ! Pour ton information, tu sauras aussi que tous les jours, depuis des années, j'appuie sur mes dents pour les redresser, et maintenant elles sont presque parfaites. Ce que femme veut, Dieu le veut !

Arthur riait tellement que Florence se mit à rire aussi, tout étonnée de sa sortie.

– Pour dimanche prochain, c'est toujours d'accord? demanda Arthur avec sérieux.

Florence se contenta d'un hochement de tête positif, trop impressionnée par le regard ardent qu'elle réussit tout de même à soutenir.

– Et si je demandais la permission à ton père pour revenir à toutes les semaines, pas les bons soirs comme tout le monde, à cause de mon travail, mais le samedi soir et le dimanche après-midi, tu serais d'accord aussi?

Cette fois, un grand sourire illumina les yeux de Florence et son oui fut le plus beau qu'eût jamais entendu Arthur. Quand ils furent arrivés à la grange, Florence lui tendit son sac de pommes.

– Bonne semaine, Arthur. À samedi soir prochain.

– À samedi soir prochain, Florence. La semaine sera longue.

Florence remonta rapidement vers la maison tandis que d'un pas décidé Arthur se dirigea vers la grange où Cléophas l'attendait.

~ ❊ ~

En cette fin d'après-midi d'un dimanche trop chaud, Arthur se laissait guider, sans exigence particulière pour le cheval qui le ramenait en plein cœur de la ville. De lui-même, l'animal choisit son allure, la réglant sur le petit trot, comprenant d'instinct qu'il devait éviter le pas afin d'échapper au galop.

Ce petit trot, qui lui permettait de mettre de l'ordre dans ses pensées et de graver dans sa mémoire le moindre souvenir, plut à Arthur dès le départ.

«D'abord l'épluchette de blé d'Inde, un 20 août splendide! Un beau chiffre rond, plein comme les épis bien mûrs, regorgeant de grains fermes, juteux sous le beurre et le sel, un 20 août parfait.»

Les souvenirs affluaient trop vite. Il aurait souhaité faire durer le plaisir, mais déjà l'arrivée de Florence dans la cour de ses parents s'imposait à son esprit et prenait toute la place.

«Une véritable apparition. Non pas celle d'une sainte ou d'une Vierge Marie, mais celle d'une fillette devenue femme en quatre ans. Et quelle femme! Moi qui croyais la cousine Hortense la plus belle des belles, je découvrais "la" femme, belle entre toutes, une chevelure d'un brun si foncé que les yeux bleus éclatent au milieu du visage. Des yeux de lumière et d'eau.»

La chaleur se faisait de plus en plus lourde à mesure que les habitations se resserraient. Arthur défit son col sans même en prendre conscience.

«Une eau vive, trouble sous l'émoi, une eau tumultueuse si on n'y prend garde, une eau changeante selon les humeurs. Elle a du caractère! Un port de reine, la tête bien droite, les épaules fièrement rejetées en arrière, sans craindre d'afficher sa belle devanture, assez bien garnie, ma foi.»

Perdu dans des considérations esthétiques qui commençaient d'ailleurs à l'émoustiller, Arthur oublia de tourner et fit un bon bout de chemin avant de faire revenir le cheval sur ses pas. Le temps n'existait plus et c'est pourtant sur l'heure qu'il décida que Florence était la femme de sa vie, celle qu'il attendait sans même le savoir. Réglé comme du papier à musique, le plan d'Arthur prit sa forme définitive avant qu'il atteigne l'écurie.

«Notre union sera longue, parce que nous vivrons très vieux, belle, à cause de notre désir de réussite aussi fort que nos deux volontés réunies, et prospère, étant donné que la famille sera nombreuse et très à l'aise, ça oui! puisque j'y mettrai toute mon énergie.»

En libérant le cheval de son attelage, Arthur Grand-Maison avait désormais des responsabilités immenses, à la mesure de ses capacités et de son nouvel amour.

⚜

Dans sa chambre, assise sur le rebord de la fenêtre, Florence ferma les yeux. D'abord venue y chercher un peu de fraîcheur, elle y retrouva l'émerveillement des deux derniers jours. Les beaux yeux noirs la transpercèrent de nouveau mais, cette fois, enfin seule et à l'abri du regard des autres, elle donna libre cours aux battements désordonnés de son cœur et se laissa porter par ce rythme fou. Y avait-il sur terre un homme plus beau, plus fier qu'Arthur? se demandait-elle. Y avait-il une autre raison à son existence que celle d'unir sa destinée à cet homme? La réponse étant négative dans les deux cas, elle se coucha et s'endormit dans le souvenir d'Arthur.

Un orage à tout casser avait éclaté au beau milieu de la nuit et Montréal baignait à présent dans le brouillard et la bruine, en ce lundi matin frisquet. Tout valait mieux que la canicule des derniers jours, pensa Arthur en remontant la rue Saint-Jacques. Juste avant de traverser, il releva son parapluie et c'est à peine s'il put distinguer l'enseigne du magasin Max Beauvais. Quant à l'énorme boule surmontant les trois étages de l'édifice, elle se perdait complètement dans les vapeurs grisâtres de la brouillasse.

En poussant la porte du magasin, il se dit que la journée allait être chargée, tandis que le souvenir du regard bleu de Florence venait l'électriser. Il secoua son parapluie et jeta un œil admiratif à la ronde. Les étagères à chapeaux, les parapluies, les cannes, certaines à pommeau d'argent ou d'ivoire, en plein centre les comptoirs d'acajou, vitrés sur le dessus et dans lesquels on choisissait les chemises, les mouchoirs, les foulards, les cravates, les robes de chambre ou les vestes d'intérieur, tout respirait le luxe et l'élégance, les importations occupant un pourcentage élevé de la marchandise. À travers les manteaux, les chapeaux, les chaussures, Arthur rêvait de l'Italie, de la France et de l'Écosse.

À neuf heures, tous les vendeurs occuperaient leur poste, neuf en tout, et l'atelier du sous-sol accueillerait cinq personnes affectées soit à la confection des complets faits sur mesure, soit aux altérations. Le caissier aurait déjà la tête plongée dans les comptes et Mme Labonté monterait à son bureau du troisième. M. Richard arriverait ensuite, saluerait tous les employés par leur nom et se dirigerait calmement vers son bureau de la mezzanine, ouvert sur le rez-de-chaussée, exerçant de là-haut une surveillance tranquille et discrète.

Pour l'instant, Arthur frappait à la porte de M. Bernier, le gérant, avec qui, tous les matins, il planifiait la journée. Par déférence pour son patron immédiat, il prenait bien soin d'arriver cinq minutes après lui, soit à huit heures et cinq minutes, jamais avant. La rapidité avec laquelle il avait obtenu son poste d'assistant-gérant démontrait assez l'intérêt que M. Richard lui témoignait, sans qu'il outrepasse les prérogatives de M. Bernier qui ouvrait lui-même le magasin et appréciait ces premières minutes de la journée durant lesquelles, croyait Arthur, il avait l'illusion de posséder le commerce. C'est à tout le moins ce qu'il imaginait, éprouvant lui-même cette sensation en entrant.

En général, on ne pouvait qualifier le lundi de jour achalandé, et celui-ci, avec son temps maussade, le serait encore moins, assurait M. Bernier qui donna carte blanche à Arthur pour mettre au point une nouvelle publicité réclamée par M. Richard. Il fila donc en vitesse à son bureau du troisième, tandis que régnait encore le silence. Il excellait dans l'art de créer des réclames, d'inventer le slogan parfait pour les accompagner, et, au bout de deux heures, il avait tracé les grandes lignes de plusieurs idées originales qu'il décida d'aller soumettre à M. Richard.

Tout absorbé par ces deux heures de concentration, il passa rapidement devant le bureau de Mme Labonté, dont la porte était ouverte, sans la voir.

– Monsieur Grand-Maison?

– Bonjour, madame Labonté, dit Arthur en revenant sur ses pas. Vous avez passé un bon dimanche?

– Très bon, merci. Et vous?

– Je dois absolument te voir, dès ce soir, lui dit-il à voix basse après avoir pénétré de quelques pas dans son bureau. C'est possible?

– Rien de grave? demanda Charlotte, anxieuse.

– On en parlera ce soir. C'est d'accord?

À peine eut-elle le temps d'acquiescer de la tête qu'Arthur était reparti, mal à l'aise, ce que Charlotte ne manqua pas de remarquer. Pas un sourire, le regard fuyant, rien ne lui avait échappé. Un frisson soudain la parcourut des pieds à la tête. «C'est la fin, pensa-t-elle, et il veut m'annoncer que tout est terminé entre nous. Pourquoi?» Il serait bientôt l'heure pour M. Richard de venir occuper son immense bureau du troisième, donnant sur la rue Saint-Jacques, juste en face du sien. Il aurait sûrement quelques lettres à lui dicter et rien de son désarroi ne devait transparaître. Elle s'appliqua donc à effectuer un travail de compilation qu'elle détestait, afin de s'absorber tout entière dans cette tâche fastidieuse avant qu'il arrive.

Au bout d'une demi-heure, elle entendit effectivement son patron qui montait l'escalier et parlait avec Arthur. Elle fit mine de fouiller dans un classeur, pour se donner bonne contenance, mais ils entrèrent dans le grand bureau et fermèrent la porte derrière eux.

– Asseyez-vous, dit M. Richard en désignant une chaise confortable devant sa table en chêne massif.

Il occupait ce splendide bureau du troisième une heure ou deux par jour, préférant celui de la mezzanine d'où il gardait un œil sur la bonne marche des affaires. Il descendait parfois serrer la main de clients importants et les invitait tout en haut pour leur offrir un bon cigare et un verre de vieux porto. Il venait tout juste d'inviter Arthur à le suivre, parce que ce dernier lui sollicitait des conseils sur la Bourse.

– Je tiens encore à vous féliciter, mon cher Arthur. Cette nouvelle publicité conviendra parfaitement au style de la maison. Je vous en prie, servez-vous, dit-il en tendant un luxueux coffret de cigares.

Les deux hommes prirent le temps de savourer quelques bouffées de havane avant d'entrer dans le vif du sujet.

– Que diriez-vous d'acheter quelques actions de Max Beauvais? dit M. Richard en admirant les cercles parfaits qui venaient de s'échapper de sa bouche et planaient à présent les uns derrière les autres.

Arthur faillit s'étouffer de surprise, tellement il ne s'attendait pas à une offre pareille.

– Ce serait un pas dans le monde des affaires. Pour ce qui est du reste, je vous mettrai en contact avec une personne qualifiée, mais laissez-moi tout de même vous conseiller la prudence. Croyez-en mon expérience, on se laisse trop facilement enivrer par l'appât du gain facile et on risque de tout perdre en un rien de temps si on ne protège pas ses arrières.

Ils continuèrent à discuter un bon moment, Arthur enregistrant chaque conseil comme s'il fût parole d'évangile. Quand il sortit du bureau, il savait, avec une certitude jamais égalée jusquelà, qu'une voie royale s'ouvrait devant lui.

Vers midi, la bruine se transforma en pluie drue, tombant en rafales et couchant les épis comme si, assoiffés, ils s'inclinaient vers la terre pour s'y abreuver.

Cléophas et ses fils avaient profité de la matinée pour effectuer le grand nettoyage des bâtiments et avaient planifié certaines réparations, toujours remises, pour l'après-midi à venir. Adélaïde avait servi à dîner dans la grande cuisine où le feu du poêle crépitait, accompagnant les giclées de pluie sur les vitres dans une musique feutrée.

— Finies, les belles grosses chaleurs d'été, dit Cléophas en se berçant rêveusement près du poêle.

— Encore heureux d'avoir échappé au mauvais temps samedi soir, lança Maurice. Ça faisait longtemps qu'on s'était si bien amusé, vous trouvez pas ?

— Parlant de l'épluchette, dit Cléophas, j'ai fait une bonne rencontre avec Hormidas Saint-Germain et, pas plus tard que cette semaine, j'achète la terre de son neveu sur le mont Royal. Une terre de plusieurs acres !

— Parlant de bonne rencontre, relança René, à ce qu'il paraîtrait, certaines personnes de notre connaissance en ont fait toute une ?

Tous les regards se portèrent évidemment sur Florence qui ne put réprimer un fou rire, déclenchant ainsi le rire général.

— C'est plus grave qu'on pensait, dit Ferdinand en se versant une tasse de thé. Si Florence rit maintenant des étrivations de René, faut croire qu'on se dirige vers du sérieux !

– Les nouvelles courent vite, rétorqua Florence, mais faudrait pas mettre la charrue devant les bœufs, quand même!

– Arthur vous a pas encore fait la grande demande? demanda René à son père sur un ton badin.

– Pas la grande demande, mais, autant que vous le sachiez tout de suite, il m'a demandé la permission de fréquenter Florence. Pas les bons soirs comme tout le monde, à cause de l'éloignement de son travail, mais les samedis soir et les dimanches après-midi.

– Ça parle au diable! s'exclama Maurice.

– Si sérieux que ça? émit faiblement René, sous le coup de la surprise.

Florence ne savait trop quoi penser devant l'air ahuri de ses frères. Pour sa part, Adélaïde comprit que, tout comme elle, ils absorbaient le choc, à l'idée de perdre leur petite sœur tant aimée. Ils n'allaient certes pas le dire dans ces mots, bien entendu, mais elle lisait leur tristesse entre les lignes du silence qui venait de s'établir dans la cuisine. Une bûche tomba au fond du poêle, les faisant sursauter.

– C'est l'heure, dit simplement Cléophas en s'extirpant de sa chaise berçante.

Une fois les hommes sortis, la vaisselle terminée et la cuisine bien rangée, Adélaïde prit la place encore chaude de son mari et alluma sa pipe.

– On peut pas dire que la nouvelle les a trop emballés, dit soudainement Florence. Vous croyez qu'ils ont quelque chose contre Arthur?

– Pas contre Arthur, ma pauvre enfant, contre l'idée de perdre leur sœur. Ça oui!

– C'est quand même pas demain la veille!

– C'est tout comme, ma belle Florence. Quand on apprend la nouvelle, il faut d'abord se faire à l'idée, la laisser filer son chemin, puis se dire, finalement, que sa fille pouvait pas mieux choisir, ajouta-t-elle en souriant derrière son nuage de fumée.

– Vous le pensez vraiment?

– Oui. Je pense aussi qu'Arthur est un homme plus compliqué que ton père, enfin, pas aussi simple que lui, si on peut dire, mais que tu auras l'intelligence de le comprendre. C'est un tempérament fort, ça se voit tout de suite, un peu comme sa mère, en fait. Étrangement, je dirais que c'est pas le genre à dédaigner une femme peut-être plus forte encore que lui.

– Vous me croyez plus forte que lui ?

– Pour sûr! comme dirait ton père. Seulement, une jeune fille intelligente comme toi doit toujours se rappeler que l'homme préfère les suggestions aux commandements et, par-dessus tout, les suggestions qui l'amènent à prendre lui-même les décisions.

– Pour ça, j'ai été à bonne école avec vous. Soyez pas inquiète !

– Tu vas toujours voir ton amie Hortense, malgré la pluie ?

– Certaines conversations méritent qu'on brave les pires tempêtes, vous croyez pas ?

Florence avait tellement hâte de raconter son histoire à son amie, d'entendre la sienne, qu'elle parcourut la route en moins de vingt minutes et ne souffrit ni de la pluie ni de la boue éclaboussant sa jupe sous ses enjambées rapides.

Assise bien au chaud près du poêle, Florence buvait à présent son thé à petites gorgées, tout en écoutant Hortense lui parler de Louis comme d'un prince sorti d'un conte, avec sa chevelure bouclée, ses yeux verts, sa taille élancée, son merveilleux sourire.

– Tu te souviens de la promesse de nos quatorze ans ? demanda soudainement Hortense, presque au milieu d'une phrase.

– Laquelle ? demanda Florence en riant. Si ma mémoire est bonne, c'est l'année où nous en faisions tous les jours. Tout juste si on n'a pas décidé d'entrer en religion, cette année-là, tu t'en rappelles ?

– Si je m'en rappelle ! On l'a échappé belle ! Grâce à sœur Sainte-Gertrude, d'ailleurs, qui nous a reproché, en pleine cour de récréation et devant toutes les autres filles, d'entretenir de trop longues conversations à deux, comme si on avait des secrets à cacher, selon elle.

– Oui. Juste avant qu'on aille se promettre à la vie religieuse à perpétuité. Sauvées par la cloche qu'elle avait agitée pour nous rappeler à l'ordre, qu'on s'était dit en riant. Mais de quelle promesse voulais-tu parler?

– Quand on s'est juré fidélité dans notre amitié, quoi qu'il advienne et jusqu'à la mort, dit gravement Hortense.

– Oui. Parce que nous serons séparées, c'est certain. Toi du côté de Sainte-Dorothée, moi en plein cœur de la grande ville. Les religieuses disaient qu'on avait une belle plume, toutes les deux; on pourrait se promettre de la tremper dans l'encre le plus souvent possible, non?

Hortense prit les mains de Florence dans les siennes et la regarda droit dans les yeux durant quelques secondes, avant de répondre solennellement:

– C'est promis!

Florence toussota pour se remettre de cette émotion. Elle aimait ces manifestations spontanées entre elles, mais ses manières réservées l'empêchaient de le démontrer aussi facilement qu'Hortense.

– Si tu veux mon avis, dit-elle pour changer l'atmosphère trop chargée d'émotions, à partir de maintenant, il faut penser sérieusement à notre trousseau.

– C'est pourtant vrai, fit Hortense, songeuse. Je te reconnais bien là, chère Florence. Ton sens pratique prendra toujours le pas sur tes émotions, tandis que moi, j'ai besoin qu'on me rappelle à l'ordre.

– Pourtant, si tu savais à quel point j'envie ta facilité à exprimer tes sentiments, tu serais surprise...

***

Plus le temps passait, plus Charlotte tournait en rond dans son appartement, allant de la cuisine au salon, du salon à la chambre, répétant dans chaque pièce une série de gestes inutiles.

Elle ne pleurait pas mais les larmes coulaient sans qu'elle puisse les retenir. Elle les essuyait nerveusement du revers de la main, replaçait un coussin et poursuivait sa ronde affolée. «Peut-être y a-t-il de la maladie dans sa famille et ressent-il le besoin d'en parler?», songea-t-elle tout à coup, heureuse de cette nouvelle trouvaille. «Ce serait trop beau pour être vrai! Non pas que je souhaite la maladie dans sa famille, rectifia-t-elle intérieurement, mais n'importe quoi serait préférable à ce que je redoute.»

Elle repartit de plus belle dans les suppositions cent fois envisagées au cours de la journée et aboutit une fois de plus à la même conclusion: «Il a rencontré une femme à l'épluchette de blé d'Inde, c'est certain! Il me l'avouera dans quelques minutes et je ferai bonne figure, lui offrant mes vœux de bonheur dans un beau sourire. Voilà!» Elle courut à sa chambre, tenta de se poudrer, mais les larmes roulaient sur la poudre en formant des boules minuscules. «Des larmes poudrées», pensa-t-elle au moment où l'on frappait quatre coups bien rythmés à sa porte.

Arthur ne l'embrassa pas en entrant et refusa le verre de whisky traditionnel. Charlotte l'invita à s'asseoir, tandis qu'elle proposait une tasse de thé sans attendre la réponse. De la cuisine au salon, chacun lançait une banalité, la pluie qui ne cessait de tomber, les chaleurs récentes, la nouvelle publicité, jusqu'à ce que Charlotte revienne avec un plateau.

– Quelques minutes d'infusion et ce sera prêt, dit-elle en replaçant les tasses dans les soucoupes.

– Viens t'asseoir, dit Arthur en désignant la place à ses côtés. Ce que j'ai à te dire n'est pas facile et je t'en demande pardon d'avance. Vois-tu, dans la vie de chaque homme, il y a, je suppose, un moment décisif.

– Tu as rencontré la femme de ta vie, dit Charlotte pour mettre fin à cette interminable attente de mots qu'elle ne voulait pas entendre.

Une boule énorme se forma dans sa gorge et l'empêcha de prononcer ses vœux de bonheur. Elle se mit à pleurer doucement, incapable de se retenir ou d'essuyer les larmes qui inondaient son visage. Arthur la prit tendrement dans ses bras, la berça comme un petit enfant, caressa ses cheveux sans dire un mot. Elle eut des sanglots, des frissons incontrôlables, de petits gémissements retenus, des secousses encore et des pleurs abondants, mais Arthur la serra fortement contre lui, sans relâche, dans un mouvement de balancement continu, jusqu'à l'épuisement total où seules les larmes roulaient silencieusement, qu'il essuyait de temps en temps de son mouchoir à présent tout imbibé.

– La peine qu'on inflige aux autres est insupportable, lui dit-il enfin sur le pas de la porte. Tu auras toujours dans mon cœur une bonne place, ma douce Charlotte.

Il la prit dans ses bras, releva son menton et déposa un long baiser sur ses lèvres. Un baiser doux et tendre, empreint de tristesse, comme tous les baisers d'adieu.

❦

Au même moment, rue Querbes, M. Richard s'agenouillait au pied de son lit et Zélia, dans son boudoir, ouvrait le petit carnet de cuir rouge. Une odeur de rôti de porc flottait encore dans toute la maison. «Meilleur que celui de ma propre mère», se dit M. Richard en entamant son signe de croix. «Un souper qu'il a grandement apprécié», pensa sa femme en cherchant la date et la pensée du jour.

Il ne s'agissait pas, cette fois, d'un proverbe mais d'une pensée empruntée à un auteur dont son mari avait inscrit les initiales, P.B., au bas de la page. À mesure qu'elle lisait, la vue de Zélia s'embrouillait. «*Le couvent*. Mais c'est un suicide comme un autre. Le couvent c'est l'alcool des femmes romanesques. C'est plus sentimental que le whisky, et plus vieux jeu, c'est aussi plus fier, mais c'est bien toujours le même but: oublier... s'oublier!» Elle ferma les yeux, laissa couler ses larmes librement pendant un moment, puis referma le carnet sans relire les mots douloureux.

Dans le vestibule, une fois le carnet précautionneusement remis dans la poche intérieure du veston de son mari, elle s'immobilisa et songea que certains êtres, sur la terre, naissaient sous le signe du bonheur, tandis que d'autres s'engageaient très jeunes vers la souffrance. Le souvenir de la conversation du souper, portant sur

Arthur, lui revint en mémoire. «Tout prédestinait ce jeune homme au bonheur», pensa-t-elle. Elle espéra avoir vu juste en annonçant à son mari qu'il décrivait l'attitude de son protégé comme étant celle d'un homme amoureux. Elle le souhaita ardemment, parce qu'elle l'aimait infiniment, un peu à la manière d'un frère ou de l'enfant qu'elle n'avait jamais eu et avait pourtant désiré si fort, et parce qu'il était réconfortant de croire au bonheur, même à celui des autres.

⚜

Après quelques jours de pluies torrentielles, la semaine s'achevait en beauté. Le soleil avait forcé son chemin de peine et de misère et, vers trois heures de l'après-midi, il resplendissait enfin, propageant une lumière nouvelle sur les champs, s'infiltrant au cœur des maisons. Une chaleur douce s'en dégageait, tandis que s'échappaient du sol des vapeurs blanches.

Adélaïde avait entraîné Florence à l'extérieur pour y respirer l'odeur des cèdres, bien alignés de chaque côté de la maison, celle des sapins formant un trio parfait au centre du parterre. À sa fille qui aurait préféré en finir avec l'époussetage, elle avait répliqué que le ménage pouvait attendre, que la nature n'offrait jamais deux fois de suite la même odeur, les mêmes couleurs, et que c'était faire honneur à Dieu que d'en profiter.

Florence avait finalement admis son plaisir à respirer ces bonnes odeurs, celle des cèdres en particulier, mais n'avait soufflé mot sur le fait que son plus grand bonheur à elle provenait de l'observation de sa mère face à la nature, à la vie, de l'éblouissement qui la saisissait si facilement à tous les moments de la journée, à propos de tout et de rien. Elle aurait aimé ressentir de la même manière, mais sa nature la portait à voir d'abord l'urgence de son environnement. «Si maman regarde une fleur, se disait-elle, elle en admire la beauté, la délicatesse, se penche, la touche et la respire avec amour. Moi, je vois tout de suite les mauvaises herbes l'entourant, son manque d'eau, et je m'empresse d'y remédier. Pourtant, il me semble aimer la fleur tout autant qu'elle, mais d'une manière différente.» Elle essaya ensuite d'imaginer Arthur face à cette même

40

fleur et pensa qu'il aurait, lui aussi, sa propre vision de la fleur. Sans doute l'observerait-il avec un peu de recul, pour voir l'effet dans son ensemble, et déclarerait-il aussitôt qu'il faudrait en planter toute une plate-bande pour agrémenter le parterre. Sa mère lui demanda alors le pourquoi de son beau sourire et Florence lui répondit moqueusement qu'elle entendait l'appel de son vieux torchon planté seul au milieu du salon et la réclamant à grands cris.

La venue d'Arthur constituait tout un événement. C'était, en quelque sorte, le début officiel des fréquentations et chaque membre de la famille s'appliqua à faire honneur au nom des Beauchamp.

Adélaïde s'était donné beaucoup de mal pour préparer sa meilleure recette de gâteau, avait recouvert celui-ci d'une crème onctueuse, parfumée à l'essence d'amande, puis l'avait décoré de noix de Grenoble et de feuilles de menthe. Elle avait ensuite cueilli des glaïeuls blancs, des jaunes et des mauves, et avait déposé la gerbe dans son plus beau vase, celui de cristal qu'on se transmettait de mère en fille depuis plusieurs générations.

Chacun s'était mis sur son trente-six, les hommes allant même jusqu'à porter leur veston, tout comme s'ils partaient pour la messe. Florence était fière d'eux et aurait voulu le leur dire mais elle ne trouva pas les mots. Les ayant trouvés, elle n'aurait, de toute façon, pas su les prononcer, craignant de mettre tout le monde dans l'embarras, elle la première. Elle leur servit tout de même son plus beau sourire et ils comprirent tous, à la luminosité du regard bleu, le contentement qu'elle avait d'eux.

La soirée fut agréable, quoique légèrement guindée au début, mais le naturel de chacun reprit le dessus dès qu'Adélaïde suggéra aux hommes de se mettre à l'aise et de retirer leur veston. On joua aux cartes, Adélaïde tricha comme de coutume, et toute la famille riait sous cape depuis dix minutes quand Arthur découvrit le pot aux roses. Il rit de bon cœur avec eux et se sentit accepté au sein de ces gens chaleureux, pas plus compliqués que ses propres parents.

En partant, fort tard parce qu'une partie en appelait une autre et qu'on insistait pour le retenir, il demanda la permission d'emmener Florence chez lui le lendemain, pour répondre au désir de sa mère, et convint avec elle de la prendre après le dîner, soit vers une heure.

Une fois seuls dans leur chambre, Cléophas et Adélaïde se confièrent leur appréciation respective d'Arthur. Peut-être inspirés par l'atmosphère d'amour flottant dans l'air, par les regards enflammés échangés à la dérobée entre les amoureux, ils firent l'amour avec une bouffée de jeunesse, surpris eux-mêmes d'une telle ardeur après tant d'années de vie commune.

⚜

Une bonne demi-heure de marche séparait les maisons d'Arthur et de Florence. Chemin faisant, pour aller la chercher, il avait tout calculé. Il savait, par exemple, qu'au bas de la grande côte ils seraient à mi-chemin entre les deux maisons et que le temps serait venu d'aborder une conversation sérieuse. Il aurait ainsi quinze minutes environ, peut-être plus en ralentissant le pas, pour connaître ses sentiments avant d'arriver chez ses parents.

Le cœur d'Arthur battait maintenant à tout rompre tandis qu'ils descendaient la grande côte, Florence toute rieuse à ses côtés, racontant l'histoire du cheval mort et enterré, avec service funèbre où seul manquait le goupillon. Elle savait allier tristesse, drôlerie et dérision, remarqua-t-il au moment d'arriver en bas de la côte. Il respira alors profondément avant d'entamer sa conversation sérieuse, et Florence s'élança au même moment vers le fossé en bordure de la route pour recueillir un oiseau en difficulté. Elle le prit entre ses mains avec tant d'amour qu'Arthur envia l'oiseau, une grive, nota-t-il, et dont il eût volontiers tordu le cou pour s'être mise en travers de son chemin et de son plan.

Florence tenant précieusement l'oiseau entre ses mains, ils firent ainsi quelques enjambées encore, Arthur de plus en plus navré du temps perdu à parler de la grive.

– Il y a parfois des rencontres définitives dans la vie, s'entend-il prononcer pompeusement alors qu'il avait soigneusement planifié une tout autre entrée en matière.

– La nôtre, par exemple ?

– La nôtre, Florence. Regarde, dit-il, soudainement inspiré, tout en la faisant délicatement pivoter sur elle-même et en prenant soin de garder ses mains légèrement appuyées sur ses épaules, nous sommes tout en bas d'une grande côte à monter. Nous pouvons le faire ensemble, si tu le veux.

– Oui, je le veux, répondit Florence en employant intentionnellement les mots exacts de la cérémonie du mariage et en le regardant droit dans les yeux.

Arthur comprit la pleine valeur de sa réponse et en fut chaviré.

– Je ferai tout en mon pouvoir pour aplanir cette côte tout au long de notre vie, promit-il.

C'est alors que la grive s'échappa des mains de Florence et s'envola vers le faîte d'un bouleau blanc. Il y en avait plusieurs à cet endroit mais l'oiseau choisit le plus haut, tout comme s'il voulait leur indiquer la voie royale s'ouvrant devant eux. C'est, à tout le moins, ce qu'ils en conclurent dans leur cœur, et Arthur, profitant de ce moment d'émerveillement, s'inclina vers Florence et déposa un baiser sur son front.

Les gestes, les paroles, les odeurs s'inscrivaient en eux à mesure qu'ils avançaient silencieusement vers la maison. Zoé les attendait sur la première marche du perron.

– Vous avez l'air bien sérieux, tous les deux, leur cria-t-elle. Auriez-vous par hasard rencontré le bonhomme Sept-Heures en plein jour ?

Leurs éclats de rire parlèrent pour eux et Zoé, l'espace d'une vision très nette, se retrouva en plein mois de mai sous les pommiers en fleurs, Eugène profitant de leur première intimité et approchant sa bouche de la sienne, enfin ! Elle posa sur Arthur et Florence un regard très doux.

En plein cœur de la semaine, M. et Mᵐᵉ Richard avaient invité Arthur à souper. Bien calé au milieu des coussins du canapé, dont le damas broché rehaussait à lui seul l'éclat de la pièce, Arthur savourait un Davidoff à nul autre pareil quand Zélia entra au salon. Il s'empressa de se lever pour l'aider et déposa le plateau sur une table basse et marbrée, du même type que le guéridon. Tandis qu'elle servait le thé, il admirait tout à la fois ses gestes délicats, le service d'argenterie, la fine porcelaine anglaise des tasses, et se considérait le plus heureux des hommes.

M. Richard avait ouvert une bouteille de champagne au dessert, pour souligner, disait-il, la nouvelle nomination d'Arthur. Après avoir empli les trois flûtes, on avait trinqué en son honneur. Après une première gorgée, comme Arthur fronçait les sourcils en signe d'incompréhension totale, le couple avait jugé le suspense suffisant et M. Richard lui avait alors annoncé qu'il lui confiait le poste de gérant, en remplacement de M. Bernier dont l'état de santé s'aggravait. Zélia l'avait embrassé en le félicitant et, au deuxième verre, Arthur ne savait plus ce qui, des bulles ou de la promotion, l'enivrait le plus.

– Autre bonne nouvelle, dit M. Richard en prenant la tasse que lui tendait sa femme. M. Bernier souhaite se départir de ses actions de Max Beauvais et j'ai pensé vous les laisser acquérir.

– Comme quoi une bonne nouvelle n'arrive jamais seule ! dit Zélia qui se tenait sur le bout du canapé, toujours prête à se relever pour servir. Dans votre cas, cependant, on croirait plutôt à une avalanche de bonnes nouvelles et d'heureux événements. Votre Florence doit déjà vous porter chance et il me tarde de la rencontrer.

En quittant la maison de la rue Querbes, ce soir-là, Arthur pouvait se permettre de rêver. Il passa à un cheveu de prendre le tramway pour rentrer chez lui, mais, à la dernière minute, il pensa aux quelques sous épargnés pour Florence, pour leur avenir à bâtir, et marcha comme de coutume, heureux de chaque effort de volonté qu'il accomplissait et qui le menait à coup sûr vers la réussite.

⁂

Florence appréciait de plus en plus la compagnie de Zoé et lui rendait visite au moins deux fois par semaine. Hortense venait la rejoindre, la plupart du temps, et toutes deux étaient bien résolues à apprendre la belle finition en couture pour laquelle la renommée de Zoé n'était plus à faire.

Cette dernière ne demandait pas mieux, l'enthousiasme des jeunes filles lui procurant une certaine fierté et un divertissement agréable. Elle observait Florence avec tendresse, admirant son application à atteindre la perfection, capable de recommencer sans relâche pour y arriver.

En cet après-midi d'octobre, sous la douce chaleur de l'été des Indiens, elles travaillaient à l'extérieur de la maison pour bénéficier pleinement de ce merveilleux temps de l'année. Hortense n'avait pu venir ce jour-là et Zoé décida d'en profiter pour démontrer son affection à sa future bru.

– J'ai un gros secret à te confier, dit-elle en jetant un œil noir aux alentours comme pour s'assurer de l'absence d'oreilles indiscrètes. Tu dois me promettre de garder le silence vis-à-vis d'Arthur. Tu le lui diras bien un jour, si tu veux, mais pas avant ma mort !

– Madame Grand-Maison ! Pourquoi dire une chose pareille ?

– C'est pour rire, ma belle Florence. Je suis bâtie pour vivre centenaire.

– Centenaire ? C'est pas un peu long ?

– Quoi ! T'aimerais pas ça, toi, devenir une vieille toute ridée, tordue de rhumatismes, pis à moitié sourde ?

Elles riaient toutes deux à l'idée de cette triste et improbable perspective. Zoé reprit son sérieux, avec toutefois cette lueur annonçant l'espièglerie au fond des yeux, qui toucha Florence pour l'avoir déjà vue dans ceux d'Arthur.

– C'est à propos de l'épluchette de blé d'Inde. Je l'ai, pour ainsi dire, un peu manigancée, dit la grande Zoé en éclatant d'un rire sonore accompagné d'une claque sèche sur la cuisse, laquelle devait sûrement porter des marques à cet endroit, se dit Florence en souriant. J'espérais que ça marche entre Arthur et toi. Je me disais qu'il t'avait vue petite fille, la dernière fois, et que le fait de te retrouver femme lui donnerait peut-être un coup au cœur. Il n'est pas bon pour un homme de rester trop longtemps seul et je rêvais de toi comme compagne de vie pour mon fils.

Florence, pourtant peu démonstrative, abandonna son aiguille et tapota la main de Zoé.

– Pour ma part, je ne voudrais personne d'autre que vous comme belle-mère, dit-elle avec un brin de malice.

Zoé garda la main de Florence dans les siennes un moment, puis se leva avant de se laisser aller à trop d'épanchements.

Sur le chemin du retour, Florence s'arrêta au bas de la grande côte et chercha des yeux la grive à travers les bouleaux blancs. Puis, aspirant l'air de l'automne à pleins poumons, elle en recueillit les odeurs puissantes sous lesquelles son corps tout entier frissonna.

Le soleil de fin d'après-midi ondoyait à travers les feuilles des bouleaux, toutes d'un jaune luisant, transperçait ensuite les érables des Forget, tandis que le rouge et l'orange dansaient sous les rayons. «Si l'on me voyait», se reprit soudainement Florence, en train de rêvasser au bas de la côte. Un sourire indulgent se dessina pourtant sur ses lèvres, à l'endroit de sa mère dont elle comprenait mieux tout à coup les élans et l'abandon à la nature. Elle montait la côte avec l'ardeur de ses seize ans, avec les paroles d'Arthur encore fraîches à ses oreilles, et se répétait, comme à chaque nouvelle ascension, qu'elle aplanirait elle aussi les difficultés de leur vie, si toutefois il s'en présentait, ce dont elle doutait fort.

⁓⁊᠅᠅᠅᠅᠅᠅᠅᠅⁊

Novembre arriva, dur et froid, installant l'hiver à demeure dès les premiers jours. À peine la pluie avait-elle eu le temps d'imbiber la terre que déjà la neige l'avait recouverte. Sur le parvis de l'église, les hommes ramenaient le souvenir de récoltes moins abondantes, à la suite d'automnes trop secs.

Adélaïde et Zoé discutaient des amours de leurs enfants, les admirant du coin de l'œil, fières de leur jeunesse, de leur beauté, de leur amitié réciproque qui se fondrait dans une progéniture à partager. Adélaïde ne trouva pas bonne mine à son amie et lui conseilla de prendre le lit. Comme Zoé lui demandait si elle mettait elle-même ses sages conseils en pratique, elle avoua se permettre, de temps en temps, un petit repos d'une demi-heure dans l'après-midi. Comme toujours, elles se quittèrent à regret, Zoé obtenant le fin mot de la conversation.

– Moi, quand je me coucherai dans l'après-midi, ce sera sur mon lit de mort!

Adélaïde voulut lui répondre mais Zoé avait déjà tourné les talons et elle n'allait tout de même pas se mettre à crier sur le perron de l'église. «Vieille orgueilleuse», se contenta-t-elle de penser en haussant les épaules.

Zoé dut cependant prendre le lit en plein jour, et sa petite phrase de défi se logeait maintenant en travers de la gorge d'Adélaïde. Florence et elle se relayaient tous les deux jours pour la visiter, préparer les repas, tandis que sa bru, Louisa, celle qui habitait juste en face, s'occupait de l'entretien de la maison. Au bout de deux semaines, alors que l'état de Zoé se compliquait d'une mauvaise toux sèche, Adélaïde se résolut à écrire son inquiétude à Rose-Aimée et cette dernière arriva de Sainte-Dorothée le jour-même où elle reçut la lettre. À Zoé qui tentait de se montrer offusquée de la trop grande sollicitude de ses amies, on rétorqua qu'une tête dure comme la sienne réclamait plus de bras et Rose-Aimée s'installa chez elle.

Un avant-midi particulièrement doux où le soleil scintillait sur la neige, la faisant exploser en millions de diamants minuscules, Zoé se plaignit du froid et aucune couverture additionnelle ne put la réchauffer. Le grand Eugène alimentait le poêle sans répit, passant et repassant inlassablement devant la porte de la chambre, complètement désemparé.

– Je suis inquiète, vint lui chuchoter Rose-Aimée à l'oreille. Je pense que tu devrais aller chercher le curé. Trop de précautions valent mieux que pas assez, ajouta-t-elle rapidement devant le regard désespéré d'Eugène. Par la même occasion, demande donc à ton fils Raoul d'aller chercher Adélaïde. On sera pas trop nombreux pour prier.

Zoé reçut l'extrême-onction en pleine conscience de ce qui se passait autour d'elle. Le caractère solennel de ce dernier sacrement, si gravement nommé, la fit soudainement réagir, comme si un dernier sursaut de vie s'imposait au milieu de tant de tristesse.

– Coudonc! monsieur le curé, dit-elle entre deux quintes de toux, vous pourriez pas abréger?

Connaissant mieux que quiconque son irrévérence légendaire face au clergé, Adélaïde et Rose-Aimée retenaient leur rire à grand-peine. Sa vie durant, Zoé avait entendu son père lui répéter que les curés chiaient les mêmes étrons que tout le monde, et le curé, aux oreilles de qui la phrase était venue, retenait lui aussi son rire et admirait ce caractère puissant qui l'avait nargué plus d'une fois et lui tenait tête jusque sur son lit de mort.

– Comme vous me l'avez si sagement dit un jour, ma chère Zoé, il ne faut pas être plus catholique que le pape. Je vous quitte donc avec ma bénédiction, empreinte du plus grand fou rire de ma vie.

Les trois amies se retrouvèrent seules un moment, soulagées de la tension qui un instant plus tôt étreignait le cœur de chacun. Florence vint leur dire qu'elle préparait du thé et ne put s'empêcher d'entendre Zoé.

– Je vous prépare une petite place de l'autre côté, demanda-t-elle à ses amies, ou vous préférez attendre?

Devant leurs visages défaits, elle éclata de son grand rire qui envahit toute la maison comme une cascade vive, se frayant un chemin jusqu'à Eugène qui pensa, en l'entendant, que sa femme était guérie, puis sa tête retomba sur l'oreiller et elle mourut du même souffle joyeux.

On enterra Zoé le 25 novembre, un mois, jour pour jour, avant Noël. C'était un vendredi et il ne manquait plus que deux jours à la lune pour atteindre sa plénitude. Eugène l'observait derrière la vitre de la cuisine, incapable de trouver le sommeil. Elle inondait les champs de sa clarté, colorant la neige d'un reflet bleuté. Une étoile scintilla très haut dans le ciel et il se rappela alors les paroles de sa femme durant leur nuit de noces.

Il enfila ses bottes, son manteau, s'enfonça la tuque jusqu'aux oreilles et sortit de la maison sans bruit. La neige avait beaucoup fondu ces derniers jours et il se rendit sans peine derrière la grange où il s'adossa. À part les gens fortunés, peut-être, on ne partait pas en voyage de noces à cette époque, se remémora-t-il, eux encore moins, qui devaient habiter la maison de ses parents, cette même maison où sa femme venait de le quitter pour toujours.

Le soir des noces, Zoé avait eu cette folle idée d'aller dormir à la belle étoile et, sur la pointe des pieds pour ne pas réveiller les parents, ils étaient sortis de la maison avec un grand drap blanc tout frais, sur lequel ils s'étaient aimés comme personne ne pouvait s'aimer, il en était certain. Ils étaient revenus plusieurs fois par la suite à cet endroit, juste ici derrière la grange, sous la lune et les étoiles.

Il chercha la plus haute, celle qui scintillait plus que les autres, et laissa les paroles de Zoé l'envelopper tout comme au premier soir de leur vie commune. «Si je meurs avant toi, j'irai me réfugier dans l'étoile la plus haute, celle-là qui scintille plus que les autres, et je veillerai sur toi. Quand tu seras triste, tu viendras me rejoindre derrière la grange, tu fermeras les yeux en pensant très fort à moi et je te consolerai.»

Eugène pleura longtemps, puis sentit soudain un apaisement qui lui fit relever la tête.

– Peut-être que tu viens tout juste d'arriver dans ton étoile? prononça-t-il à haute voix.

Il prit ensuite conscience du froid et rentra.

Le 4 décembre suivant, au sortir de la messe, Adélaïde invita Eugène et Arthur à partager leur dîner. Les deux hommes ne demandaient pas mieux, surtout qu'ils n'avaient rien prévu pour le repas dominical, espérant seulement que la femme de Raoul les inviterait à traverser. Ils furent accueillis chez les Beauchamp comme de la parenté et chacun s'efforçait de les divertir. Il y eut d'abord une soupe aux pois, épaisse à souhait, dans laquelle une cuillère tenait debout, disait Cléophas, puis un jambon qui avait mijoté tout l'avant-midi dans son jus, avec des pommes de terre en purée, des pois verts et de la compote de pommes pour l'accompagner. Un choix de tartes aux cerises, de carrés aux dattes et de sucre à la crème complétait le tout, avec un thé vert légèrement parfumé pour activer la digestion.

En se retirant de table, ce fut curieusement Eugène qui, le premier, remarqua l'air abattu du jeune fils Beauchamp.

– Tu n'as pas l'air dans ton assiette, mon garçon, dit-il à René avant d'allumer sa pipe.

À ces mots, le cœur d'Adélaïde cogna très fort dans sa poitrine, tout comme si elle venait de trouver ce qu'elle cherchait depuis quelques heures et que, l'ayant trouvé, elle se rendait compte de l'ampleur du désastre.

– Je me disais, aussi, que ça n'allait pas fort, s'écria-t-elle en se dirigeant vers René. Faut croire que j'avais la tête ailleurs!

En mettant la main sur le front de son fils, elle constata que sa température était beaucoup trop élevée et l'obligea à prendre le lit sur-le-champ.

Tandis que les femmes s'affairaient à la vaisselle, les hommes fumaient près du poêle. C'est le moment qu'Arthur choisit pour suggérer à son père de transmettre la terre et la maison à son frère Raoul, l'aîné, avec charge de s'occuper de lui jusqu'à la fin de ses jours et la promesse qu'il pouvait occuper la chambre du bas, celle qu'il avait partagée avec sa femme toute sa vie.

– Ainsi, disait Arthur, je ne repartirai pas inquiet de vous à tous les dimanches soir et je serai certain que vous mangez bien et qu'on s'occupe de vous.

Il fit également valoir que Mathieu, qui mangeait son pain noir plus souvent qu'à son tour sur sa terre de misère, pourrait venir s'installer dans la maison d'en face avec sa famille et travailler avec eux.

Cléophas abondait dans le même sens qu'Arthur et les deux hommes s'attendaient à parlementer une partie de la journée pour faire entendre raison à Eugène. À la surprise générale, les femmes n'ayant pas manqué un mot de la conversation, ce ne fut pas le cas.

– C'est plein de bon sens, mon fils, conclut simplement Eugène.

Au cours de la semaine, l'état de René empira et le docteur parla de complications pulmonaires. Florence se tourmenta encore plus de la santé de sa mère que de celle de son frère, car l'inquiétude ravageait son visage. La force et la jeunesse de René prendront le dessus, disait-elle à sa mère qui se nourrissait de tous les encouragements et repartait vers la chambre du malade avec une énergie nouvelle.

Adélaïde avait beau se requinquer, la toux sèche de son fils lui rappelait trop celle de son amie Zoé pour que l'angoisse ne vienne pas constamment lui étreindre le cœur. En plus des médicaments ordonnés, elle essaya tous les cataplasmes de son répertoire, avant de se rendre à l'évidence du peu d'effet qu'ils produisaient.

Assise à ses côtés la plupart du temps, elle égrenait son chapelet avec de moins en moins de conviction à mesure que s'amplifiait la toux de René. Le vendredi soir, après une accalmie, elle s'assoupit dans une chaise berçante tout à côté de lui. À son réveil, avant même d'ouvrir les yeux, elle sut qu'il venait de les quitter et elle garda les yeux fermés un long moment, afin de graver à tout jamais le souvenir de son rêve où son fils se penchait vers elle pour l'embrasser.

Quand Arthur arriva le lendemain, il entraîna Florence dans la cuisine, la prit dans ses bras au mépris des convenances et lui chuchota son amour pour la consoler.

Le dimanche après-midi, alors que la maison était pleine du va-et-vient continu des visiteurs et des prières au corps, Cléophas demanda à Arthur de l'accompagner à l'extérieur pour fumer une pipe. Une neige molle tombait en gros flocons informes et se désagrégeait en touchant le sol. Des flocons insipides, entre neige et pluie, tristes comme la mort. Sur la galerie, les deux hommes allumèrent leur pipe, l'un attendant que l'autre parle.

– Pour l'enterrement de demain, pas question que tu manques ton travail, Arthur. Le travail d'un homme, c'est tout son avenir.

Inconsciemment, Arthur craignait la suite mais l'attendait stoïquement, concentrant toute son attention sur les flocons de plus en plus gros. Il en vit un de la grosseur d'un œuf, tendit la main et le manqua de peu.

– Parlant d'avenir, reprit Cléophas, vous êtes encore jeunes, toi et Florence. Ma femme, pour sa part, a déjà cinquante-quatre ans et bien des malheurs d'accumulés. Le dernier est de trop! Tu comprends ça, Arthur?

Arthur fit un signe de tête affirmatif en tirant sur le tuyau de sa pipe, comme si de rien n'était.

– De toute façon, avec nos deuils successifs, ce serait mal vu d'imaginer des fiançailles à Noël, tu penses pas?

Arthur acquiesça encore de la tête, sans émettre un son.

– J'ai jamais approuvé les fréquentations trop longues. Pourtant, dans le cas présent, il faut faire contre mauvaise fortune bon cœur. Ma femme aura besoin de Florence à ses côtés pour passer à travers son épreuve. Il faut remettre vos projets à plus tard.

Après un moment de silence où chacun semblait s'être retiré en lui-même, Arthur toussota pour se donner de l'assurance.

– Si on se rencontrait à mi-chemin, monsieur Beauchamp? Des fiançailles à l'été et le mariage pour l'hiver prochain?

– Ça me semble raisonnable.

II

La perspective des festivités de Noël et du jour de l'An s'avérait lamentable pour les deux familles. Raoul, sa femme Louisa et leurs enfants s'étaient installés dans la maison paternelle, tandis que Mathieu occupait maintenant la maison d'en face avec les siens. Les déménagements offrant des avantages considérables pour chacun, tout s'était rapidement déroulé. C'est ainsi qu'Arthur pensa à aller chercher la complicité de ses deux belles-sœurs, tout à la joie de leur nouvelle condition et, de toute façon, moins affectées que les autres membres de la famille par la mort de Zoé.

Il aimait beaucoup Louisa et lui trouvait certaines ressemblances avec sa mère, le rire facile et le sens de l'humour en moins. Il adorait lui jouer des tours, sans tenir compte de ses grands airs offusqués, sachant bien qu'au fond elle prenait plaisir à ce qu'on s'occupe d'elle et lui témoigne de l'intérêt, ce dont son frère semblait assez avare. Il lui exposa son projet et elle accepta d'emblée, trop heureuse de l'importance que lui accordait Arthur pour penser à rechigner sur l'effort et la responsabilité. Pas sûr, pourtant, qu'elle accepte sa suggestion de demander l'aide de sa belle-sœur Malvina. «Celle-là, avait-elle rétorqué, avec ses regards coulants par en dessous, dès qu'un homme la regarde, elle a le don de me mettre les nerfs en pelote!»

Après la messe de minuit, sur le parvis de l'église et alors que les Beauchamp s'apprêtaient à rentrer tristement, Arthur les pria de venir saluer son père qui n'en menait pas large et il réussit à les convaincre tous, Cléophas, Adélaïde, Maurice, Ferdinand avec sa famille et Florence, bien entendu. Il eût été malvenu de refuser, quand Eugène souffrait autant qu'eux, et Arthur avait usé sciemment de ce stratagème pour qu'on accède à sa demande.

Dans la carriole des Beauchamp, à part les enfants de Ferdinand qui se chamaillaient au fond, le trajet se fit silencieusement, chacun complètement perdu dans ses pensées. Il faisait nuit noire, sans lune ni étoile apparente, mais l'espoir faisait son chemin au cœur de tous pour que crèvent enfin les nuages et que tombe une neige drue sur la nuit de Noël, en guise de douceur après tant de malheurs.

Une fois tout un chacun arrivé, Arthur, juste avant d'ouvrir la porte, releva fièrement la tête et Florence reconnut la lueur espiègle au fond des yeux avant même qu'il ouvre la bouche.

– J'ai pensé que le malheur serait plus supportable si on le partageait, cria-t-il à la ronde.

Il ouvrit la porte sur une maison déjà grouillante de monde, regorgeant d'odeurs de dinde farcie et de tourtières, et Adélaïde, en apercevant son amie Rose-Aimée, remercia le ciel pour cet Arthur Grand-Maison et tous les tours qu'il avait dans son sac.

❧·✦·☙

Le printemps prit son temps, se laissant désirer comme une femme capricieuse s'offrant à son heure, pas avant, selon ses exigences, pas autrement. Les neiges et le froid d'avril perdurèrent jusqu'en mai, installant une morosité dont personne ne semblait pouvoir se départir. Il revint pourtant avec tant de soudaineté, tant de force que, l'espace de quelques jours, le vert tendre du feuillage s'étala généreusement, les crocus, les jacinthes, les narcisses et les jonquilles se frayant hâtivement un chemin vers la lumière.

Rue Saint-Jacques, le soleil tapait comme en plein mois de juin, mais ni fleur ni arbre ne venait rappeler le printemps. Arthur la parcourait néanmoins avec un bonheur sans pareil, son poste de gérant le comblant au-delà de ses espoirs. Il savait s'y prendre avec les employés, n'exigeant rien, suggérant beaucoup et obtenant tout. M. Richard se félicitait de sa nomination et même s'il n'était pas toujours en accord total avec les transformations subtiles de son nouveau bras droit, il le laissait aller et devait admettre que les résultats se révélaient astucieux.

─⧖✦✦⧖─

Quand l'immense champ de millet commença à verdoyer, Cléophas décida de sortir les vaches. Il s'en tenait à une dizaine, jamais tellement plus, et le faisait pour perpétuer la mémoire de son père qui, en son temps, avait possédé un cheptel impressionnant. Son tour venu de prendre la relève, il avait orienté les cultures différemment, se concentrant sur le maïs et le chou, des denrées sûres et dont les récoltes entières se réservaient avant même les premières pousses, année après année.

Invariablement, à sa première sortie, le troupeau faisait preuve d'indiscipline et de polissonneries incroyables. De l'étable au champ, situé face à la maison, les vaches se montaient par-derrière à tour de rôle, couraient de tous bords et tous côtés, zigzaguaient, ivres d'air pur et de liberté. Après deux ou trois jours, elles reprenaient sagement la direction du champ, l'une derrière l'autre en rang d'oignons.

Pour l'heure, Adélaïde riait, poussait Cléophas du coude. C'était un spectacle que pour rien au monde elle n'aurait manqué. Du haut de la galerie, Florence observait sa mère et se réjouissait de ses rires, l'ayant trop de fois surprise, depuis l'hiver, à sortir son mouchoir du fond de sa grande poche de tablier et s'en essuyer les yeux.

Ce même après-midi, Florence partit pour chez Hortense, emportant avec elle un ouvrage d'aiguille, car les deux amies utilisaient dorénavant leurs temps libres à parfaire leur trousseau. Comme elle trouva la maison vide chez Hortense, elle revint sur ses pas et se heurta à une autre maison vide, une fois chez elle. Elle entreprit de rejoindre sa mère, sûrement dans son potager, se dit-elle, mais ne la trouva pas. Sans trop savoir pourquoi, elle dirigea ses pas vers l'étable, plus près du potager que la grange, et jeta un coup d'œil à l'intérieur par la seule fenêtre de ce côté du bâtiment.

Elle crut voir quelques mouvements à l'intérieur, mais le soleil dardait ses rayons si fort à cet endroit qu'elle dut mettre ses mains en cornet pour se préserver de l'éblouissement. Durant quelques secondes, elle ne comprit pas vraiment ce qu'elle observait, trop à l'idée de raconter à sa mère qu'une grive l'avait survolée durant un long moment, celle de l'été dernier, peut-être? Puis, d'un coup, elle prit conscience de ce qu'elle voyait et recula, affolée. Elle prit ensuite ses jambes à son cou, comme si une guêpe l'avait piquée, contourna la maison et entra par la porte de devant. Elle reprit le travail d'aiguille qu'elle avait abandonné à la hâte quelques instants plus tôt, une paire de taies d'oreillers dont elle brodait les bordures, revint sur la galerie et choisit la chaise berçante qui émettait le plus gros craquement. Durant un long moment, elle s'acharna à faire crisser la chaise sous son poids, puis, petit à petit, les battements de son cœur ralentirent et elle s'immobilisa.

Elle ne pouvait pas avoir vu ce qu'elle croyait avoir vu, se disait-elle. Ses parents étaient trop vieux pour ça! De plus, c'était dégradant, cela ressemblait trop aux animaux. C'était dégradant de le faire autant que de l'avoir vu faire. Non, c'était impossible, se répétait-elle encore, et tout cela était dû à la vision des vaches se montant l'une l'autre, le matin même. Elle chassa l'image en s'interdisant formellement d'y repenser.

Le deuxième samedi du mois de juin, on célébra le mariage d'Hortense. Son père, Eusèbe Jasmin, n'était pas riche comme certains autres membres de sa famille, loin de là, et sa mère était souvent malade, mais Hortense se débrouilla avec les moyens du bord et la noce fut parfaite. Florence l'avait aidée durant toute la semaine précédant le mariage; Rose-Aimée, sa future belle-mère, avait envoyé porter des victuailles pour nourrir une armée, et Adélaïde, de son côté, s'était mise au fourneau pour confectionner tartes et gâteaux à profusion.

La veille du mariage, Hortense prit Florence dans ses bras, juste au moment où elle allait partir, et elles pleurèrent un bon moment, dans les bras l'une de l'autre. Elles scellaient ainsi leur amitié, dans un silence lourd de tous les mots retenus, ceux qu'on n'ose pas se dire entre amies parce que trop près de l'amour et donc trop intimidants à prononcer.

On ne manqua de rien, ce jour-là. La mariée resplendissait de bonheur et Rose-Aimée l'aimait déjà comme sa propre fille. Louis couvait sa jeune femme d'un regard émerveillé, devenait plus volubile en sa compagnie, prenait des allures protectrices. En admirant la beauté du couple, on prévoyait celle des enfants à venir. C'est du moins ce que chuchotaient les femmes entre elles.

La famille Grand-Maison au complet faisait évidemment partie de la noce, à cause du lien de parenté qui l'unissait à celle des Jasmin, du côté de Zoé. Arthur, tout à son bonheur de danser avec Florence, n'avait d'yeux que pour elle et profitait du fait que les danses se succédaient à un rythme endiablé. Longtemps après le départ des jeunes mariés, ils dansaient encore, quand Arthur accrocha soudain le regard de sa belle-sœur Louisa. Un regard mauvais. Il porta le sien dans la même direction et ce qu'il vit lui déplut: son frère Raoul dansait avec Malvina, la femme de son frère Mathieu. Le fait qu'ils dansent ensemble n'avait en soi rien de répréhensible, mais leur façon de danser, comme si tout le plancher leur appartenait, leurs regards pétillants surtout, embarrassa Arthur au plus haut point.

Florence remarqua son malaise et lui demanda ce qui n'allait pas. Il le lui confia simplement et elle lui suggéra de demander Louisa à danser pour donner le change. Il s'exécuta avec grâce et fit rire sa belle-sœur aux éclats. Raoul vint ensuite demander sa femme à danser et tout sembla rentrer dans l'ordre. Au milieu de cette nuit-là, Arthur perçut leurs ébats amoureux dans la chambre voisine et se demanda pourquoi son malaise persistait à leur égard, malgré ce qu'il entendait. Le souvenir de la journée, avec Florence dans ses bras, détourna son attention et il s'endormit en imaginant sa bien-aimée au creux du lit, collée contre son corps.

En soulevant jupe et jupon pour monter sur le traversier, Florence découvrit ses jambes. Arthur en aima les rondeurs. C'était le dernier dimanche de juin et le soleil parsemait le fleuve de paillettes dorées, inondant l'île Sainte-Hélène de lumière vive, caressant tour à tour les verts tendres, les nuançant soudainement d'un vert plus sombre sous l'effet d'un nuage qui l'obstruait un moment. L'île approchait, ployant sous la verdure. Les grands saules agitaient mollement leurs branches au-dessus de l'eau tandis qu'une odeur parfumée flottait dans l'air.

Les hommes descendirent les premiers, cueillant galamment les femmes entre leurs bras pour les déposer ensuite sur le débarcadère. M. et Mme Richard accompagnaient Arthur et Florence pour un pique-nique prévu depuis longtemps. Zélia s'était chargée de tout, trop heureuse de faire enfin la connaissance de Florence. M. Richard et Arthur portaient les paniers d'osier contenant le repas et les couverts et marchaient devant. Zélia et Florence suivaient, quelques pas derrière, tout en s'apprivoisant. L'une aima les yeux bleus limpides de l'autre, admira sa jeunesse, son air franc et décidé. L'autre tomba sous le charme du beau sourire un peu triste, des gestes doux.

Le repas fut exquis, arrosé de champagne auquel Florence n'avait jamais goûté. Elle y trempa les lèvres quelquefois, par politesse plus que par goût. Le couple Richard partit pour une promenade dès le repas terminé, laissant les amoureux seuls. Assis au milieu d'une couverture à motifs écossais, le fleuve à portée des yeux et les oiseaux s'interpellant de branche en branche tout autour d'eux, Florence et Arthur se souriaient, conscients de la beauté des lieux, de l'importance du moment. Arthur sortit un écrin de sa poche, l'ouvrit sous les yeux de Florence qui se demanda au même instant si Arthur entendait les battements de son cœur. Il sortit la bague de son écrin et la passa au doigt de Florence.

– L'aigue-marine contient le reflet et la beauté de tes yeux. Les diamants qui l'encerclent sont le gage de mon amour éternel.

De grosses larmes roulaient sur les joues de Florence et il y déposa un baiser. Il prit ensuite son visage entre ses mains, si tendrement que Florence s'abandonna et accueillit sur sa bouche le baiser d'Arthur, dans un émoi jusque-là inconnu.

À son tour, Florence sortit de sa poche de jupon un joli paquet qu'elle tendit à Arthur. Il défit le nœud du ruban rouge, déplia le papier de soie et y trouva sept mouchoirs brodés à son monogramme, dont les lettres AGM s'entrecroisaient en diagonale.

– Je les aurais bien tissés dans l'étoffe du pays, dit Florence en désignant les mouchoirs, pour qu'ils durent éternellement, mais j'ai pensé que tu avais le nez trop fin pour ça.

Ils en rirent assez pour se servir des mouchoirs tout neufs et s'embrassèrent une autre fois avant d'aller rejoindre M. et Mme Richard.

Sur le chemin du retour, juste en bas de la côte, Arthur arrêta le cheval. Son patron lui avait évidemment prêté son bel attelage pour cette journée spéciale. Tel un magicien, il sortit une boîte de dessous le siège, y prit les gants blancs et les enfila fièrement. Florence souriait, tandis qu'ils montaient la grande côte.

La famille Beauchamp se berçait sur la galerie quand ils arrivèrent devant la maison. Ils étaient tous là, Ferdinand et sa famille y compris, et Florence se sentit rougir tandis qu'Arthur l'aidait à descendre. En apercevant les gants blancs, Cléophas se leva au milieu du silence général. Il entra dans la maison, sachant qu'Arthur allait faire sa grande demande. «Ces choses-là se font entre hommes, se dit-il, et demandent un certain décorum.» Arthur le suivit, la tête haute, les épaules rejetées en arrière.

⚜

Tous les soirs, Florence donnait cent coups de brosse à ses cheveux. Ce soir-là, pourtant, n'avait rien de comparable aux autres soirs, étant le dernier de sa vie de jeune fille. Au bout du centième coup, elle retira les cheveux de la brosse, les enroula autour de son index pour former une boule qu'elle déposa parmi les autres dans une boîte en verre. Il y en aurait suffisamment le lendemain pour qu'elle gonfle habilement sa coiffure. Elle se leva ensuite et jeta un regard circulaire sur sa chambre, avec un serrement de cœur auquel elle ne s'attendait pas.

Pendant qu'elle était entièrement à la joie de la douce période des fiançailles, puis à celle plus active des préparatifs du mariage, le temps lui avait filé entre les doigts, comme du sable fin qu'on ne peut plus retenir une fois la main ouverte. «Je pars demain», réalisa-t-elle brutalement. Les meubles, les objets, les murs et les planchers en lattes de bois prirent alors un autre aspect, celui d'un îlot tranquille qu'on ne pensait pas devoir quitter un jour. Sa fenêtre l'attira tel un aimant et elle s'y appuya une fois de plus, la dernière, pensa-t-elle. Elle admira le ciel étoilé, les champs à perte de vue qu'elle devinait à travers la noirceur, le rosier sauvage juste en bas, enfoui sous la neige mais dont les effluves montaient jusqu'à elle en été, et c'est alors qu'elle ressentit avec une violence inouïe, au plus profond de son être, l'étendue de sa perte. Elle fixa les étoiles encore un moment, puis quitta sa fenêtre en se disant qu'elle gagnait finalement d'une main ce qu'elle perdait de l'autre en épousant Arthur.

Du haut de sa commode, elle retira la poupée de chiffon qu'Adélaïde, huit ans plus tôt, lui avait confectionnée, la serra sur son cœur et l'enfouit au fond de son coffre d'espérance, sous les piles de linge bien rangées, puis vint se planter devant sa robe de mariée. «Vous seriez fière de moi, madame Grand-Maison, dit-elle intérieurement, pas fâchée de m'avoir enseigné la belle finition. J'ai suivi vos conseils à la lettre et les plis de ma robe tombent parfaitement. Je prie le ciel que vous soyez toujours fière de moi. Je serai une bonne épouse pour votre fils et, plus tard, je raconterai à nos enfants que leur grand-mère Zoé veille sur eux en riant. J'aurais tant voulu que vous partagiez notre joie!» Florence caressait rêveusement le col de dentelle, se rappelant les difficiles ajustements, quand Adélaïde entra.

– Une bien jolie robe, ma fille, dit-elle en se laissant choir sur le lit. Ça prenait des doigts de fée pour la réussir aussi parfaitement.

– Vous avez l'air fatiguée, maman. Vous vous êtes donné trop de mal, ces derniers jours.

– Une bonne fatigue, ma Florence, t'inquiète pas pour moi. Et puis pense à la belle surprise au bout de tout ça, quand on a reçu les dix gros pots de poinsettias ce matin. Ça prenait bien Rose-Aimée pour penser à nous les envoyer porter avant les noces. Moi, ça m'a donné des ailes pour la décoration. Encore une chance d'avoir eu une journée si douce et que les fleurs gèlent pas chemin faisant!

– Pour la décoration, je pense que vous avez un don. Personne aura jamais vu une table si joliment dressée, ni une maison aussi bien décorée avec tous ces rubans rouges et blancs qui pendent de partout. Vous aussi, vous avez des doigts de fée.

– Viens un peu t'asseoir à côté de ta vieille mère, dit Adélaïde en tapotant le lit, que je fasse mes adieux à ma fille. Si j'ai à pleurer, mieux vaut que ça se passe entre nous et non pas demain devant tout le monde.

Florence vint s'asseoir tout près de sa mère qui demeura un moment silencieuse.

– Je voulais d'abord te remercier pour toutes ces belles années où j'avais l'impression que tu t'élevais toute seule, tellement c'était facile. Tu nous as donné, à ton père et à moi, assez de contentement pour qu'on soit fiers de toi jusqu'à la fin de nos jours. Je voulais aussi te remercier tout spécialement d'avoir remis ton mariage à plus tard sans jamais me faire sentir ton désappointement.

– C'était bien la moindre des choses.

– Ça prenait une fille bien aimante pour le faire avec autant de bonne grâce et de dévouement. Ta force m'a sauvée du désespoir bien des fois.

Tout à coup, sans un mot, Adélaïde désigna le coffre d'espérance. Elle se leva péniblement, alla jusqu'au coffre, en caressa le couvercle, l'ouvrit et le referma aussitôt, la gorge serrée.

– C'est René qui avait eu l'idée du coffre et c'est lui-même qui a choisi le cèdre. Il avait l'œil pour le bois. Ton père dit que, sans le savoir, ton frère t'a laissé une part de lui-même. Il avait beau t'étriver tout le temps, il t'aimait gros! C'était sa manière à lui de le démontrer.

Adélaïde essuya furtivement une larme avant de revenir s'asseoir sur le lit.

– Ton père et le grand Eugène ont tout organisé pour aller porter le coffre, tes meubles de chambre et tous tes effets personnels au logement. Ça devrait se faire dimanche après-midi. Faudrait pas oublier de laisser la clé.

Le silence s'établit de nouveau quelques instants, durant lesquels Adélaïde cherchait ses mots.

– Bon! Je suppose, ma fille, que je n'ai rien à t'apprendre sur l'intimité d'un homme et d'une femme. Élevée dans la nature comme tu l'as été, tu dois être au fait de ces choses-là!

Florence sentit tout son corps se raidir mais se reprit très vite.

– Craignez pas, maman. À mon tour, je veux vous remercier pour toutes ces belles années passées auprès de vous. Vous m'avez tout appris; même ma force, c'est pas du voisin que je la tiens, c'est de vous.

– J'ai dû t'en donner à revendre, faut croire, parce que de temps en temps, ma belle Florence, il faudra t'en méfier, de ta force, laisser de la place pour la souplesse, l'indulgence aussi, pour toi-même d'abord et pour les tiens ensuite, à commencer par ta propre mère qui aimerait bien te prendre dans ses bras comme une petite fille tout en sachant que t'es pas trop portée sur ce genre d'épanchements.

Florence vint se blottir dans les bras de sa mère qui la berça tendrement tout en caressant sa chevelure soyeuse. Consciente du moment précieux, qui n'allait pas se représenter de sitôt, Adélaïde serra sur son cœur la petite fille de tous les âges, depuis les langes jusqu'à ce jour, et se laissa couler dans ce bonheur douloureux. Florence se sentit chavirer sous le flot de l'amour maternel et déposa un baiser sur les joues mouillées d'Adélaïde, puis, à son tour, la serra très fort dans ses bras.

– Je perds un gros morceau, souffla-t-elle à l'oreille de sa mère.

– Moqueuse! dit Adélaïde qui en profita pour se ressaisir. Va vite trouver ton père, en bas, pour lui demander sa bénédiction. Le pauvre homme doit tourner en rond à t'attendre et se tourner les sangs par la même occasion.

><><><><

Chez les Grand-Maison, le calme régnait enfin. Louisa avait réussi à mettre toute sa marmaille au lit et les cinq enfants dormaient maintenant à poings fermés. Comme la menace du bonhomme Sept-Heures n'avait plus d'emprise sur les aînés, elle avait utilisé, pour les calmer, la menace plus efficace de les priver d'aller aux noces. Sa journée n'était pas finie pour autant. Elle avait brossé les habits du dimanche de son beau-père et de son mari, les avait passés à la vapeur de la bouilloire afin de leur redonner une meilleure forme, avait enlevé les taches à l'aide d'un thé très fort, les avait pressés, puis suspendus à côté de celui d'Arthur, tout neuf, qu'elle avait sorti d'un grand carton à l'inscription de Max Beauvais. Elle avait ensuite ciré les chaussures de tout son monde et les paires s'alignaient, luisantes, des plus grandes aux plus petites, le long du mur.

Raoul et Arthur terminaient une partie de cartes quand Eugène rentra. Il y avait bien au-dessus d'une heure qu'il était sorti de la maison et chacun se figurait qu'il s'était isolé afin de ramasser ses idées pour parler avec Arthur.

– Je crois bien qu'on va vous fausser compagnie, dit Raoul en apercevant son père. Louisa a une grosse journée dans le corps.

– Arthur et moi, on va en profiter pour fumer une dernière pipe, dit Eugène en accrochant son manteau.

Tandis que Raoul et Louisa montaient, les deux hommes s'installaient dans les chaises berçantes près du poêle. Ils allumèrent leur pipe et tirèrent quelques bouffées avant qu'Eugène se décide à parler. Arthur profita de ces quelques minutes de silence pour examiner le visage de son père, à la dérobée, et remarqua le pli creux, près de la bouche, qui formait désormais un sillon plus profond, les cheveux de plus en plus gris, le dos moins droit. Il se dit qu'il devenait un vieil homme avant son temps et il en fut chagrin.

– De là-haut, Zoé veille sur nous tous. Je me suis entretenu avec elle, façon de parler, rajouta-t-il vivement devant les sourcils froncés de son fils. Je voulais qu'elle m'inspire les meilleurs conseils possibles à te prodiguer, selon l'usage, et la seule chose qui revenait, c'était son grand rire. On aurait dit que ça emplissait l'air autour de moi. J'ai donc pensé à te dire qu'un homme qui sait faire rire sa femme a tout à gagner. Pour ça, on s'est pas privés, ta mère et moi. Faut dire que ta future a un tempérament sérieux, mais je l'ai souvent entendue rire avec Zoé, un beau rire plein de jeunesse.

Eugène se leva pour tisonner le feu et en profita pour rajouter une bûche. Après avoir jeté un coup d'œil vers l'escalier, il vint se rasseoir et le ton de sa voix se fit plus murmurant, comme pour s'assurer de ne pas être entendu.

– Tu as choisi la plus belle, la plus fière. Elle te fera honneur.

La nouvelle bûche grésillait dans le poêle à bois et l'écorce du rondin de bouleau embauma la cuisine. Eugène poursuivit sur le même ton de confidence.

– Je voulais te dire aussi, depuis longtemps, que j'ai dû marcher sur mon orgueil quand il m'a fallu te demander d'aller tenter ta chance en ville pour gagner ta vie. Un homme qui n'a pas les moyens d'installer tous ses fils sur sa terre doit apprendre l'humilité, crois-moi ! Finalement, les résultats sont bons et je suis fier de toi. Tu iras loin, pas d'inquiétude là-dessus !

Louisa avait laissé deux tasses sur la table et une pleine théière sur un des ronds du poêle. Arthur se leva et emplit les deux tasses. En se retournant, il vit la clé de l'horloge entre les doigts de son père et pensa qu'il allait la remonter, mais Eugène restait assis et tendit la main pour prendre sa tasse de thé.

– La maison appartient maintenant à Raoul, celle d'en face à Mathieu. Soit dit en passant, il a réussi à vendre sa terre. Ça lui a permis d'investir l'argent dans l'achat de la terre d'en bas, celle du bonhomme Lacasse, et d'un nouveau cheval aussi. Tes frères ont des idées pour une nouvelle culture, ils t'en parleront. Ils ont formé un genre d'association, passée devant notaire par-dessus le marché.

– Des bonnes nouvelles, dit Arthur en hochant la tête.

– Pour ce qui est de la terre de Mathieu, ta mère et moi, on avait investi nos derniers sous noirs dans cette histoire. Par la suite, on n'a jamais réussi à se renflouer. Quelques mois avant de mourir, Zoé avait eu l'idée d'un semblant d'héritage pour toi et, d'un commun accord, on avait décidé de te donner notre bien le plus précieux. C'est donc au nom de ta mère et en mon nom propre que tu reçois ton cadeau de mariage, mon fils, qui constitue en même temps ton héritage.

Eugène tendit alors la clé à Arthur et ce dernier, bouleversé, la prit en se levant respectueusement. Il se dirigea vers l'horloge grand-père qui trônait au salon depuis plusieurs générations. C'était une horloge superbe, venant supposément des vieux pays, sans que personne sache d'où exactement.

Eugène vint rejoindre son fils au salon et avança l'horloge appuyée au mur, afin qu'Arthur puisse voir le panneau arrière.

– Tu vois? Chaque dépositaire doit y inscrire son nom et l'année de sa naissance. Tu inscriras aussi l'année de ma mort et l'un de tes fils fera de même pour toi. C'est la tradition.

Arthur mesura encore mieux la pleine valeur du présent: la lignée des Grand-Maison s'étalait sous ses yeux, depuis le premier ancêtre jusqu'à son père, bientôt jusqu'à lui, Arthur Grand-Maison, leur fier descendant. Un frisson le parcourut de la tête aux pieds, tandis que sa main caressait le bois gravé.

– Ce cadeau, cet héritage, dit Arthur, vaut cent fois plus pour moi que la terre et la maison réunies. Cette horloge renferme la mémoire de notre lignée et j'accepte ce somptueux présent avec une émotion profonde. Je vous remercie du fond du cœur.

– Pour ce qui est du transport, Cléophas et moi, on va s'organiser. Faudrait pas oublier de laisser la clé du logement.

Arthur s'agenouilla alors devant son père, tout comme ses frères et sœurs l'avaient fait avant lui en quittant la maison.

– Malgré la bénédiction récente du jour de l'An, je vous en demande une autre, toute spéciale, avant d'entreprendre ma nouvelle vie.

Eugène posa ses deux mains sur la tête de son fils, ferma les yeux et inspira profondément

– Je demande à Dieu de te bénir, à travers mon humble personne. Qu'Il te protège, mon fils. Qu'Il trace, dès à présent, un beau sillon bien droit, par-devers ta ligne de vie. Qu'Il allège ton fardeau quand il se fera trop lourd, et qu'Il apporte plus de joies que de peines dans ton foyer. Amen.

À la mesure de ses grands bras, Eugène forma alors un immense signe de croix. Arthur le reçut comme un baume. Les deux hommes s'étreignirent ensuite et se quittèrent rapidement, sans un mot, sans même un simple bonsoir. De toute façon, tout avait été dit et l'émotion était à présent trop forte pour laisser passer une seule parole de plus.

❧

Chapelet en mains, M. Richard venait de s'agenouiller au pied de son lit, tandis que Zélia pénétrait dans son boudoir. Elle n'avait pas la tête à la souffrance, mais plutôt à la joie d'assister au mariage d'Arthur, de se retrouver en compagnie de gens simples, près de la nature, de leurs émotions. Durant la journée, elle avait choisi sa robe, son chapeau et ses bijoux avec beaucoup d'hésitations, voulant éviter un étalage ostentatoire de leurs moyens financiers.

Elle ouvrit le carnet de cuir rouge en souhaitant y trouver une pensée légère, s'accordant à son humeur joyeuse. Peut-être son mari aurait-il eu, tout comme elle, un état d'esprit dirigé vers la fête? se demandait-elle. Zélia fut déçue. En ce dernier vendredi du mois de janvier 1900, M. Richard avait recopié les mots empruntés à cet énigmatique auteur dont les initiales P.B. ne réveillaient aucun souvenir chez elle mais revenaient souvent. Sans doute un auteur qu'il appréciait plus que les autres. Elle détesta ce P.B. plus que d'habitude et en voulut à son mari de n'avoir pas su, pour une fois, dénicher un trait d'esprit enlevant ou quelques mots drôles, n'importe lesquels sauf ceux-là: «Plus on lutte contre un sentiment, plus on y pense, et y penser, c'est l'exaspérer!»

Zélia referma le carnet d'un coup sec et sentit la colère empourprer ses joues habituellement si pâles. Elle envia soudainement les héroïnes de roman, capables de grandes colères, s'imagina un instant sur le seuil de la chambre à coucher en train de menacer son mari de toutes les foudres du ciel et sourit aussitôt, reconnaissant l'entreprise comme étant au-dessus de ses forces et de son tempérament. Cette folle image d'elle-même l'avait cependant rafraîchie.

⚜

À minuit, Mme Charlotte Labonté était complètement ivre. C'était la première fois de sa vie. En arrivant de son travail, elle avait jeté un regard froid sur son petit appartement, lui trouvant mille défauts, détestant tout à coup l'affreux canapé fleuri, son horrible couleur bourgogne, jugeant l'ensemble du plus mauvais goût, y compris les dentelles encombrantes, ainsi que les bibelots inutiles et les lumières trop tamisées.

Figée au centre du salon, elle pensa qu'un changement s'imposait. Elle n'arrivait pourtant pas à bouger. «Changer mes vêtements d'abord, se dit-elle, transformer la pièce ensuite.» Mais elle restait plantée là, comme un piquet abandonné en plein champ. L'image la fit sourire amèrement et la reporta au magasin où M. Richard, en fin d'après-midi, avait convié tout son personnel au bureau du troisième étage. On avait trinqué au bonheur d'Arthur Grand-Maison et Charlotte avait levé son verre de vieux porto avec les autres, comme si de rien n'était. Seule au milieu des sourires et des meilleurs vœux, à se pincer la cuisse pour s'empêcher de pleurer, seule de nouveau dans son petit appartement, devenu subitement triste et laid.

«Grouille! Grouille!», disait sa mère quand les travaux du ménage n'avançaient pas assez vite à son goût. «Grouille! Grouille!», se répétait-elle en avançant à reculons vers sa chambre. Sans trop s'en rendre compte, elle choisit la robe préférée d'Arthur et, tandis qu'elle ajustait un ruban rouge à ses cheveux défaits roulant par vagues sur son dos, elle dit tout haut: «Une fort jolie robe, qui laisse deviner et espérer de bien bonnes choses.» «C'est elle maintenant, se dit Charlotte, cette demoiselle Beauchamp, qui entendra la voix ensorceleuse lui murmurer des paroles magiques.»

«Dix-huit ans, cette demoiselle Beauchamp», murmura-t-elle en examinant son image dans le miroir, tout comme si une loupe grossissait soudain la moindre imperfection de son corps. Don Quichotte se battant contre les moulins à vent lui parut moins ridicule qu'elle-même en cet instant. Le souvenir de sa mère refit surface de nouveau, une mère joyeuse et inventive, qui supportait mal l'inaction et la tristesse autour d'elle. «On ne peut rien exiger de son corps si on oublie de le nourrir», lançait-elle à la ronde, gavant toute la famille de biscuits, de gâteaux et de tartes. «Mangez! Mangez!» «Bonne idée, se dit Charlotte. Quelque chose de chaud et de sucré.»

Lorsqu'elle fut rendue à la cuisine, l'entreprise lui parut colossale. Elle ouvrait les portes des armoires, en ressortait quelques articles, les déposait sur le comptoir sans prendre de décision. Elle opta finalement pour une tarte et sortit la farine, la graisse végétale et son rouleau à pâte. Au bout d'un certain temps, à passer et repasser sans cesse le rouleau sur une pâte qui se fendillait de partout, elle eut un haut-le-cœur. «Une tarte! Comme si j'avais envie de manger de la tarte!», dut-elle admettre. Elle laissa tout en plan et décida de suivre sa première idée. Outillée comme pour un grand ménage de printemps, elle déposa le balai, le seau d'eau savonneuse et les torchons à l'entrée du salon. En étudiant la disposition des meubles, elle comprit ce qu'elle voulait obtenir comme effet et chambarda toute la pièce en un rien de temps. Seul un buffet déparait l'ensemble et elle résolut de le transporter dans sa chambre. Il fallait d'abord le vider de son contenu et la première chose à sortir, lui tombant sous la main, fut la bouteille de whisky. Une bouteille pas encore entamée, dont Arthur avait refusé le premier verre à sa dernière visite.

Charlotte fit sauter le cachet, ouvrit la bouteille et huma le liquide ambré, tandis que les images d'Arthur l'assaillaient de toutes parts. «Le cœur va m'éclater en mille morceaux», pensa-t-elle, affolée, se hâtant de revisser la capsule. Tel un automate dont on aurait réglé le mécanisme jusqu'au bout du ressort, elle vida le buffet d'une seule traite, empilant son beau service à vaisselle sur le plancher, ainsi que l'argenterie, la verrerie et les nappes de dentelle.

Pourtant, dès la première tentative, elle constata la lourdeur du meuble et son impuissance à le pousser vers sa chambre. Elle réalisa du même coup l'ampleur du désastre autour d'elle. «Une tornade n'aurait pas mieux fait», se dit-elle, à mi-chemin entre le rire et les larmes. C'est alors qu'elle se versa un premier verre de whisky. Elle détesta le goût, pensa l'atténuer avec de l'eau et des glaçons et se dirigea vers la cuisine. L'étendue des dégâts lui tomba dessus comme une masse. Une pâte durcie s'incrustait dans le bois de la table, la farine jonchait le sol et le contenu des armoires semblait s'être déversé sur le comptoir. «Pour un changement de décor, se dit-elle, c'est vraiment réussi!»

De retour au salon, elle trouva que le whisky s'avalait moins difficilement avec de l'eau et des glaçons. Au deuxième verre, elle ressentit un merveilleux bien-être et se jura de passer à travers la bouteille avant d'aller se coucher. La bouteille diminuait à mesure que la soirée avançait, mais les meubles bougeaient, la pièce elle-même se déplaçait de gauche à droite, ou de droite à gauche? se demandait-elle. «Arthur se marie demain? Grand bien lui fasse!» L'horloge lui indiqua minuit au même moment et Charlotte s'entendit répéter qu'Arthur se mariait non pas demain mais aujourd'hui et que grand bien lui fasse quand même!

Elle parvint tant bien que mal à la cuisine, pour rajouter de l'eau et des glaçons à son cinquième ou vingtième verre, elle ne savait plus trop, et oublia pourquoi elle s'y trouvait et ce qu'elle cherchait dans les tiroirs. En mettant la main sur une paire de ciseaux au fond d'un tiroir, elle se rappela qu'elle cherchait des glaçons, se mit à rire d'elle-même et se retrouva assise sur le plancher. «Assise sur un tapis de farine, dit-elle tout haut, à cuver mon vin, pardon! mon whisky, tout en coupaillant ma belle robe, celle qui laisse deviner de bien bonnes choses.»

En commençant par le bas de la robe, elle tailla une série de lanières dans la jupe, lui trouva si bonne allure qu'elle fit de même avec les manches. Elle s'attaqua ensuite au corsage, but une gorgée et renversa son verre. C'est alors et alors seulement que Charlotte s'écroula sur le plancher, tout du long, la robe dépenaillée, les cheveux traînant dans la farine et le whisky, et qu'elle pleura toutes les larmes de son corps.

Arthur se leva avant l'aube et descendit à la cuisine où Louisa s'affairait déjà à partir le feu du poêle. Elle lui trouva l'air bien songeur et s'apprêtait à lui demander, pour le taquiner, s'il n'avait pas changé d'idée à propos du mariage. Elle n'eut pas le temps de lui poser la question, tellement il enfila rapidement bottes et manteau avant de sortir.

– Vinguienne ! s'exclama Eugène qui sortait de sa chambre au même moment, le mariage est pourtant pas aux aurores. J'ai dans l'idée que ça presse ! dit-il en riant.

Habitué à se retrouver seul dans l'étable pour faire le train, Raoul sursauta en entendant la voix d'Arthur.

– Sais-tu où je peux dénicher la vieille traîne-sauvage ?

– Ça fait belle lurette que j'ai vu ça ! As-tu l'intention de faire descendre la grande côte à Florence sur les fesses ? Le jour du mariage ?

– J'en ai besoin !

Devant l'air sérieux et décidé de son frère, Raoul abandonna la vache qu'il trayait, rangea le seau de lait un peu à l'écart et fit signe à Arthur de le suivre.

Eugène venait d'allumer sa pipe, afin de calmer sa faim et son envie d'une bonne tasse de thé, forcé de s'abstenir pour aller communier, quand les deux hommes entrèrent.

– Si quelqu'un est capable de faire entendre raison à une tête de mule, c'est le moment ou jamais ! dit Raoul en suivant son frère jusqu'au salon.

– Pour l'amour du ciel! s'exclama Louisa en les voyant transporter l'horloge grand-père. Allez-vous à l'encan à matin?

– C'est mon cadeau de mariage, répondit Arthur, et un cadeau comme ça, ça mérite qu'on l'expose chez la mariée. Devant tout le monde! Passe-moi une couverture, Louisa.

– Vas-tu transporter ça sur tes épaules?

– Sur la vieille traîne sauvage, ma belle Louisa. Viens-tu faire un tour?

– T'es pas sérieux, Arthur Grand-Maison! Ça va te prendre au-dessus d'une heure, aller retour. As-tu de la corde, au moins?

– J'ai tout ce qu'il faut et amplement de temps. Crains pas!

Eugène, pendant ce temps, continuait de se bercer et de fumer, comme si l'histoire ne le concernait pas. Juste avant de refermer la porte derrière lui, Arthur accrocha pourtant le regard de son père, qui levait les yeux vers lui, et il eut tout juste le temps de voir poindre sur ses lèvres un sourire de fierté.

⚜

Les promesses du mariage avaient été échangées et Florence les retournait sans cesse dans sa tête, impressionnée par la gravité des mots pourtant si simples: «Pour le meilleur et pour le pire, jusqu'à ce que la mort vous sépare.» La messe s'était poursuivie sans qu'elle y participe vraiment, trop imprégnée encore de la solennité du sacrement. Le curé entamait le Pater quand elle aperçut une souris qui zigzaguait des pieds du prêtre à ceux du servant, tout comme si elle avait absorbé du vin de messe.

De son banc, Adélaïde secoua la tête en se demandant ce qui provoquait le rire de sa fille. «Celle-là, se dit-elle, elle trouvera toujours le moyen de s'amuser des petits travers de la vie, malgré son sérieux. Si je connais bien ma Florence, elle va se pencher vers Arthur d'ici quelques minutes et lui faire partager ses observations. Tiens! C'est fait! En perdant ma fille, je perds aussi ces petites joies. Pourquoi nous donner des enfants, mon Dieu, si c'est pour nous les enlever un jour et nous arracher un morceau de cœur du même coup?»

Adélaïde vit ensuite Florence se pencher vers son père, Arthur vers le sien, puis toutes les épaules tressauter devant la balustrade. Elle aurait donné cher pour savoir ce qui se passait, tout comme la plupart des assistants d'ailleurs, qui avaient déjà l'esprit à la fête. Quand le servant de messe poussa un cri, le curé sursauta, ce qui provoqua une bousculade des plus comiques entre eux. C'est ainsi qu'il donna la bénédiction de la fin de la messe dans l'hilarité générale et que Florence et Arthur entrèrent dans le mariage avec allégresse.

Les cloches sonnaient à toute volée, le toit de l'église dégoulinait sous un soleil resplendissant et les nouveaux mariés riaient encore sur le parvis, tandis qu'ils recevaient les félicitations d'usage.

— Pour sûr que ta Zoé doit être avec nous autres aujourd'hui, pour nous faire rire comme ça en pleine église, dit Cléophas à Eugène.

— Je pensais justement la même chose. Vinguienne que j'ai ri !

— C'est de bon augure pour la journée, dit Rose-Aimée en passant à côté d'eux.

— Un soleil de mois d'avril en plein mois de janvier, ça aussi, c'est de bon augure ! s'exclama Eugène qu'on ne voyait plus dans cette humeur depuis longtemps.

— Sans parler de la visite-surprise de ton fils, qui s'est pointé en même temps que la barre du jour avec un fameux de beau cadeau de mariage. Ça aussi, c'était déjà de bon augure ! Attends juste de voir comment mon Adélaïde a décoré ton horloge, mon Eugène. Avec tout plein de rubans ! Sans parler du carton que Florence a écrit ! Cadeau de mariage de M. et Mme Eugène et Zoé Grand-Maison. Oui, monsieur !

— Ils arrivent ! cria Hortense en sautillant.

— Arrange-toi pas pour accoucher aujourd'hui, lui dit Émérentienne, la femme de Ferdinand, tout aussi excitée qu'elle.

– Inquiète-toi pas, ce bébé-là va finir ses deux mois bien sagement. Je voudrais bien voir ça, qu'il me fasse manquer les noces de ma meilleure amie !

Avec son nourrisson de deux mois, Émérentienne avait préféré offrir ses services à sa belle-mère, pour éviter trop de déplacements au bébé, et s'était amenée de bon matin pour recevoir les directives d'Adélaïde qui avait, par ailleurs, une grande confiance en elle. Hortense, ne tenant plus en place bien longtemps à cause de sa grossesse, avait décidé d'en faire autant. Elle avait raté le départ de la mariée de peu et se morfondait de la voir arriver.

Tout en jasant, les deux femmes avaient surveillé la cuisson de la dinde, du porc frais, du jambon, des pâtés, des légumes. Une énorme chaudronnée de patates pilées, onctueuses à souhait, trônait sur le dessus du poêle, un peu à l'arrière pour les empêcher de brûler, tandis que tout autour, sur les ronds plus avant, réchauffaient les tartes aux pommes, aux framboises et aux cerises, dont Adélaïde avait fait ample provision de conserves à l'été, et à la farlouche, sa grande spécialité. Les odeurs s'entremêlaient, emplissaient la maison, et Hortense, en ouvrant la porte, les laissa s'échapper vers les invités qui arrivaient par bandes joyeuses.

De grandes catalognes multicolores jonchaient le plancher le long du mur, accueillant les bottes sans que les parquets bien cirés en souffrent, tandis que le lit de Cléophas et d'Adélaïde disparaissait sous une montagne de manteaux. À tour de rôle, les invités s'exclamaient sur les décorations et sur la magnifique table improvisée, qui partait de la cuisine pour se rendre jusqu'au fond du salon dont on avait enlevé les portes pour la circonstance. On ne s'entendait déjà plus parler quand les nouveaux mariés firent leur entrée.

– Monsieur et madame Grand-Maison, comme vous êtes beaux tous les deux ! s'écria Hortense en se jetant au cou de son amie.

Florence aurait voulu caresser le ventre rond mais se contenta de glisser à l'oreille de son amie que la maternité lui allait bien. Il n'y avait d'ailleurs aucune place pour l'attendrissement à la porte, car on s'y bousculait pour entrer. On se tassait justement, de façon respectueuse, pour laisser de l'espace aux invités d'honneur, M. et Mme Richard. On faisait également place à leur conducteur, M. Lachance, portant une caisse de champagne, du vrai, de France, murmurait-on, qu'on s'empressa de servir dans la belle verrerie de cristal, en passant par les verres à vin blanc, rouge, à eau et jusqu'aux simples verres de tous les jours quand la verrerie fut épuisée, vu la soixantaine d'invités. On trinqua avant de passer à table, puis, tandis que les femmes organisaient la manière de placer tout un chacun, les hommes suivirent Cléophas à la cuisine d'été, soi-disant pour fumer, et se virent offrir de généreuses rasades de boisson forte. Il n'y avait que l'embarras du choix, Cléophas ayant même prévu la marque préférée du scotch de M. Richard, sous les conseils d'Arthur.

On mangea beaucoup et longtemps. Puis, comme par magie, la table se vida et disparut, faisant place nette pour la danse, tandis qu'on alignait les chaises le long du mur et que Jean-Baptiste Meloche accordait son violon.

– Si vous permettez, dit Adélaïde en élevant la voix pour se faire entendre de tous, il serait peut-être approprié de donner la chance aux nouveaux mariés de développer leurs cadeaux avant de commencer à danser.

Tout le monde approuva et deux chaises furent prestement installées tout au fond du salon, afin que chacun puisse jouir du spectacle. Arthur et Florence vinrent donc trôner sous les applaudissements. Après un certain brouhaha, une belle formation s'organisa sous leurs yeux amusés, composée de leurs frères et sœurs, de leurs beaux-frères et belles-sœurs respectifs, ce qui faisait passablement de monde. Au premier plan se tenaient Ferdinand et Louisa, l'un portant un gros présent bien emballé et enrubanné, l'autre toussotant timidement, une feuille de papier blanc à la main. Après une légère salutation, Louisa s'élança courageusement:

– Chère Florence, cher Arthur,

»Vos frères et vos sœurs,

»Y compris beaux-frères et belles-sœurs,

»Sont ici réunis

»Pour vous offrir un cadeau pour la vie.

»Nous souhaitons qu'elle soit toujours bien remplie,

»Ouvrez donc et vous aurez tout compris.

Une soupière avec louche, en faïence blanche, fit alors comprendre le jeu de mots sur la soupière bien remplie et Louisa se rengorgea un moment de sa trouvaille. Il y eut d'autres cadeaux, dont une courtepointe magnifique réalisée par Hortense et sa belle-mère Rose-Aimée, quelques bibelots et travaux d'aiguille, ainsi que trois catalognes tressées. M. Richard et Cléophas offrirent chacun une enveloppe, tout en demandant à Arthur de ne pas l'ouvrir devant les autres, puis Mathieu et Raoul vinrent installer l'horloge grand-père au bout de la pièce, sous les exclamations, ce qui combla d'aise le grand Eugène. C'est alors que s'avança gauchement le violoneux, plus accoutumé à jouer qu'à parler.

– J'ai pensé, quant à moi, vous offrir un cadeau d'un autre genre. Ça fait un mois que je m'exerce en cachette et je vous demanderais, à tous les deux, de bien vouloir ouvrir le bal avec *Le Beau Danube bleu*, une belle valse des vieux pays.

Les ah! et les oh! fusaient de toutes parts. Après qu'on eut laissé l'honneur aux nouveaux mariés durant quelques instants, les chaises ne furent pas longues à se vider et rares furent les couples à ne pas se laisser entraîner par la valse mélodieuse. Quelques jeunes garçons profitèrent de ce moment pour aller faire un tour à la cuisine d'été, goûter les fruits défendus, jusqu'à ce que l'un d'eux reçoive une taloche bien placée derrière la tête et fasse déguerpir les autres en vitesse.

La danse battait son plein depuis un certain temps quand Louisa monta au deuxième, dans une des chambres sommairement transformée en salle de jeux, pour s'assurer de la bonne conduite de ses plus jeunes. En redescendant, juste au milieu de l'escalier, elle sentit son corps tout entier se contracter dans une colère jamais éprouvée jusque-là, comme si le feu lui faisait bouillir le sang de la tête aux pieds. Sans même réfléchir, elle se dirigea au milieu des danseurs et attrapa sa belle-sœur Malvina par le chignon. Elle le fit si rapidement que Raoul, en train de la faire tournoyer, en resta bouche bée, comme si on venait de lui enlever le pain de la bouche. Il en fut de même pour toute l'assistance, soudainement privée de musique à cause de l'étonnement de Jean-Baptiste Meloche dont l'archet restait suspendu dans les airs. La traversée du salon à la cuisine, jusqu'à la cuisine d'été, se fit en un temps record, la crinière défaite de Malvina au bout de la poigne solide de Louisa qui, sans ménagement, projeta sa belle-sœur dehors. On aurait pu entendre une mouche voler quand Louisa cria:

– Quand tu te seras roulée dans la neige au lieu de t'enrouler autour de mon mari, que tu te seras assez refroidi les sangs pour te conduire autrement qu'une chatte en chaleur, tu pourras essayer de rentrer. En attendant, gèle!

Louisa claqua ensuite la porte à toute volée, s'ébroua tel un cheval après une bonne course, releva fièrement la tête et fit face à toute l'assemblée, demeurée muette et figée sur place, parce que trop embarrassée et trop curieuse à la fois pour bouger.

– On va dire que tout le monde vient de faire un mauvais rêve en même temps, lança-t-elle, transformée, presque belle à ce moment-là. Un beau set carré, Jean-Baptiste! Que mon mari me fasse danser pour oublier mon mauvais rêve!

La danse reprit avec un entrain endiablé, mais Rose-Aimée et Adélaïde durent se retirer dans la chambre de cette dernière avant que le rire leur sorte par les oreilles. Elles eurent la surprise d'y trouver Mme Richard qui n'arrivait plus à se contrôler. Pour Zélia, ce fut le plus beau moment de la journée, celui qui lui avait permis de partager la complicité des deux femmes et de rire aux larmes.

Vers quatre heures, quand M. Richard tira sa montre de son gousset et l'indiqua de loin à Arthur, ce dernier comprit qu'il était l'heure de partir si lui et Florence ne voulaient pas rater leur train pour Québec. Les adieux se firent dans la joie, dans les larmes pour Cléophas, Adélaïde retenant les siennes au prix d'efforts héroïques qui la faisaient grimacer. Les invités se retrouvèrent en grand nombre sur la galerie, à saluer les nouveaux mariés ainsi que le couple Richard et leur conducteur un peu pompette. Comme ils s'éloignaient, l'aîné de Mathieu et de Malvina raconta une blague osée à son cousin et, malheureusement pour lui, son père l'entendit. Ce fut son tour de recevoir une taloche derrière la tête, qui l'ébranla et soulagea quelque peu Mathieu de sa rage contre sa femme. À l'intérieur, la fête reprenait de plus belle et les femmes discutaient déjà du moment le plus approprié pour remonter les tables et réchauffer le repas.

Enveloppé de vapeurs blanches, le train roulait vers Québec. Des étoiles luisaient par milliers sur un ciel noir, constituant le seul paysage observable. Depuis à peine deux heures de trajet, Florence et Arthur avaient appris l'un sur l'autre plus de leurs désirs personnels, de leurs manies et habitudes, que durant leurs fréquentations d'un an et demi. Juste avant leur départ, Adélaïde avait remis un panier d'osier entre les bras d'Arthur et ils venaient de dévorer gloutonnement des viandes froides, du pain de ménage, d'énormes pointes de tarte, le tout arrosé de bière d'épinette dont Adélaïde vantait sa recette secrète sans jamais la dévoiler à quiconque.

Lourde de nourriture et d'émotions, la tête appuyée sur l'épaule d'Arthur, Florence souhaitait un voyage sans fin, heureuse de ce contact doux et tendre, de ces échanges de pensées jusque-là secrètes, dévoilant sur bien des points une similitude de goûts assez surprenante, laissant entrevoir sur d'autres une intéressante complémentarité. Ayant par exemple découvert leur aversion mutuelle pour le chou, ils stipulèrent qu'on n'en verrait pas la couleur sur leur table. Par contre, le navet faisant l'unanimité, ils surent qu'ils pourraient s'en contenter aux jours maigres. La marche étant une passion commune, ils découvriraient le monde à pied, rejoignant ainsi une préoccupation partagée, celle d'économiser en vue d'une belle et grande maison, emplie d'enfants joyeux mais disciplinés.

Seul le sifflement aigu de la locomotive, lors d'un passage à niveau ou d'une entrée en gare, les tirait de leurs réflexions quelques instants.

La tête de Florence sur son épaule, Arthur se retenait de caresser sa joue, de prendre sa main entre les siennes, malgré le wagon à moitié vide où la plupart des voyageurs s'étaient endormis, connaissant déjà sa retenue et ne voulant à aucun prix l'embarrasser. L'abandon de sa tête sur son épaule représentait en soi un énorme avancement. Elle parlait d'une voix grave, une voix de femme malgré son jeune âge, tenait un discours sensé, organisé, ponctué parfois de drôleries inattendues. Il aimait le son de sa voix un peu rauque et constata soudainement, dans un frisson mal contenu, qu'il aimait Florence au-delà du possible, qu'il avait autant besoin d'elle pour survivre que de l'air qu'on respire.

– Tu as froid? demanda-t-elle en relevant la tête.

– Un frisson de fatigue sans doute, s'entendit-il répondre tout en prenant conscience d'une forme de secret, son amour portant une charge émotive trop forte pour l'expliquer sans effaroucher. Une journée chargée de trop grandes émotions, ajouta-t-il en souriant.

– Et si on parlait du mauvais rêve de Louisa? demanda Florence avec du rire dans les yeux.

Ils en rirent et en parlèrent jusqu'à l'entrée en gare de Québec, vantant le sang-froid de l'une, jugeant sévèrement l'inconduite de l'autre, plaignant la faiblesse de Mathieu et l'égoïsme de Raoul. Juste au moment où le train s'immobilisait, Florence dit à Arthur, en le regardant droit dans les yeux:

– Louisa a le pardon facile. Pas moi!

Dans la nouvelle aile du Château Frontenac, ouverte depuis à peine deux ans, Florence et Arthur, encore à l'entrée de leur chambre, attendirent le départ du jeune groom pour s'extasier.

– Tu crois que la reine Victoria possède un aussi beau château en Angleterre? demanda Florence.

– Une chose est certaine, en tout cas, répondit Arthur, si on est en train de rêver, c'est pas le même rêve que Louisa!

Le rire les fit descendre d'un cran et leur permit de respirer normalement, malgré le luxe et l'opulence. Depuis leur arrivée au Château, tout illuminé de l'intérieur, leur ébahissement n'avait eu de cesse. Tout avait contribué à maintenir une atmosphère d'irréalité, depuis leur entrée par le grand hall regorgeant de dorures, de tableaux, sans parler de l'éclat des lustres sur les boiseries et les meubles, jusqu'à la chambre. Florence, médusée, passait et repassait maintenant sa main sur un lavabo de porcelaine, tout au fond de la pièce.

– C'est presque trop beau, dit-elle en revenant au milieu de la chambre.

– Rien ne sera jamais trop beau pour ma reine à moi, lui dit Arthur en l'aidant à se défaire de son manteau.

Ce simple geste eut l'air de créer une tension chez elle, car Arthur vit ses épaules se raidir. Tout comme si ce premier vêtement retiré allait rapidement entraîner sa nudité, pensa-t-il.

– Si tu le permets, dit-il d'un ton désinvolte, je vais me rendre au fumoir. Tu peux en profiter pour te mettre à ton aise.

Arthur aurait voulu ajouter quelque parole rassurante mais, face à l'embarras de sa jeune femme, il préféra s'abstenir. La porte refermée, Florence poussa un soupir de soulagement bien involontaire. Elle s'empressa alors de vider les valises, de tout ranger, se déshabilla à la hâte, enfila le plus rapidement possible son déshabillé blanc, sagement doublé par ses soins, son peignoir par-dessus, tout aussi sagement doublé. Tout en accrochant ses vêtements, elle reprit peu à peu le contrôle de ses émotions.

Après une toilette sommaire, elle s'installa devant la coiffeuse. Les cent coups de brosse habituels étaient largement dépassés quand elle entendit tourner la clé dans la serrure. Elle continua pourtant de brosser sa longue chevelure, afin de se donner bonne contenance et parce qu'elle ignorait la ligne de conduite à suivre dans un tel moment.

Projeté dans le miroir, Arthur se tenait derrière elle. Il lui retira la brosse des mains et elle sourit à l'image du miroir. Sous le regard lourd, elle sentit son corps vibrer et ferma les yeux à demi.

– Une reine dans son château, encore plus belle que dans mes rêves. C'est doux, doux, doux, répétait Arthur en caressant la chevelure chatoyante. Chaque jour, maintenant, j'aurai envie de voir flotter tes longs cheveux sur ton dos, une parure que tu auras déroulée juste pour moi.

Florence chavirait sous les mots, sous le regard, sous les baisers dans son cou, sous la chaleur des bras qui la soulevaient.

⚜

Émérentienne et Louisa achevaient de laver la vaisselle et on sentait que la noce tirait à sa fin. Vers cinq heures, on avait dressé les tables de nouveau et resservi un gros repas, ce qui avait forcé les hommes à s'éloigner de la cuisine d'été et de la boisson pour un temps.

Durant le repas, Adélaïde avait offert aux femmes du champagne, dont il restait quelques bouteilles, et de son *Saumur Rosé* pas encore entamé. D'emblée, comme les Richard n'étaient plus là, elles avaient avoué leur préférence pour le rosé. Comme elle n'avait rien offert aux hommes, ces derniers avaient déduit qu'il valait mieux s'abstenir, au moins durant le repas.

La danse avait ensuite repris de plus belle, les hommes s'étaient remis à boire, les enfants à se chamailler, l'un d'eux se promenant d'ailleurs fièrement avec une grosse catin autour du doigt qu'il s'était pris dans une porte, un autre subissant les quolibets de ses cousins et cousines, agenouillé dans un coin pour avoir mordu sa sœur qui avait bavassé sur son compte, tandis qu'une ancienne chicane de clôture avait failli dégénérer en bataille. Tout, en somme, se déroulait normalement et l'on pourrait plus tard parler d'une noce parfaitement réussie.

Malvina, de son côté, s'était faite toute petite, cherchant à se rendre utile en s'occupant des enfants, sachant fort bien qu'elle devait éviter de s'approcher des femmes qui la fusillaient du regard. Le petit rosé aidant, Adélaïde et Rose-Aimée avaient ri et pleuré au souvenir de Zoé et c'est à regret qu'elles s'étaient quittées dès qu'Hortense avait montré des signes de fatigue, Louis bardassant son père et sa mère pour rentrer.

Quand l'horloge grand-père, au fond du salon, sonna dix coups, Jean-Baptiste Meloche déposa archet et violon tout comme s'il rendait les armes, se plaignant d'avoir le bras en compote. Adélaïde jugea qu'il était temps d'offrir une dernière tournée, malgré la fatigue qui s'abattait soudainement sur elle. Émérentienne et Louisa lui enjoignirent de les laisser se débrouiller et se chargèrent de faire réchauffer des tartes et de préparer du thé. On servit le tout à la bonne franquette, sans cérémonie.

Tout en finissant de ranger, Émérentienne observait à présent les départs qui s'effectuaient de plus en plus rapidement, l'un en entraînant un autre à sa suite.

– Malvina vient de partir, dit-elle à Louisa. C'est un bon débarras, ajouta-t-elle en baissant le ton.

Louisa se contenta de hausser les épaules, incapable d'aborder le sujet malgré la perche tendue. Elle aurait pourtant voulu confier son désespoir, sa rage, son impuissance surtout, face à cette femme de trente ans, de huit ans sa cadette, cent fois plus belle qu'elle ne l'avait jamais été, avec des yeux de braise qui s'allumaient devant son propre mari, et avouer par le fait même sa jalousie, son envie de lui arracher les yeux pour voir s'éteindre la flamme logée au fond de ceux de Raoul, mais elle se contenta de hausser les épaules et de ravaler sa fureur. Pour faire diversion, elle désigna Cléophas et Eugène qui entamaient *Sur le pont d'Avignon* pour la deuxième fois.

– As-tu déjà vu une femme abuser de la boisson comme les hommes, toi ? demanda-t-elle à Émérentienne.

– À part mémère Lacasse dans les derniers temps de sa vie, non ! Mais, soit dit entre nous, si la boisson rend l'homme semblable à la bête, comme le prétend monsieur le curé, pour ma part, je dirais que ça donne un peu d'imagination à mon Ferdinand !

Pour la forme, Louisa lui rendit son sourire entendu, tout en s'avouant amèrement que l'imagination venait beaucoup plus facilement à Raoul après avoir dansé avec Malvina. «Ce soir, se dit-elle, s'il ose s'approcher, pour la première fois de ma vie j'oserai lui refuser son plaisir, même si je dois m'en confesser dans quelques jours ! Tant qu'à mal faire, poursuivit-elle intérieurement, c'est pour une bonne mèche que je vais refuser. Comme ça, tant qu'à me confesser, aussi bien que ça vaille la peine!»

À l'avant-dernier étage du Château Frontenac, de la fenêtre aux ravissantes tentures de brocart, Florence contemplait le paysage. Lévis, solide et majestueux, juste en face, la masse sombre et mystérieuse de la pointe de l'île d'Orléans sur sa gauche et, par-dessus tout, le soleil effleurant par touches lumineuses les glaces du Saint-Laurent, ajoutant une dimension plus merveilleuse encore à cette vue grandiose. Sortie de son sommeil très tôt, elle avait fait sa toilette sans bruit, afin de laisser Arthur se réveiller par lui-même pour qu'il ait bien récupéré. Sans qu'elle veuille se l'avouer, sa pudeur l'avait poussée à se cacher d'Arthur durant les gestes quotidiens si intimes jusque-là et son sommeil l'avait soulagée. Toute coiffée et heureuse du résultat, habillée de pied en cap, elle profitait du spectacle qui s'offrait à ses yeux, se disant qu'elle n'avait rien vu d'aussi beau de toute sa vie. Elle jetait de temps en temps un regard tendre vers le lit, se perdait un instant dans le souvenir d'un baiser, d'une caresse de la veille, se laissait emporter dans un élan, un courant chaud, puis se ressaisissait brusquement. «Finalement, se dit-elle, il n'y a pas de quoi fouetter un chat. C'est un moment désagréable à la toute fin mais c'est vite passé.» Elle comprenait à présent le sens du mot «devoir» si souvent entendu dans les conversations entre femmes, et elle pensa qu'elle s'y ferait, tout comme elles.

Elle alla près du lit, le regarda dormir et s'étonna de le trouver si différent, comme un enfant sans défense, constata-t-elle au bout d'un moment. Elle eut envie de plonger sa main dans l'épaisse chevelure noire mais n'osa pas et attendit qu'il ouvre les yeux, heureuse d'être là, de pouvoir admirer son beau visage sans être vue, sans retenue. Elle rougit quand il ouvrit enfin les yeux, avec l'impression d'être prise en défaut comme une petite fille.

– Ma Florence, ma reine à moi, dit-il en l'attirant. Je pensais avoir rêvé et tu es là, toute belle à côté de moi.

– Mon bel amour, dit-elle, tout étonnée des mots qui sortaient de sa bouche, de sa main qui glissait d'elle-même vers la chevelure désordonnée.

– Qu'est-ce que tu fais habillée de si bon matin ? Tu n'as pas envie de recommencer ? dit Arthur en prenant son visage entre ses deux mains.

– Arthur ! Pas le matin, quand même !

Arthur lui sourit en se disant qu'il aurait tous les soirs de sa vie pour la retrouver, qu'il devait apprendre à contrôler ses ardeurs, pour ne jamais l'envahir contre son gré. Quelque part, très loin, le souvenir d'une Charlotte s'offrant sans répit l'effleura. Il le chassa rapidement, se noya dans l'eau bleue des yeux lumineux, puis repoussa énergiquement les couvertures.

– J'ai une faim de loup ! dit-il en sautant hors du lit. Un bon déjeuner pour nous mettre en forme et puis hop ! La découverte de Québec, la découverte de la vie à deux !

– Viens voir comme c'est beau, dit Florence d'une voix très douce en prenant sa main pour l'entraîner à la fenêtre.

⚘

Louisa n'avait pas envie de prier. Comme tout le monde, elle attendait que la messe commence, sagement assise sur son banc. La plus jeune de ses filles glissa sa petite main dans la sienne et leva vers elle de beaux yeux tristes et inquiets. Ce fut le premier avertissement ressenti par Louisa. Le deuxième se produisit tout de suite après, lorsqu'elle vit les enfants de Mathieu et de Malvina s'installer non loin d'eux, sans leurs parents. Elle ne s'étonna pas de l'absence de son beau-frère qui avait dû, tout comme son mari, son beau-père et bien d'autres hommes ayant participé à la noce, décider de cuver son vin en dormant plus tard qu'à l'accoutumée. Chez elle, l'aîné s'était chargé de faire le train, constatant que ni son père ni son grand-père ne se levaient.

Cependant, que Malvina n'accompagne pas ses enfants à la messe lui sembla douteux et un étrange malaise s'installa en elle. C'est en croisant le regard d'Émérentienne, assise trois bancs plus à gauche, vers l'arrière, qui désignait d'un mouvement de la tête, les sourcils froncés, l'absence de Malvina que le dernier avertissement la fit sortir de l'église, juste au moment où le prêtre se dirigeait vers le maître-autel.

Le cœur lui battait si fort qu'elle mit la main sur sa poitrine. Elle avait beau se traiter de folle, aucune force ne pouvait plus la retenir et ses enjambées s'accéléraient au même rythme que les battements de son cœur. Juste avant d'arriver, elle observa les deux maisons. «C'est chez nous, lui dictait son instinct, dans l'étable. Une vache parmi les vaches! Pas ailleurs! Faites que je me trompe, mon Dieu! Faites que je me trompe!» se répétait-elle en se dirigeant vers l'étable.

– Quelle mouche t'a piquée, ma belle-fille? lui lança Eugène depuis la porte de la cuisine.

Louisa se retourna si vivement et resta clouée sur place de façon si subite qu'Eugène eut la vision de la femme de Loth sous les yeux, le visage blanc comme du sel, pensa-t-il. Sans prendre le temps de se couvrir, car il faisait très doux, il accourut vers elle. Incapable de prononcer une parole, elle lui indiquait l'étable. Avant même de comprendre réellement, Eugène sentit son cœur se serrer, puis il saisit la demande muette et s'engagea sur le chemin de l'étable. Les idées trop embrouillées par l'alcool de la veille, il ne parvenait pas à réfléchir convenablement, ni assez rapidement à son goût. «Si une pareille infamie se produit sous mon toit, qu'est-ce que je fais?», se demandait-il désespérément. Les images de la noce lui revenaient pêle-mêle, Louisa traînant sa belle-sœur à travers la maison, puis une autre où Raoul jetait un regard haineux à sa femme, une autre encore, au moment où l'alcool lui avait fait douter de ce qu'il croyait avoir vu et qu'il craignait à présent devoir admettre comme une réalité, Malvina penchée sur un enfant et Raoul qui la frôle en passant à ses côtés, le désir qui se lit dans leurs yeux à ce moment-là, puis la porte de l'étable qu'il démolit soudain d'un puissant coup de pied, les cris de Malvina qu'entend Louisa, ceux qu'elle pousse à son tour, «tout cela comme dans le mauvais rêve de Louisa, pensa Eugène, celui qu'on a tous fait ensemble hier et qui nous poursuit jusqu'à aujourd'hui».

Après une marche de plusieurs heures dans les rues de Québec, Florence et Arthur étaient entrés dans un petit restaurant pour y prendre le repas du midi, puis avaient poussé leurs découvertes vers la basse ville.

– Dire que nos parents n'ont jamais rien vu de tout ça! s'exclama Florence au bas de l'escalier casse-cou. Nous en avons, de la chance!

Florence prenait le bras d'Arthur, ce qu'elle ne se permettait pas avant le mariage, et ce signe de possession enchantait Arthur. Il admirait son énergie, sa capacité d'émerveillement, toute de retenue mais clairement lisible au fond des yeux.

– Tu n'es pas fatiguée? Tu n'as pas froid? lui demandait-il, plein de sollicitude.

– Il fait doux comme en avril! Je me plaindrais plutôt d'avoir un peu chaud, si j'avais à me plaindre, répondit Florence malicieusement. Pour ce qui est de la fatigue, Arthur Grand-Maison, tu sauras que j'ai de l'énergie à revendre. Tu en veux?

Arthur riait. Il se dit que ce petit bout de femme, la sienne, avec ses reparties vives et colorées, n'avait rien d'une mauviette, que sa force de caractère en ferait parfois une partenaire redoutable. Cela lui plut aussi, car il n'imaginait pas pouvoir s'ennuyer auprès d'elle.

Ils débouchèrent finalement sur la place Royale et l'église Notre-Dame-des-Victoires, et Florence, livide, se rappela soudainement que c'était dimanche et qu'ils avaient manqué la messe. Arthur la rassura de son mieux, lui expliquant la bienveillance de Dieu face à leur oubli, et finit par l'entraîner à l'intérieur pour une prière de remerciement qui, selon lui, vaudrait toute une messe tellement ils y mettraient d'intensité.

Au sortir de l'église, le soleil les aveugla. Des goélands venus du port juste en bas tournoyaient au-dessus de leurs têtes en criaillant aussi stupidement que des oies. La place était déserte et Arthur, au centre de ce grand espace de lumière, retira son chapeau, un beau Christy d'Angleterre tout neuf, et salua Florence bien bas.

– Si j'étais magicien, dit-il, le chapeau toujours à la main, si j'avais le pouvoir de faire sortir de mon chapeau des lapins, des rivières de diamants ou des châteaux en Espagne, que choisiriez-vous, chère madame?

Arthur avait beau sourire, Florence entendait une autre demande, inscrite entre les lignes de sa question un peu folle. Peut-être à cause du Notre Père récité à haute voix dans l'église vide et dans lequel ils avaient laissé parler leur âme sans retenue, elle vibrait au même diapason que lui. Elle fit mine de saisir quelque objet à l'intérieur du chapeau et de le garder précieusement dans sa main.

– Je choisirais une minute de bonheur. Une minute qui pourrait durer toujours, peu importe le lieu. Une minute dans laquelle il suffirait d'être ensemble pour que nos vies soient comblées, sans besoin de diamants ou de château. Par contre, je veux les lapins!

Arthur remit son chapeau, Florence reprit le bras de son mari et ils s'engagèrent vers le port avec les goélands leur faisant cortège.

– C'est un programme de vie qui me plaît, dit Arthur au bout d'un moment. Simple et peu coûteux.

– Peut-être pas autant que tu le penses, Arthur.

«Belle et profonde, tout comme l'eau turquoise de ses yeux, ma Florence, se dit Arthur en serrant le bras de sa femme. Que cette minute de bonheur dure toujours, souhaita-t-il avec ardeur, au prix d'efforts coûteux, s'il le faut!»

<hr />

Cléophas et Eugène n'en menaient pas large au pied du grand escalier, mais ni l'un ni l'autre ne voulait s'avouer les méfaits causés par l'alcool de la veille sur leur système.

– Vinguienne de grand escalier! dit Eugène, les bras ballants.

– Pour sûr, approuva simplement Cléophas.

Ils choisirent d'abord de monter le matelas et suaient déjà au milieu de l'escalier. Une fois rendus en haut, sur la galerie, ils appuyèrent le matelas sur le mur, l'un attendant que l'autre ouvre la porte.

– On se croirait au printemps, dit Eugène, rêveur.

– Coudonc! Eugène, au lieu de rêvasser, tu pourrais pas débarrer la porte?

– Comment ça, débarrer la porte? C'est pas toi qui as la clé?

– Baptême! lâcha Cléophas malgré lui. C'est pas vrai! Dismoi pas qu'on n'a pas la clé!

Eugène, qui s'était appuyé contre le matelas pour le retenir, se laissa glisser jusqu'à terre en pleurant. Le haut du matelas lui tomba sur la tête et lui fit un abri, sous lequel il continuait de pleurer.

– Ben voyons donc, Eugène, tu vas pas te mettre à pleurer pour une clé, à c't'heure!

Cléophas n'avait jamais vu un homme pleurer de sa vie. Quelques larmes versées lors d'un enterrement ou à la suite d'une émotion trop forte, peut-être, mais jamais, au grand jamais, pensa-t-il, de gros sanglots étouffés comme ça! Il se sentit honteux pour Eugène et pour lui-même d'en être témoin, sans parler des voisins qui pouvaient l'entendre. C'est d'ailleurs ce qui lui donna le courage de briser un carreau de la fenêtre afin de pouvoir ouvrir la porte au plus sacrant. Les voisins ne mirent justement pas longtemps à faire leur apparition quand la vitre eut volé en éclats.

– Eugène! Lève-toi! On va passer pour des bandits!

– Vinguienne! rugit Eugène en sortant de dessous le matelas, se soulevant d'un bond, on sort pas les meubles, on les rentre! Faites donc pareil!

Les voisins ne demandèrent pas leur reste devant ce grand escogriffe qui n'avait pas l'air commode et entrèrent chez eux.

– Pour l'amour du ciel, Eugène Grand-Maison, as-tu attrapé la berlue?

Eugène entra le matelas sans attendre l'aide de Cléophas et ce dernier, tout décontenancé, finit par se secouer et descendit les marches de l'escalier quatre par quatre, remonta aussi vite et tendit une bouteille de gros gin à Eugène, assis sur le matelas au beau milieu du salon. Eugène prit la bouteille et en but deux gorgées à même le goulot, coup sur coup, puis regarda Cléophas avec de grands yeux infiniment tristes.

– Louisa est partie.

Mathieu ne tenait plus en place dans la maison et tournait en rond comme un ours en cage. Les enfants se chamaillaient, les plus jeunes pleuraient et Malvina, sous prétexte d'un affreux mal de tête, restait enfermée dans sa chambre. À bout de patience, Mathieu sortit de la maison en claquant la porte.

Il n'avait aucunement l'intention de traverser de l'autre côté, il en voulait à son frère autant qu'à sa femme de s'être donnés en spectacle à la face de tout un chacun la veille, mais la petite dernière, la plus belle à cause de ses grands yeux tristes, lui cria:

– Mon oncle Mathieu!

Elle se promenait toute seule dans l'allée et avait l'air si triste que Mathieu traversa. Elle courut vers lui et se jeta dans ses bras en pleurant. Il avait beau la questionner, l'enfant ne parvenait pas à contrôler ses pleurs. Il décida d'entrer pour la confier à sa mère. En ouvrant la porte, il eut l'impression de se retrouver chez lui, car les enfants se chamaillaient tout autant, la petite continuait de pleurer et Raoul ressemblait à une âme en peine.

– Ta femme est pas là?

– Maman est partie, réussit à dire la petite entre deux sanglots.

Mathieu lui caressa la joue et la déposa par terre.

– Partie où? demanda Mathieu.

– Partie avec sa valise, répondit l'enfant.

Sur le seuil de la porte, Mathieu ne bougeait pas. Il attendait que son frère le regarde, lui réponde, mais Raoul tisonnait le feu et s'absorbait dans cette tâche avec application.

– Je pense qu'il vaudrait mieux parler à l'extérieur, finit par dire Mathieu.

Il sortit le premier et fit quelques pas dans l'allée en attendant Raoul. Sans trop s'en rendre compte, il donnait des coups de pied dans la neige qui se liquéfiait sous cette pression et éclaboussait ses pantalons. Quand il entendit son frère sortir de la maison, il sentit du même coup sa colère monter.

– Elle est partie où, Louisa?

Raoul haussa les épaules sans répondre.

– Viarge! Me prends-tu pour un innocent, Raoul Grand-Maison? Ça prend pas la tête à Papineau pour comprendre qu'une femme part pas comme ça, sur un coup de tête, juste à cause d'une danse trop collée!

Raoul semblait contempler stupidement ses bottes, les mains enfoncées dans ses poches, sans qu'un muscle de son visage bouge. Mathieu fit quelques pas pour se calmer puis vint se planter devant son frère.

– On part en affaires ensemble et tout ce que tu trouves à faire, c'est de nous mettre dans le trou en partant?

Il donna alors un grand coup de pied dans la neige qui, cette fois, éclaboussa Raoul jusqu'au visage sans qu'il réagisse pour autant.

– J'aime mieux rien savoir de ce qui a pu arriver, mais une chose est certaine, pis vaut mieux pour ta santé de t'en rappeler, c'est pas demain la veille que ça va arriver de nouveau, prends ma parole!

Mathieu tourna les talons, partit vers chez lui mais fit volte-face au bout de quelques enjambées.

– Au lieu de rester planté là comme un grand corps mort, attelle le cheval pis va chercher ta femme! Où veux-tu la trouver ailleurs que chez sa mère? Pauvre innocent! Rendu là, supplie-la, à genoux devant elle s'il le faut, mais ramène-la! Ça, c'est pas un conseil, c'est une menace! Un fusil de chasse, ça peut abattre toutes sortes de gibier, tu m'as compris? M'as-tu compris, Raoul Grand-Maison?

Mathieu secouait son frère comme un vieux prunier et ce dernier lui fit un signe de tête affirmatif, sortant enfin de sa torpeur en lisant la haine inscrite dans les yeux de son cadet. Mathieu le lâcha, tourna les talons et, juste avant d'entrer chez lui, il pensa que le seul problème concernant le fusil était de ne pas savoir qui il abattrait, de son frère ou de sa femme, advenant le cas où il aurait à en faire usage. Il entra dans la maison sans même se donner la peine de retirer ses bottes et alla droit à la chambre. Malvina, l'air ahuri, l'écouta parler de son problème concernant le fusil.

III

Sainte-Dorothée, 15 novembre 1900.

Ma chère Florence,

C'est avec beaucoup de joie que j'ai reçu ta dernière, d'autant plus que tes lettres sont assez espacées depuis un certain temps. Il est vrai que dans ta condition la plume doit te peser lourd au bout du bras! As-tu terminé le trousseau du bébé? Je compte les jours avec toi et tu dois bien savoir que ma pensée t'accompagne continuellement.

Ma belle-mère et moi, nous avons plié l'ensemble de baptême hier soir, tout bien enveloppé dans du papier de soie. Nous sommes très fières de notre travail, sans fausse modestie, et j'espère que tu l'aimeras. Sans l'aide de Rose-Aimée, je n'aurais pas su réaliser un ensemble de cette qualité. Cette femme-là sait tout faire à la perfection et n'en finit pas de me surprendre. Pour répondre à ta question, quant à savoir s'il m'arrive de regretter de vivre chez mes beaux-parents, je te dis, sans hésitation aucune, qu'avec une telle belle-mère les regrets sont impossibles. Sa gentillesse à mon égard ne se démentit pas au fil du temps.

Dans ma dernière, je t'expliquais que mes maux de dos m'avaient obligée à cesser l'allaitement. Cette fois-ci, je t'annonce que je suis partie pour la famille de nouveau. Eh oui! Déjà! Avec la dernière couche de graisse restée de mon beau gros Omer, sept mois et demi aujourd'hui, j'imagine que ma vie de jeune fille élan-

cée est désormais chose du passé! Tandis que mon Louis demeure svelte, je lui en donne plus à aimer, dit-il. Il faut dire que la belle-mère n'arrange rien en essayant de me gaver comme une oie, sous prétexte que je dois manger pour deux.

J'ose à peine te parler du bel automne que nous avons eu, connaissant tes difficultés d'adaptation à la ville. Continue de t'en ouvrir à moi, sans peur de m'ennuyer. De vraies amies n'ont pas que des moments heureux et faciles à se raconter, tu le sais bien, va! Sache aussi que j'admire ta force de caractère à surmonter le bruit, les odeurs, le rapprochement des logements, le manque de communication entre les gens, la terrible humidité et j'en passe. Je compatis à tes misères. Un jour, vous l'aurez, votre belle et grande maison, Arthur et toi, et tu pourras enfin planter tous les arbres de ton choix et qui te manquent tant, posséder de magnifiques allées de pivoines roses et blanches et cultiver ton potager. Tu verras! Nos désirs se réalisent quand on les tient bien au chaud dans notre cœur.

En attendant, j'ai pensé à une solution concernant ta peur «irraisonnée» du feu, pour reprendre ton mot. Pourquoi ne confectionnes-tu pas un genre de poche ou de sac, avec un long cordon, dans lequel tu pourrais, le soir avant de te coucher, déposer tes photos, tes bijoux, tes souvenirs précieux, et que tu accrocherais à la poignée de la porte de ta chambre? Ainsi, si un feu survenait durant la nuit, comme tu le crains, ce qui n'arrivera pas, j'en suis convaincue, tu n'aurais qu'à prendre ta poche et à te l'accrocher autour du cou avant de sortir. Enfin, c'est une suggestion et tu en fais ce que bon te semble.

Bon! Pour en revenir à l'automne, parce que tu as insisté pour que je t'en parle, vu que tu étais renfermée à cause de ta condition, laisse-moi seulement te souligner les rouges flamboyants qui dominaient cette année, les jaunes et les orangés à profusion, le tout s'entremêlant sous le soleil de l'été des Indiens, dans une splendeur incomparable dont cette saison n'est pas avare en chatoiements variés, selon la lumière du jour. Je ne dis rien des odeurs, ni des bruns mordorés des derniers jours avant la pluie, *afin de t'épargner un peu. L'an prochain, il faudra venir passer quelques jours chez nous, début octobre de préférence. Nous partagerons les couleurs, la rivière et les couchers de soleil, comme une grosse tartine de sucre d'érable dégoulinante de crème épaisse, et nous irons nous rouler dans d'immenses tas de feuilles mortes en riant comme au temps de notre jeunesse.*

Avec mon affection la plus sincère,
Ton amie Hortense.

P.-S. Ma poésie te rappelle-t-elle celle de Ti-Poêt qui, pour un sou, improvisait à volonté de belles phrases bien tournées ? En tous les cas, c'est pas faute d'avoir essayé de te distraire !

Florence replia la lettre en souriant, la remit dans son enveloppe et la déposa avec les autres dans le deuxième tiroir de sa coiffeuse. Elle tira ensuite une chaise vers sa garde-robe, y grimpa avec mille précautions et étendit les bras vers la tablette du haut pour en extraire une boîte contenant des tissus de toutes sortes. La chaise vacilla dangereusement mais Florence reprit son équilibre et en fut quitte pour une bonne frousse. Elle se promit d'attendre Arthur pour remettre la boîte en place. Au milieu des tissus, elle découvrit de la toile de jute, dont un grand morceau lui était resté après avoir recouvert les pots de confitures, les empêchant ainsi de geler dans le garde-manger dont un mur suintait sous le froid, et commença la confection de sa poche sur-le-champ.

Au bout d'une heure, elle avait terminé. La pluie tombait, monotone, redoublant son ennui. Elle pensa à Zélia qui devait la visiter au cours de l'après-midi et mit tout en place pour la recevoir, se demandant si elle n'allait pas remettre sa visite à cause du mauvais temps. L'horloge au salon sonna midi et Florence s'obligea à manger une pomme pour le bébé, n'ayant aucun appétit pour elle-même.

À la fois pour contrer l'ennui et pour démontrer à sa manière son affection à la douce Zélia, elle sortit d'un placard sa trousse à broderie en décidant de lui offrir de jolis mouchoirs faits main, lors d'une prochaine occasion importante. Dans sa boîte à tissus, elle dénicha du percale. Le nom de Zélia s'y inscrirait en violet, pensa-t-elle, avec de délicates fleurs roses et mauves, soutenues par une tige en deux tons de vert.

Occupée à tailler des carrés parfaits, Florence n'entendait plus la pluie. Comme elle aimait les chiffres impairs, elle tailla trois morceaux de percale et s'appliqua ensuite à tracer sur chacun un grand Z, inscrivant le *élia* en lettres minuscules sur la barre finale du Z, qu'elle avait pris soin d'allonger. Une fois les fleurs et la tige dessinées au crayon sur le fin tissu, elle enserra le premier carré dans un cerceau de bois, choisit la couleur de ses fils avec minutie et s'installa confortablement dans son fauteuil.

Florence aimait la broderie, qui occupait les mains tout en laissant libre cours aux pensées. Les siennes vagabondaient d'un souvenir à un autre et celui de la grande Zoé l'effleura un moment, ce qui l'amena à penser à son beau-père, puis à Louisa. De fil en aiguille, les souvenirs affluaient, se concentrant tout-à-coup sur la première visite à la famille Grand-Maison, une semaine après le retour de voyage de noces, où le couple heureux tombait en plein drame. Elle retrouva l'atmosphère chargée d'émotions retenues, les enfants eux-mêmes semblant marcher sur la pointe des pieds pour éviter de signaler leur présence.

Le grand Z se teintait de violet sous les doigts habiles de Florence, tandis que les souvenirs remontaient. Le visage fermé de Louisa, qui ne parlait plus depuis son retour, la longue conversation d'Arthur avec son frère Raoul, dehors en plein froid mordant de février, puis Louisa à son tour, emmitouflée dans plusieurs épaisseurs de lainage, s'effondrant dans les bras d'Arthur au bout de quelques minutes et dont les pleurs parvenaient jusqu'à l'intérieur de la maison, laissant tout le monde pantois, la sortie de Raoul de nouveau pour ramener sa femme au chaud, son amende honorable, sans retenue ni fausse pudeur, clamant son amour à Louisa, son besoin d'elle, la réchauffant de son corps puissant, la retenant d'abord avec force, avec douceur ensuite quand elle abandonna sa tête sur son épaule, les enfants tout autour d'eux resserrant les liens de la famille qui, pour un moment, avaient semblé bien lâches, avec un grand trou en son centre vital. Puis la chaleur revenue autour du poêle et au cœur de chacun, le rire des enfants, la grande leçon de pardon surtout, sur laquelle Florence avait longuement réfléchi. «Hum! pensa-t-elle à ce moment précis de ses souvenirs, il en faut du courage, de l'humilité, de l'abnégation et de l'amour pour en arriver là!»

L'enfant bougea dans son ventre et elle sourit. Elle le tiendrait bientôt dans ses bras, un garçon, espérait-elle, pour flatter la vanité d'Arthur, assurant dès le départ le prolongement de son nom, de sa lignée. L'amour d'Arthur l'enveloppa, la combla d'aise pendant que les mots, les gestes, la tendresse quotidienne s'étalaient dans les méandres de son esprit, sa générosité constante, la lecture des journaux en sa compagnie, le soir, apprenant avec lui la vie, celle de son pays et d'ailleurs, découvrant peu à peu l'intérêt de son mari pour les jeux compliqués des cotes en Bourse, se passionnant, s'inquiétant pour les risques soi-disant calculés qu'il prenait, leurs longues promenades auxquelles elle avait mis fin à regret, vu son état. La beauté d'Arthur la souleva aussi, son appétit insatiable d'elle et la réponse d'Hortense à une question posée dans une des dernières lettres, qui la laissait infiniment songeuse: «Le désir des hommes ne disparaît pas à la vue de notre gros ventre, tandis que le nôtre revient peu à peu après l'accouchement.»

Ces mots sous-entendaient que son amie appréciait la chose et cette découverte l'isolait. Peut-être n'avait-elle pas été assez précise dans sa demande? La pudeur commandait tout de même une certaine réserve. Et puis à qui d'autre poser de telles questions? Certainement pas à la triste Zélia! À sa mère? Elle chassa rapidement l'ombre du souvenir de l'étable et se concentra sur son travail. La tige s'enroulait autour du prénom, dans un vert prononcé à la base puis s'adoucissant à mesure qu'elle s'allongeait. Choisissant un rose tendre à travers ses fils, Florence entreprit la première fleur. «Vous n'avez pas idée du plaisir que vous me feriez en m'appelant par mon prénom, lui avait dit Mme Richard, quelques mois auparavant. Je n'ai plus de famille, pas d'amie véritable, à part vous, bien entendu, et mon mari lui-même n'emploie pas mon prénom pour s'adresser à moi. C'est bien joli, "ma chérie", mais j'aimerais parfois qu'on m'identifie réellement et qu'on me nomme. Le ferez-vous, chère Florence? – Avec plaisir, Zélia», lui avait-elle répondu, et leur amitié, depuis, s'était affermie.

De quinze ans son aînée, Zélia lui enseignait ses manières raffinées, sans faire étalage de ses connaissances, usant de délicatesse et de suggestions. De plus en plus à l'aise en sa compagnie, Florence avait appris beaucoup plus à son contact que dans les livres de savoir-vivre. Pas une semaine ne se passait sans que M. Richard ne mît la calèche et son conducteur à leur disposition, leur permettant ainsi de profiter de la ville et de ses nombreuses ressources. Florence se réjouissait de sa rencontre avec une femme aussi généreuse de son temps et de son savoir et qui, par ailleurs, avait grandement besoin de compagnie et de soutien.

Elle repoussa son ouvrage pour en voir l'effet d'ensemble et réalisa que, de toute sa vie, elle n'avait jamais rien réussi d'aussi délicat et féminin. Elle reconnut dans ce premier mouchoir inachevé la personnalité de Zélia. Elle espéra que cette dernière s'y reconnaîtrait également, devinant par le fait même, à travers la broderie, toute son amitié. Tandis qu'on frappait trois petits coups discrets à la porte d'entrée, l'horloge sonna la demie de deux heures. Florence cacha rapidement son travail avant d'aller répondre.

– Zélia! Entrez vite! Par un temps pareil, j'aurais compris que vous remettiez votre visite à un autre jour.

– Vous me manquiez trop, chère Florence, et je me suis dit que si la montagne ne venait pas à moi, je devais aller à la montagne.

– En fait de montagne, c'est assez réussi, vous avez raison! dit Florence en désignant son ventre énorme.

– Florence! Ce n'est pas ce que je voulais dire! Que je suis maladroite!

Zélia se confondait en excuses tandis que Florence riait de bon cœur en l'aidant à se départir de son manteau. Elles s'installèrent au salon et, après quelques civilités, Florence servit le thé dans de jolies tasses de porcelaine, offertes par Zélia. Cette dernière sourit intérieurement tout en observant les gestes délicats de son amie. La conversation porta sur la venue du bébé, attendu d'un jour à l'autre, aux dires de Florence.

– Comment pouvez-vous le savoir, puisqu'un premier-né peut également arriver en retard ?

– Après avoir tant bougé, il est bien tranquille à présent. Je présume qu'il ménage ses forces avant sa grande sortie.

– Comme je vous envie !

De peine et de misère, Florence s'extirpa de son fauteuil et vint s'asseoir auprès de Zélia.

– Il ne faut pas m'envier, Zélia, car vous aurez un grand rôle à jouer auprès de cet enfant, en tant que marraine, j'entends !

La frêle Zélia regarda son amie avec de grands yeux incrédules d'abord, puis, devant les signes de tête affirmatifs de Florence, elle ne put contenir ses larmes. Florence lui tapotait les mains en silence tout en remerciant intérieurement sa mère pour sa perspicacité, et dont la lettre, reçue la veille, confirmait sa vision des choses. « Ainsi, la tristesse et la solitude de cette pauvre femme seront en partie comblées. Ton père et moi, nous sommes déjà parrain et marraine tant de fois ! Et puis, ma fille, il faut aussi penser à votre avenir. Demander à M. et Mme Richard d'être dans les honneurs ne pourra pas nuire aux affaires de ton mari. Je t'entends d'ici pousser de hauts cris offusqués, mais sache bien qu'il faut, plus souvent qu'autrement, garder les pieds sur terre et prendre des décisions éclairées, souvent à l'encontre d'un choix sentimental, ce que la vie t'enseignera sans ménagement. Dans le cas présent, il y aura du plaisir pour les uns, de l'avantage pour les autres, sans blesser quiconque. Que veux-tu de plus ? »

– Dieu a dû vous placer sur mon chemin pour ranimer ma foi. Vous êtes l'ange que je n'espérais plus, chère Florence. Vous ne regretterez pas l'honneur que vous me faites.

– C'est votre mari et vous qui nous ferez honneur en acceptant, conclut Florence.

Cléophas retira ses bottes puis son manteau dégoulinant, le secoua au-dessus de la catalogne avant de l'accrocher à la patère et enfila sa veste de laine suspendue juste à côté.

– Y mouille encore à boire debout. Mieux vaut prendre son mal en patience, parce que cette pluie-là m'a l'air de vouloir durer longtemps. Une bonne semaine de plus, pour sûr, dit-il à Adélaïde en lui tendant une lettre.

– Une lettre des États! s'exclama-t-elle. Attends! Je nous sers une bonne tasse de thé et je te fais la lecture ensuite.

«Il en est toujours ainsi avec Adélaïde, pensa Cléophas. Elle aime faire durer le plaisir en toutes choses.» Son cœur d'homme usé battait un peu plus vite dans sa poitrine, comme à chaque lettre reçue d'Émile, le meilleur et le pire pouvant provenir de ce fils déraciné. Il maudit le sort une fois de plus pour son ignorance, car il aurait aimé lire la lettre avant sa femme, s'il avait su lire, au cas où de mauvaises nouvelles s'y étaient trouvées. Tout comme elle, il but une gorgée de son thé, comme si de rien n'était, et attendit. Il fallait d'abord qu'elle palpe la lettre, la sente, la soupèse, un rituel auquel il ne pouvait pas échapper.

Les nouvelles étaient bonnes et le fils prodigue annonçait sa visite pour le printemps. Cléophas éprouva de la rage mais sut se contenir pour ne pas ternir le bonheur de sa femme. Tant de fois elle y avait cru et si peu de visites s'étaient concrétisées. Il en voulait à Émile pour tout le mal occasionné à sa mère par ses promesses inconsidérées.

– Cette fois, c'est la bonne! Je le sais, Cléophas, je le sens, dit Adélaïde en sortant son mouchoir du fond de sa grande poche de tablier. Tu veux que je la relise? Cléophas acquiesça en hochant la tête mais le cœur n'y était pas. Comment avait-il pu engendrer un fils pareil? se demandait-il pendant que sa femme relisait la lettre joyeusement. Un fils pour qui il faudrait tuer le veau gras, hypocritement, afin que sa belle Adélaïde soit heureuse. Il se promit de parler à ce fils ingrat dès sa prochaine visite, si visite il y avait, de lui faire connaître le fond de sa pensée, de vider son sac une bonne fois, d'homme à homme. Cette décision le réconforta.

– Je voudrais partir demain pour chez Florence, dit Adélaïde de but en blanc, sans même avoir terminé la relecture de sa lettre.

«Le rapprochement de l'une pour compenser l'éloignement de l'autre», se dit Cléophas en hochant la tête de nouveau.

– S'il fallait que cet enfant-là nous arrive avant son temps, je pourrais jamais me pardonner. Tu comprends ça, mon homme?

Cléophas approuva encore silencieusement, tout en se dirigeant vers la fenêtre. Il comprenait, pour sûr qu'il comprenait, se répétait-il en regardant tomber la pluie, mais sa femme allait lui manquer terriblement et il ne voulait à aucun prix qu'elle se rende compte à quel point.

– Ça fait deux jours que je cuisine pour toi et Maurice. Vous manquerez de rien pendant mon absence.

– Tu nous manqueras peut-être un brin, tu penses pas? demanda Cléophas en souriant. Un temps pareil, ajouta-t-il en observant Adélaïde penchée sur son fourneau pour arroser son rôti de porc, ça donne envie d'aller se cacher sous les couvertures. T'aurais pas envie d'une sieste avant le souper? dit-il moqueusement en passant derrière elle et en lui appliquant du même coup une légère claque sur les fesses.

– Une sieste avant le souper? Tiens donc! Surtout quand on sait que Maurice revient pas avant dix ou onze heures ce soir, répondit Adélaïde en suivant son mari vers la chambre.

꒰꒰꒰ ꒱꒱꒱

– Entrez! dit Arthur en entendant frapper à la porte de son bureau.

M. Fortier, en charge du rayon des manteaux et des habits, se tenait dans l'encadrement de la porte, visiblement mal à l'aise.

– Je vous en prie, entrez, monsieur Fortier, asseyez-vous.

Arthur avait appris depuis longtemps à modeler son langage sur celui de M. Richard. Il aimait s'entendre dire de belles phrases bien tournées, dans une prononciation claire, conscient de l'ascendant qu'il exerçait ainsi sur les employés. Il lui arrivait parfois d'imaginer que ses frères, en découvrant cette autre facette de lui, pourraient se moquer. Apparaissait alors, dans son souvenir, le sourire tant aimé de sa mère, la fierté inscrite dans les yeux noirs, et il relevait la tête dignement, heureux de son cheminement.

— Que puis-je faire pour vous, monsieur Fortier? dit-il devant l'embarras prolongé de ce dernier.

— Je ne sais pas trop comment expliquer ça, monsieur Grand-Maison, mais j'ai l'impression qu'un de mes manteaux a disparu. Un paletot d'Écosse, par-dessus le marché!

— À votre connaissance, c'est la première fois qu'une chose pareille se produit?

— Vous pensez bien que oui! Mes manteaux les plus dispendieux! Remarquez, j'aurais également signalé la disparition d'un mouchoir de poche, mais j'aurais trouvé ça moins grave.

— Aucune autre disparition dans les autres rayons?

— Pas que je sache. Remarquez, j'ai gardé ça pour moi et je suis venu vous en parler immédiatement avant d'en toucher un mot aux autres.

— Vous avez bien fait, monsieur Fortier. Si nous voulons découvrir ce qui se passe, nous ne devons pas ébruiter l'affaire. Dès demain, nous vérifierons l'inventaire, Mme Labonté et moi. Si seulement tous les employés possédaient votre calibre! s'exclama Arthur en lui tendant la main.

M. Fortier se releva hâtivement de sa chaise en tendant la main, la tête haute, fier du travail bien accompli et des compliments de son patron immédiat.

— Merci de votre vigilance, monsieur Fortier. Encore une fois, je compte sur votre discrétion la plus absolue.

— C'est pas possible! cria Louisa, au comble de l'exaspération. À tous les soirs que le bon Dieu amène, vous vous chamaillez pour la même histoire!

– Dans mon jeune temps, dit Eugène, la mère, chez nous, avait le même problème. N'empêche qu'elle avait fini par trouver une bonne solution.

– Donnez-moi vite sa recette, le beau-père, parce que, avec le mauvais temps qui joue déjà sur mes nerfs, j'ai pas besoin de les voir se tirailler comme ça en plus !

Les enfants s'étaient rapprochés du grand-père et avaient aussi hâte que leur mère de connaître la suite. Conscient de l'intérêt suscité, Eugène tira quelques bouffées de sa pipe avant de parler, juste pour les faire languir.

– Chaque soir après le souper, nous avions le droit, mes frères, mes sœurs et moi, de bercer le plus jeune durant dix minutes chacun. Comme ma mère a eu dix-huit enfants, vous imaginez bien qu'on avait toujours un bébé à bercer. Ça se déroulait tout le temps de la même façon, chacun notre tour, du plus jeune au plus âgé, dix minutes par tour, pas plus. Mais il y avait une condition au bout de ça !

Eugène tira encore sur le tuyau de sa pipe et les enfants se regardaient entre eux, un peu anxieux cette fois quant à la condition imposée, tandis que les yeux de Louisa brillaient de plaisir, certaine qu'elle était d'y trouver satisfaction pour son compte. Raoul, pour sa part, avait un petit sourire en coin et attendait la suite avec amusement.

– Une fois qu'on avait bercé le bébé durant dix minutes, poursuivit Eugène, on devait le remettre dans les bras du suivant sans faire d'histoire, puis aller faire notre toilette et nous coucher sans demander à veiller plus tard. Si l'un d'entre nous ne respectait pas cette condition, son tour était supprimé pour le lendemain et c'était entendu qu'il montait se coucher le premier. Aussi simple que ça ! Faut dire que c'était un bon arrangement parce que, de cette façon-là, ça permettait aux plus vieux de se coucher un peu plus tard qu'avant et ça donnait la chance à tout le monde de bercer le bébé.

– Joualvert de bonne idée, son père ! Tout le monde s'engage à respecter la condition ? demanda Raoul à la ronde.

Les enfants acceptèrent la condition à l'unanimité, Raoul et Louisa bien contents de régler le problème de l'heure du coucher aussi facilement. Eugène se leva alors, déposa sa pipe sur le dessus du poêle et se dirigea vers la patère à côté de la porte. Il enfila ses bottes, son manteau et sa tuque.

— Voulez-vous attraper votre coup de mort, monsieur Grand-Maison? Vous allez pas sortir par un temps pareil?

— Juste un tour de rien, ma belle-fille, question de prendre l'air un brin.

— Prenez au moins le parapluie!

Eugène sortit comme s'il n'avait pas entendu les derniers mots de Louisa. L'humidité le pénétra d'un coup, une rafale l'atteignit de plein fouet, mais il secoua son grand corps et se dirigea rapidement vers la grange, la tête rentrée dans le cou, les mains enfoncées dans les poches. La pluie tombait dru sur le toit des bâtiments tout autour, les arbres se tordaient, complètement dénudés, et les bottes d'Eugène s'embourbaient dans un mélange de feuilles gluantes et de terre boueuse sans qu'il prenne vraiment conscience des éléments extérieurs. Tout à sa hâte de retrouver Zoé, Eugène fixa le ciel en direction de l'étoile tant aimée et s'adossa au mur de la grange.

— On dirait que les étoiles ont déserté le ciel mais je sais que tu es là, derrière la pluie, dans ton étoile brillante. Je vais te dire une bonne chose, ma femme: j'ai beau essayer, j'arrive plus à vivre comme tout le monde. Pire que ça, j'ai même plus envie d'essayer. Ça m'a frappé en plein front, tout à l'heure, pendant que je leur parlais, comme si j'offrais ma dernière contribution. Tu comprends? Alors, je suis venu te demander d'intercéder en ma faveur pour qu'on me laisse te rejoindre. Les choses se tassent ici, tout est rentré dans l'ordre. Louisa est une femme qui sort de l'ordinaire. En fait, je dirais qu'elle te ressemble un peu sous certains aspects, l'humour en moins, mais dans ses manières d'agir. Finalement, tu vois, personne a jamais soulevé la question du bébé de Malvina, surtout pas Louisa! Tu me diras qu'elle aurait pu venir vérifier dans l'étable quand j'ai enfoncé la porte et qu'elle aurait bien vu que son mari et sa belle-sœur étaient allés jusqu'au bout. Ben, vois-tu, si elle est pas venue, je pense que c'était pour se garder de la place pour un doute. Autrement, peut-être qu'elle aurait jamais pu revenir. À bien y penser, c'est une chance qu'elle soit partie pour la famille en même temps que Malvina. On peut dire que ça brouillait les cartes. Celle-là! Elle a plus jamais osé me regarder dans les yeux depuis que j'ai aperçu son corps à moitié nu, comme si elle craignait que je la déshabille du regard. Toi, tu me connais, ma femme, tu sais bien que ce serait pas dans ma nature d'avoir des idées pareilles face à une de mes brus. En tout cas, le mal est fait et cet enfant-là a de grandes chances d'avoir Raoul pour père. Tout ça pour te dire que chacun s'organise à sa manière pour survivre malgré les blessures, et que j'ai l'impression de devenir un membre inutile au sein de la famille, comme un membre en trop qui aurait perdu sa raison d'être. Ma raison d'être, pour dire le vrai, c'était toi. Comme t'es plus là, j'ai plus de raison d'être. Tu comprends? Des fois, quand je pense à nous deux, je me dis qu'on a peut-être vécu pauvrement mais qu'on a eu beaucoup de chance, comparés à bien d'autres, parce qu'on s'aimait. J'ai juste un regret, ma femme, c'est d'avoir été trop timide pour le dire. Le dire avec des vrais mots. Tu comprends? Te dire, par exemple, je t'aime, ma belle grande Zoé d'amour, j'aime tes yeux noirs pétillants, j'aime ton rire, j'aime ton corps qui est resté le même durant toute notre vie, avec juste ce qu'il faut d'agréments en plus, au cours des années. Je t'aime, ma Zoé toute à moi. J'ai rien dit de ça et tu peux pas savoir comme j'en ai du chagrin. Vinguienne! que j'aurais dû oser, quand j'avais ces mots-là sur le bord des lèvres tout le temps!

Eugène frissonna et comprit qu'il était trempé jusqu'aux os. Il ne bougea pourtant pas, le regard porté vers le ciel en direction de l'étoile familière, perceptible à son cœur malgré l'épais rideau de pluie.

– C'est le temps de rentrer, son père.

Eugène ne sursauta pas, ne s'entêta pas non plus et suivit Raoul en silence.

Florence sortit sa poche de jute et y déposa son album de photographies, ses bijoux, sa boîte en verre, son chapelet de cristal, reçu le jour de sa première communion, et accrocha la poche à la poignée de la porte. Arthur l'observait, les sourcils froncés, se demandant si sa femme avait la berlue ou quelque mal occasionné par son état.

Florence savait qu'il mourait d'envie de savoir à quoi tout cela rimait, mais elle vint s'étendre à ses côtés sans un mot, juste pour le plaisir de l'intriguer.

– C'est un nouveau jeu de devinettes? demanda-t-il finalement.

– C'est ma poche à souvenirs. J'ai pas voulu t'ennuyer avec ça mais, tous les soirs en me couchant, j'ai peur du feu. Ça m'embête, Arthur, parce que j'arrive pas à contrôler cette peur-là et, tu le sais, c'est pas mon genre de perdre le contrôle, habituellement. Avec ma poche à souvenirs à portée de la main, il me semble que je vais me sentir rassurée.

– C'est une excellente idée, ma Florence. Tout ce qui peut te rassurer me rassure également. Tu permets que j'y dépose mon horloge?

Florence la trouva bien bonne et se tenait le ventre à deux mains, secouée de rires. Arthur la prit alors dans ses bras et commença à caresser la chevelure brune avec tendresse.

– Quelque chose d'autre t'inquiète, ma Florence.

– C'est pour bientôt, Arthur, très bientôt. J'ai hâte que ma mère arrive.

– J'irai la chercher demain.

– Non! J'aurais l'air de quoi si je me trompais?

– Tu aurais l'air d'une femme qui a un grand besoin de sa mère dans un moment d'inquiétude tout à fait légitime, surtout pour un premier enfant, j'imagine.

Comme Florence continuait de hocher la tête négativement sans rien dire, Arthur la serra dans ses bras.

– Évidemment, une orgueilleuse de ton espèce ne peut pas se résoudre à un moment de faiblesse et je serais bien malvenu d'insister. Je me trompe?

— Quand on achètera une maison, Arthur, rappelle-moi de la choisir avec une porte d'entrée très large. Comme ça, toi et moi, on pourra entrer ensemble avec chacun notre gros orgueil.

— Je donnerais dix ans de ma vie, si je le pouvais, pour t'éviter la souffrance. Tu le sais, ma reine ?

— Il faut pas t'inquiéter pour moi, Arthur, je suis bâtie forte.

Malgré elle, Florence blottit sa tête dans l'épaule d'Arthur et, sans qu'un mot soit prononcé, il ressentit la peur de sa femme. Il aurait tant voulu la rassurer, se rassurer lui-même. Il ne le pouvait pas, se souvenant avec trop d'acuité des cris de sa sœur aînée venue accoucher auprès de sa mère en l'absence de son mari dont le retour du chantier n'était pas prévu avant deux mois. Échappant à la surveillance de son père, qui l'avait forcé à effectuer le grand ménage de l'étable pour le tenir à l'écart de la maison, il s'était glissé le long de la maison, silencieux comme un chat, et, tapi sous la fenêtre de la chambre, il avait entendu les cris de sa sœur. Il n'avait jamais pu oublier. Il berça Florence dans ses bras pour l'endormir, pour engourdir leurs peurs.

Florence se laissait bercer, les yeux fermés, appelant le sommeil à sa rescousse. Rien n'y faisait, les paroles d'Hortense lui martelant les tempes comme si elle venait tout juste de les prononcer. «Tu veux toujours tout savoir d'avance, afin de tout contrôler ! On ne peut pas contrôler ces choses-là, Florence ! Et puis, d'une femme à une autre, c'est bien différent !» Mais Florence avait insisté et Hortense avait cédé. «Quand on accouche, on livre une bataille et on veut tellement gagner, tellement survivre, qu'on se bat comme jamais auparavant. Il y a des moments où on se dit que c'est fini, qu'on abandonne, que c'est au-dessus de nos forces. Mais ça n'est jamais fini, Florence; au contraire, c'est de plus en plus difficile et pourtant on finit par y arriver. Tu passeras par toute la gamme des émotions et, vers la fin, la rage te gagnera peut-être. Je le souhaite pour toi ! Quand ça m'est arrivé, je m'en suis servie et ça m'a portée jusqu'à la fin. Je m'en suis fait une armure pour livrer la fin du combat. Mais après, Florence, après ! Je voudrais trouver les mots pour t'expliquer ce qui nous arrive quand on reçoit le bébé entre nos bras. On ressent un bonheur tellement grand... Non! c'est mieux que ça, on devient soi-même le bonheur... C'est ça! Et le plus fou, dans tout ça, c'est qu'on se dit que toutes les souffrances valaient la peine d'être endurées. La preuve? On recommence!»

Arthur berça Florence très longtemps, caressa ses cheveux jusqu'à ce qu'elle s'endorme enfin. Le bras enkylosé, il n'osait plus bouger, de peur de la réveiller.

Adélaïde arriva durant l'avant-midi et, une fois Cléophas reparti, Florence regarda sa mère avec de grands yeux inquiets.

– C'est déjà commencé? Depuis quand?

– Depuis ce matin, juste après le départ d'Arthur, mais la douleur augmente. C'est bien vous, ça, d'arriver au bon moment, comme si vous aviez deviné. J'ai jamais été aussi heureuse de vous voir!

– J'ai apporté du bouillon. Vaudrait mieux en boire un peu pour te donner des forces, tandis que tu peux encore avaler quelque chose.

Au milieu de l'après-midi, Florence, qui repoussait le moment de se mettre au lit parce que marcher lui faisait du bien, se jeta soudainement dans les bras de sa mère en pleurant.

– Pleure un bon coup, ma fille. Après ça, il faudra ramasser ton courage et te battre, sans perdre tes énergies en larmes, dit Adélaïde d'un ton rude qui saisit Florence, peu habituée à entendre sa mère lui parler ainsi.

Pendant que sa fille se mouchait et redressait l'échine, les lèvres pincées, Adélaïde pria le ciel de lui donner le courage de supporter les souffrances de son enfant, sans apitoiement ni faiblesse.

La journée parut interminable à Florence qui demandait l'heure toutes les dix minutes. Sur les ordres de sa belle-mère, Arthur partit chercher le médecin en début de soirée. Dès le premier examen, il prédit l'arrivée du bébé dans une heure ou deux.

Arthur faisait les cent pas dans la cuisine et, quand un cri s'échappait de la gorge de Florence, l'affolement le gagnait. Il fut tenté de se servir un verre de whisky mais y renonça en songeant que sa femme souffrait à froid.

Adélaïde, en venant préparer du thé pour le médecin, lui suggéra d'aller prendre l'air pour se changer les idées.

– Quel genre d'homme je serais si je n'arrivais même pas à supporter les souffrances de ma femme sans me sauver? Dites-lui que je l'aime, que je suis avec elle.

– Les paroles douces seront pour après, Arthur. Pour le moment, elle ne pourrait pas se permettre de s'attendrir, parce que le pire reste à venir.

Adélaïde le laissa sur ces paroles et Arthur eut l'impression que son corps se vidait de son sang, ce qui le força à s'asseoir. Le cri suivant en fut un de rage et les paroles qui l'accompagnaient l'atteignirent en plein cœur.

– Pourquoi vous me l'avez pas dit, maman? Pourquoi? Ça fait trop mal! Trop mal! Docteur! Faites quelque chose!

– On y est presque, madame Grand-Maison, entendit Arthur, l'oreille collée sur la porte de la chambre. À partir de maintenant, vous allez faire exactement ce que je vous dis, vous m'entendez? Tout ira bien.

Il avait juré à Florence de ne pas entrer dans la chambre mais, au dernier cri, il pensa que sa femme rendait l'âme et il se mit à trembler, tout en se retenant d'ouvrir la porte. En entendant les cris du bébé quelques minutes plus tard, il pleura à son tour et ses pleurs redoublèrent avec les paroles du médecin.

– Un beau gros garçon, madame Grand-Maison.

Comme Arthur le lui avait demandé la veille, Charlotte arriva au magasin à huit heures. En moins d'une heure, ils eurent le temps de découvrir que non seulement la crainte de M. Fournier était fondée mais qu'il manquait également un habit.

– Quelqu'un s'habille aux frais du magasin, dit Arthur, et si nous avions le temps, nous pourrions découvrir des pertes dans d'autres rayons, j'en suis convaincu.

– Mais comment est-ce possible ? Passe encore pour un vol de mouchoir ou de cravate, mais un paletot et un habit ?

– C'est à moi de le découvrir, Charlotte. Pour que j'y arrive, le voleur doit continuer à se sentir en sécurité et ignorer nos recherches. Mieux vaut remonter à ton bureau avant que les autres arrivent.

Charlotte approuva, ramassa ses paperasses et s'assura qu'il ne restait aucune trace de leurs investigations.

– Ma femme a donné naissance à un gros garçon, hier soir. Tu es la première à l'apprendre, Charlotte.

– Toutes mes félicitations, Arthur. Je suis heureuse pour toi et je t'en souhaite une bonne douzaine d'autres, dit Charlotte en s'engageant immédiatement vers l'escalier pour ne pas avoir à soutenir un sourire qui ressemblait à un rictus.

Elle sentit ses jambes devenir molles comme de la guenille mais s'interdit de s'accrocher à la rampe et monta la tête haute. «Ne pas pleurer !», se répétait-elle, le visage inondé de larmes.

Arthur la suivit des yeux un moment, en songeant que le bonheur des uns faisait souvent le malheur des autres, et s'en voulut de cette souffrance qu'il lui infligeait de nouveau. Revenu dans son bureau, il chassa rapidement cette pensée embarrassante et s'absorba tout entier dans le problème de l'heure. Aucun client, aucun vendeur ne pouvait sortir avec un habit neuf sur le dos sans qu'on s'en aperçoive, avec un paletot d'Écosse encore moins. Tous les employés quittaient le magasin à six heures, M. Richard et lui-même les suivaient de près, à la suite de l'inspection de M. Lachance. Donc, personne ne pouvait rester sur place à moins de se cacher, et, encore là, personne ne possédait de clé, à part M. Richard et lui, pour sortir sans laisser les portes débarrées. Arthur secoua la tête, infiniment perplexe. Les employés commençaient à arriver quand l'idée lui vint d'aller faire un tour au sous-sol.

Eugène rapprocha sa chaise du poêle en se disant que Louisa avait eu raison, la veille au soir, de le mettre en garde contre le mauvais temps. Du mieux qu'il le pouvait, il tentait de réprimer ses tremblements, mais il savait que rien n'échappait au regard de sa bru et il prit son parti de ne pas lui résister.

– Tu veux bien me dire ce que tu fabriques là, ma belle-fille?

– Vous savez parfaitement ce que je prépare et, veux, veux pas, vous allez l'avoir, votre mouche de moutarde! Vous pensiez tout de même pas que j'allais vous regarder grelotter sans réagir?

Eugène pensa qu'il l'avait cherché et qu'il devait maintenant subir les conséquences de ses actes. L'idée de la mouche de moutarde, cependant, n'allait certes pas le réjouir. Louisa continuait de mêler farine et moutarde sèche avec soin, ajoutant un peu d'eau jusqu'à l'obtention d'une pâte homogène, qu'elle étendit ensuite sur un linge blanc. Elle forma ainsi un grand carré et le couvrit du reste du linge blanc qui pendait le long de la table. Elle ferma le tout en cousant de petits points serrés, afin que la pâte ne puisse pas s'échapper.

– Désolée, le beau-père, mais l'heure de la torture a sonné! Il faut vous mettre au lit maintenant.

Eugène se leva en hochant la tête mais ne se fit pas prier. Louisa vint le rejoindre dans sa chambre au bout de quelques minutes et lui appliqua le cataplasme sur la poitrine.

– Quinze minutes sur le devant, quinze minutes sur le dos, dit Louisa en le couvrant d'un édredon supplémentaire. Si ça brûle trop, appelez-moi, je serai juste à côté.

Elle se retira rapidement, incapable de soutenir plus longtemps le regard triste de son beau-père, et s'activa à préparer un bouillon pour le réconforter. «Vous n'allez pas nous l'enlever, bonne Sainte Vierge? se mit à prier Louisa. Cet homme-là, c'est un père pour moi. Seulement, il n'a plus tellement envie de vivre, bonne Sainte Vierge, et il faudrait lui redonner le goût.»

– Louisa! Ça brûle!

– C'est bien ce qu'il faut! cria Louisa de la cuisine. Encore quelques minutes et on change le mal de place!

Afin de trouver une excuse à ses yeux rougis, elle s'empressa de couper quelques oignons et les rajouta à la préparation du bouillon, puis revint dans la chambre d'Eugène pour lui appliquer la mouche de moutarde sur le dos.

– Promettez-moi de guérir vite, le beau-père, dit-elle en profitant du fait qu'il était couché sur le ventre et ne pouvait pas la voir.

– Moi aussi, j'ai beaucoup d'affection pour toi, ma belle Louisa, répondit Eugène en profitant à son tour du fait qu'il était couché sur le ventre et qu'elle ne pouvait pas le voir.

⁕⁕⁕

«Si je le pouvais, je n'aurais plus jamais d'enfant», se dit Florence en serrant son gros garçon contre son cœur. Ce seul mouvement lui arracha un petit cri involontaire, car la première montée de lait se faisait sentir. Adélaïde entra dans la chambre, l'air un peu las mais souriante, les bras chargés d'un plateau fumant.

– Maman ! Du blanc-manger et des rôties coupées en soldats ! Florence se mit à pleurer. Adélaïde déposa le plateau, prit le bébé et le coucha dans son ber, entoura sa fille de ses bras et la berça.

– Pleure, ma Florence, pleure. Après un accouchement, tu verras, pendant un certain temps, on a souvent la larme à l'œil pour un rien. C'est signe que les nerfs se relâchent. Pleure, ma petite fille, tandis que ta grosse maman est là pour s'occuper de toi.

– C'est pas dans mes habitudes, vous le savez bien. Mais là, je pleure pour toutes sortes de raisons en même temps. Parce que vous me gâtez, parce que je suis heureuse d'avoir un beau bébé en santé, un garçon de surcroît, et parce que je suis malheureuse aussi à l'idée que j'aurai d'autres enfants et que tout sera à recommencer.

– La première fois est la plus difficile. N'y pense plus, ma fille. Les femmes sont créées pour donner la vie, c'est comme ça. Il faut manger, maintenant.

– Les femmes sont bâties pour la misère, disait grand-mère. Elle le disait souvent, vous vous en souvenez, maman ?

– Oui, elle le disait souvent. Trop souvent! Mon père, lui, répétait qu'il valait mieux faire contre mauvaise fortune bon cœur. C'était déjà mieux. Mais mieux que ça encore, ma Florence, c'est de profiter du moment présent, tu ne trouves pas?

– Vous avez bien raison. Surtout que le blanc-manger est tellement meilleur chaud!

Ce soir-là, dans l'intimité de leur chambre, Florence et Arthur profitèrent ensemble de la venue de leur premier-né, s'extasiant sur la perfection des mains et des pieds, sur la moindre moue de l'enfant.

– On le prénommera Charles, dit soudainement Arthur.

– Arthur! Tu m'as déjà entendu parler de ce prénom?

– Oui, je t'ai entendu en parler avec Hortense, et ça m'a plu aussitôt.

– Moi qui voulais te faire plaisir en lui donnant ton prénom!

– Je suis tellement fier de toi, ma reine, que tous les plaisirs du monde, je les veux pour toi, à commencer par ce beau prénom pour notre fils.

– Il faut que tu m'aimes beaucoup pour en faire ton deuil aussi facilement. Ça me touche profondément.

Florence s'endormit en se disant que le moment présent la comblait et qu'un jour, puisqu'il n'y avait aucun moyen d'y échapper, elle aurait d'autres enfants, mais que tout cela était bien loin et que seul ce moment présent comptait.

Arthur, de son côté, prenait mille précautions pour ne pas la réveiller, car le sommeil ne venait pas. Il passa sa journée en revue et fut surpris de la facilité avec laquelle il avait résolu le problème du vol.

En descendant au sous-sol, il comptait simplement vérifier la serrure de la porte donnant sur la ruelle et, comme il s'y attendait, tout était en parfait état. Sans trop savoir pourquoi, il jeta un coup d'œil sur les boîtes à livrer durant l'avant-midi, livraisons toujours effectuées par M. Lachance. Il y en avait trois, chacune portant le feuillet jaune d'approbation pour la livraison, avec le nom et l'adresse du destinataire. Arthur prit les boîtes et les monta à son bureau. Il ne se donna pas la peine d'ouvrir la première, reconnaissant le nom et l'adresse de l'acheteur, un gros client du magasin à qui il avait lui-même offert de livrer la marchandise. La deuxième boîte contenait un imperméable, un parapluie, deux chemises et une cravate. La troisième contenait un habit, une chemise, une cravate, des mouchoirs. Rien de plus facile à vérifier, ce qu'il fit auprès des vendeurs. La troisième boîte révéla la supercherie. Arthur rapporta les trois boîtes au sous-sol et, le manteau sur le dos, attendit M. Lachance qui arriva cinq minutes plus tard pour faire ses livraisons.

– Si on allait faire les livraisons ensemble, monsieur Lachance ?

Arthur n'eut pas besoin de l'accompagner, car ce dernier baissa la tête sans un mot. Ils montèrent au bureau de la mezzanine, où M. Richard le congédia sur-le-champ.

Arthur comprenait la décision irrévocable de son patron, car il eût agi de la même manière, mais il ne pouvait s'empêcher de s'apitoyer sur le triste sort de M. Lachance. La nouvelle de son congédiement se répandit rapidement, mais Arthur réussit à alléger l'atmosphère en distribuant des cigares à la ronde à l'occasion de la naissance de son fils.

Il ne fut pas mécontent des félicitations de M. Richard mais dut s'avouer qu'il lui aurait été bien difficile de découvrir le pot aux roses si M. Lachance avait volé l'habit et ses accessoires le même jour que le paletot, car, même avec un doute, il n'aurait possédé aucune preuve. Il fallait admettre que la chance était de son côté et non pas du côté de ce pauvre M. Lachance, bien mal nommé en l'occurrence.

Ne restait plus qu'à trouver un remplaçant qui, tout à fait par hasard, se présenta de lui-même une heure plus tard. Les allures du nouveau venu rappelèrent à M. Richard celles d'Arthur quelques années auparavant, et Alfred Poulin fut immédiatement engagé.

Arthur finit par s'endormir à son tour, heureux de la tournure des événements, heureux de l'enfant qui dormait dans son ber à quelques pas du lit, heureux d'entendre la respiration régulière de sa femme à ses côtés, de ses cheveux épars dont il avait enroulé une mèche à son index.

Le baptême eut lieu le premier dimanche après la naissance et fut suivi d'une réception intime à laquelle Florence reçut d'Adélaïde la permission d'assister à la condition de rester bien sagement assise. Hortense et Louis étaient venus de Sainte-Dorothée, apportant le bel ensemble de baptême. Cléophas y était également, ainsi que M. et Mme Richard évidemment. Bien avant la fin de l'après-midi, Cléophas avait entraîné Arthur à l'écart pour l'avertir que son père était au plus mal et que Louisa lui conseillait de venir dès après la fête.

Eugène s'éteignit durant la nuit, entouré de Raoul, Mathieu, Arthur et Louisa. Quelques heures avant de mourir, il avait demandé à rester seul avec sa bru pendant un moment.

– Dans le premier tiroir de ma commode, sous la pile de mouchoirs, il y a une enveloppe pour toi. Prends-la.

L'enveloppe contenait de l'argent, pas une fortune mais plus d'argent que Louisa n'en avait jamais eu entre les mains, elle en était certaine sans même l'avoir compté.

– C'est pour toi, ma belle-fille. Tu en fais ce que bon te semble, dit Eugène avec difficulté. C'est ma façon de te dire toute mon appréciation et ma tendresse.

Louisa aurait voulu lui dire tant de choses, toutes à la fois, mais une boule énorme lui nouait l'estomac et le cœur, l'empêchant de parler. Alors, timidement, elle se pencha sur Eugène et déposa un long baiser sur son front. Il sentit les larmes de sa bru sur son visage et trouva la force de rajouter quelques mots.

– Cache l'enveloppe sur toi et n'en parle à personne, sauf à Arthur, si tu le juges nécessaire. Il comprendra et pourra te conseiller. J'ai écrit un petit mot pour indiquer que c'est un don de mon vivant, au cas où ça poserait des problèmes.

Quand les trois frères revinrent dans la chambre, Eugène avait entrepris le chemin du détachement et seul un râle lugubre, s'échappant de sa gorge à intervalles irréguliers, marquait la vie qui s'échappait par saccades. À la toute dernière minute, un sourire éclaira son visage, et les trois hommes s'agenouillèrent en pleurant lorsque la tête du père roula de côté sur l'oreiller. Louisa abandonna alors sa main, s'agenouilla à son tour et pria le ciel qu'Eugène soit déjà en compagnie de la grande Zoé.

⚜

Quand Émérentienne offrit à sa belle-mère de l'aider pour la préparation de la mangeaille du temps des fêtes, Adélaïde accepta avec joie.

— Une bru comme toi, ma fille, c'est un cadeau du ciel. J'espère que mon Ferdinand sait t'apprécier à ta juste valeur et qu'il est capable de te le dire de temps en temps.

— Vous savez bien qu'il est pas trop porté sur la jasette, madame Beauchamp, mais, avec le temps, j'ai appris à connaître le langage de ses yeux et ça remplace tous les mots creux des beaux parleurs, croyez-moi !

— Tant mieux pour toi, ma fille.

Adélaïde sourit en se remémorant les beaux yeux doux de son aîné posés sur elle à tout instant, attendant sagement une caresse, un compliment, sans jamais demander. Elle se souvenait aussi des bouquets de pissenlits cachés derrière le dos de l'enfant, coupés trop courts pour les mettre dans un pot et qu'elle laissait flotter à la surface d'une tasse emplie d'eau, les comparant à de minuscules soleils venus éclairer sa journée. Elle revivait la joie de Ferdinand retournant vite au champ pour cueillir d'autres soleils. Elle sourit encore en pensant au petit Charles qui ferait de même à son tour, emplissant le cœur de Florence d'un bonheur total. Elle essuya une larme furtivement.

— Si on revenait à nos moutons ? finit-elle par dire au bout de ses rêveries. J'ai pensé inviter Raoul, Louisa et les enfants pour le réveillon. Ce qui m'embête, c'est la famille de Mathieu.

— Ils vont dans la famille de Malvina, cette année. Ça règle votre problème ?

– Je t'avoue que oui. Je pense que les deux belles-sœurs ne s'adressent même plus la parole depuis le mariage de Florence et d'Arthur, dit Adélaïde pour tâter le terrain et voir si Émérentienne en savait plus long, du fait que Louisa et elle étaient devenues de grandes amies depuis un an.

– Ce que je peux vous dire, madame Beauchamp, c'est que la vie prend parfois sa part de revanche sans crier gare. Prenez Louisa, par exemple, on dirait qu'elle embellit, qu'elle s'épanouit, tandis que Malvina a beaucoup maigri, s'est rabougrie comme si elle avait perdu sa superbe d'un coup !

– Oui, je l'ai remarqué aussi, dit Adélaïde, songeuse. C'est curieux tout de même, non ?

Émérentienne se dit que c'était plutôt justice rendue mais s'abstint d'aller plus loin, trop honorée de la confiance de Louisa pour risquer de la trahir.

***

Zélia s'était remise au crochet, travail où elle excellait durant sa jeunesse. Ses doigts retrouvaient leur habileté d'antan et elle s'enorgueillit soudainement de la jolie robe qui prenait rapidement forme. Elle était désormais certaine de terminer l'ensemble à temps pour Noël, puisque le bonnet et les chaussons s'exécutaient en un rien de temps. Son filleul resplendirait dans tout ce blanc !

L'envie de subtiliser le carnet de cuir rouge s'estompait graduellement et si de sombres pensées l'assaillaient encore de temps à autre, elle mettait toutes ses énergies à les chasser, se concentrant sur la venue du petit Charles qui avait bouleversé et transformé sa vie.

Comme elle le faisait souvent dans ses moments d'attendrissement, elle sortit du rebord de sa manche un des mouchoirs brodés par Florence et l'admira une fois de plus. Personne, jamais, ne lui avait offert un cadeau si personnalisé, et quand son amie les lui avait donnés, le jour du baptême, elle s'était sentie importante aux yeux de tous. La vie, depuis lors, lui semblait moins amère.

Zélia replaça le mouchoir dans sa manche et reprit son travail. Le fil, engagé dans la courbure du crochet qu'elle piquait point par point avec soin, la liait à l'enfant, créant un lien indissoluble entre eux, se plaisait-elle à croire. En crochetant pour lui, elle entretenait sa présence au bout de ses doigts et la petite robe allait l'envelopper de sa propre chaleur, une fois terminée. Elle imaginait d'autres ensembles à confectionner, plus compliqués et tous plus mignons les uns que les autres. Plus tard, il y aurait des tricots de laine pure, afin de le protéger du froid, et, plus tard encore, de beaux habits faits sur mesure et qui l'habilleraient comme un prince.

Il n'était pas dans la nature de Zélia d'envahir l'espace vital de son entourage. Pourtant, à sa manière douce et subtile, elle s'insinuait dans la vie de l'enfant, se l'attachait déjà par un fil ténu, presque invisible mais d'une solidité à toute épreuve. Une larme roula jusqu'à la jolie robe blanche. «Une larme de joie, mon petit, se dit-elle en souriant, une larme d'amour pour toi.»

⋘✺⋙

– Madame Beauchamp! Comment vous remercier pour ce beau réveillon de Noël? demanda Arthur en se penchant vers sa belle-mère.

– Tu m'as remercié à l'avance il y a deux ans. L'aurais-tu oublié, Arthur? Pas moi! Cette nuit-là, avec ta belle surprise pour m'aider à surmonter la mort de mon René, tu m'as sauvé d'un grand désespoir et je t'en serai toujours redevable.

Malgré la mort récente d'Eugène, le réveillon se déroulait dans la joie. Comme l'avait si judicieusement fait remarquer le curé lors de l'enterrement, une mort contre une naissance rétablissait l'équilibre de la famille et signifiait à chacun l'importance de porter son regard vers l'avenir. Ces mots-là revinrent à la mémoire de Louisa quand elle entendit les pleurs du petit Charles, et sa pensée monta joyeusement vers son beau-père, certaine que de là-haut il avait trouvé le moyen d'écarter Malvina pour le temps des fêtes.

La neige tombait en flocons serrés et les enfants revenaient sans cesse aux fenêtres en riant, imaginant les jeux du lendemain à se lancer des balles de neige d'une consistance parfaite, à fabriquer des bonshommes ou des forts, à glisser dans la grande côte malgré l'interdiction des parents. L'un d'eux, soudain, apercevant une forme humaine se forcer un passage à travers la tempête, annonça l'arrivée du bonhomme Sept-Heures pour faire peur aux plus jeunes. La porte s'ouvrit alors, laissant pénétrer une puissante rafale de neige et un homme, impossible à reconnaître avant qu'il ne s'ébroue. Les cris de joie d'Adélaïde couvrirent ceux des enfants qui s'étaient réfugiés sous la table avec une peur bleue.

– Émile! Émile! Moi qui t'attendais seulement au printemps!

Sa dernière visite remontait à cinq ans et il avait beaucoup changé, remarqua immédiatement Cléophas qui dut se faire violence pour l'accueillir convenablement. L'heure et la circonstance n'étant pas aux remontrances, il reporta son ressentiment à plus tard.

En un rien de temps, Émile occupa tout l'espace et toutes les conversations. Le récit de ses aventures fabuleuses enflamma l'imagination des jeunes garçons et suscita chez les femmes un vif intérêt, accompagné pour certaines de légers frissons. Elles ne se lassaient pas de l'entendre, à l'encontre des hommes qui, pour la plupart, éprouvaient de l'agacement à l'écouter fanfaronner.

Plusieurs événements se produisirent durant cette nuit de Noël, dont certains garderaient un goût amer, tandis que d'autres en chériraient le souvenir.

Une semaine auparavant, Adélaïde s'était décidée à suivre le conseil d'Émérentienne qui trouvait les tâches de sa belle-mère trop lourdes et lui avait suggéré de prendre la jeune sœur d'Hortense à son service.

– Avec une mère malade, une sœur acariâtre et un père qui la considère comme une bouche inutile à nourrir, la pauvre enfant ne demanderait pas mieux que d'aider et de se sentir enfin utile, si vous la preniez avec vous, avait dit Émérentienne. Vous feriez ainsi œuvre de charité, tout en recevant une aide appréciable.

Adélaïde était au courant de l'histoire de Mathilde, Florence lui ayant raconté que son sort inquiétait Hortense, mais elle n'aurait pas pensé à la prendre à son service, sans l'intervention d'Éméren-tienne. L'affaire fut conclue entre Cléophas et le père de la jeune fille qui venait tout juste d'avoir quinze ans. Cléophas s'engageait à la loger, à la nourrir et à la vêtir, en échange de ses services domestiques. En l'espace d'une semaine, elle s'était transformée sous les yeux de la famille Beauchamp, passant d'une enfant éteinte à une jeune fille charmante, pleine d'allant et de rires joyeux.

En cette nuit de Noël, Adélaïde, qui l'observait depuis un moment en se félicitant encore de sa décision, accrocha soudaine-ment le regard de son fils Maurice posé sur la petite qui rougissait. Elle fit celle qui n'a rien vu mais se promit de garder les yeux bien ouverts, entrevoyant d'un coup les problèmes posés par le fait qu'ils ne pourraient décemment cohabiter sous le même toit s'ils s'aimaient.

C'est ainsi que cette nuit resterait à jamais gravée dans le souvenir de Maurice et de Mathilde, qui tombèrent amoureux fous l'un de l'autre à l'instant où ils prononcèrent en même temps la même phrase. Ferdinand venait de rapporter moqueusement un cancan du village quand ils conclurent tous les deux: «Qui se ressemble s'assemble.» Comme si ces mots les avaient cimentés, ils échangèrent un regard, celui qu'observa Adélaïde, porteur des plus belles promesses. Ils en furent tellement bouleversés qu'ils ne s'adressèrent plus la parole du reste de la nuit. Maurice avait aimé qu'elle rougisse tout en soutenant son regard, et Mathilde, qui s'éveillait à la vie depuis une semaine, s'éveilla à l'amour sous ce premier regard d'homme posé sur elle.

Il y eut ensuite la sollicitation d'Émile auprès des femmes, profitant de ce qu'il les avait sous la main, à laver et ranger la vaisselle dans la cuisine, sans la présence des hommes. Il leur fit miroiter une proposition d'affaire pouvant rapporter des milliers de dollars en quelques mois et, à part Émérentienne, il les fit toutes rêver. Émile était beau parleur et savait imager son langage au goût des femmes, usant ici et là de mots anglais pour les impressionner, les faisant rire et les complimentant à souhait pour les subjuguer.

Plus elles seraient capables d'investir dans son nouveau commerce d'import-export, plus vite elles s'enrichiraient, avec un facteur de risque inexistant, soutenait-il. Sans leur demander de garder le secret sur l'affaire, il leur parlait sur le ton de la confidence, les incitant de ce fait au secret, et, en moins de quinze minutes, il fit son effet.

Louisa se prit à rêver de grandes études pour ses fils, de beaux mariages pour ses filles. D'après les chiffres avancés par Émile, elle calcula mentalement ses profits. Elle n'avait encore rien dit à quiconque sur le legs d'Eugène et s'en félicita. Discrètement, au cours de la nuit, elle invita Émile à passer à la maison durant la semaine. De son côté, Florence imagina l'acquisition de leur maison en moins de temps que prévu et se félicita, elle aussi, de ses économies. Depuis le début de leur mariage, Arthur donnait généreusement chaque semaine pour le roulement de leur ordinaire, refusant tout retour d'argent et laissant à sa femme le soin d'en disposer à sa guise. Elle invita donc son frère à passer chez elle quand bon lui semblerait. Pour sa part, Adélaïde se promit de gagner Cléophas à sa cause, car s'il avait de l'argent pour acheter des terrains, se disait-elle, il en avait sûrement un peu à investir dans les affaires de son fils. Des affaires qui allaient rapporter gros !

Les hommes avaient évidemment bu quelques verres, ce qui déliait les langues, celle de Ferdinand en particulier. En temps normal, on le connaissait pour sa nature réservée, mais, dans les soirées et avec l'aide de la boisson, il était reconnu pour ses histoires drôles. Cette nuit-là, quand on le pria d'en raconter une, il dit, à la surprise générale, qu'il allait raconter l'histoire de l'enfant prodigue. Pour avoir fait lui-même la comparaison le mois précédent, Cléophas se sentit mal à l'aise et Adélaïde, sans se l'expliquer, ressentit une désagréable bouffée de chaleur.

– Il était une fois, commença Ferdinand, une famille heureuse, quand naquit, un triste jour, une brebis noire au sein de cette même famille. Les parents ne savaient pas que c'était une brebis noire, car l'enfant était trop jeune encore, mais l'aîné le sut aussitôt et décida de se tenir sur ses gardes. L'enfant grandissait, en âge mais pas en sagesse. Tandis que ses autres fils travaillaient dur aux champs, le père tournait sans cesse son regard inquiet vers celui qui n'accomplissait rien et il souffrait en silence. Étourdie par ses belles paroles et ses innombrables excuses, la mère ne voyait toujours pas que c'était un mouton noir, ou alors elle tentait de camoufler à tous ses défauts. Un jour, le mouton noir était grand et fort à ce moment-là, les parents décidèrent de miser sur celui qui ne faisait rien, en pensant qu'il accomplirait de grandes choses s'ils l'envoyaient étudier au loin. Ainsi fut fait mais le mouton noir, hélas, partit plus loin encore avec l'argent, abandonnant famille et patrie. Le père avait son regard inquiet, la mère pleurait, et les autres fils, qui ne disaient rien, se sentirent soulagés du départ de leur frère. Enfin, espéraient-ils, la famille redeviendra heureuse. Hélas! il n'en fut rien. Les jours, les mois, les années passaient et toujours les parents attendaient le retour de l'enfant parti au loin. Un beau jour, finalement, beau jour pour les parents, l'enfant prodigue revint les bras chargés de cadeaux et la bouche emplie de belles paroles. On tua la veau gras, comme de bien entendu, et la fête dura longtemps. Il repartit pourtant, empochant quelques sous pour le voyage et promettant de revenir bientôt.

Adélaïde se leva en faisant malgré elle un grand bruit de chaise et vint se planter devant Ferdinand.

– Je pense, mon fils, que ton histoire devrait se terminer ici.

Elle tourna les talons et quitta la pièce sans un mot de plus. Florence la suivit jusqu'à sa chambre et referma la porte derrière elles. En tassant les manteaux qui encombraient le lit, elle libéra l'espace de deux places, prit sa mère par les épaules et la fit asseoir à ses côtés. Comme Adélaïde ne réagissait pas, Florence prit sa tête et l'appuya sur son épaule, puis l'entoura de ses bras.

– Pleurez un bon coup, maman. Ça vous soulagera.

– J'ai donc été aussi injuste? Et Ferdinand en a souffert à ce point-là?

– Émile a eu ses torts, c'est certain, mais il a changé et vous avez eu raison de croire en lui. Vous verrez comme il vous fera honneur avec son nouveau commerce.

Adélaïde ne pleura pas, trop assommée par le récit de Ferdinand, mais elle resta appuyée un moment sur l'épaule de sa fille, respira l'odeur de lavande dans son cou, profita de ce doux instant d'intimité, puis se ressaisit.

– De quoi avons-nous l'air, maintenant? On doit laver son linge sale en famille et non pas à la face de tout un chacun!

– Grand-père disait qu'il fallait faire contre mauvaise fortune bon cœur. Venez! On va faire comme si de rien n'était. Vous devriez offrir des desserts, ça changera les idées de tout le monde.

⚜

Deux jours après Noël, la neige se remit à tomber de plus belle, au grand bonheur des enfants. En descendant la grande côte, Émile en observa plusieurs qui glissaient en traîne sauvage, et, les souvenirs de son enfance remontant à la surface, il regrimpa la côte et s'offrit le plaisir d'une glissade avec l'un d'eux. Poursuivant sa route, il se demanda quel genre d'accueil il recevrait chez Raoul et Louisa. Cette dernière semblait fort intéressée par sa proposition d'affaires, au réveillon, mais la maudite histoire de Ferdinand avait peut-être miné sa crédibilité, pensa-t-il. Et si, comme il le croyait, Raoul n'était au courant de rien et se trouvait sur place, il devrait se montrer prudent et attendre un signe de la part de Louisa avant de parler. Son insouciance coutumière reprit le dessus et c'est en sifflotant qu'il atteignit la maison des Grand-Maison.

Quand il en ressortit, il songea qu'il avait sûrement le cul béni, comme le disait autrefois son grand-père Beauchamp, car non seulement Raoul était absent, mais, de surcroît, Louisa lui avait confié beaucoup plus d'argent qu'il ne l'avait espéré. Il se demanda un moment d'où lui venait ce pécule et se dit aussitôt que l'important n'était pas tant de connaître la provenance de l'argent que l'usage auquel il était destiné et, surtout, les dividendes qu'il saurait en tirer. «Au bout du compte, tout le monde en profitera et peu leur importe de savoir véritablement quel genre d'affaires je traite, si leurs profits sont bons», finit-il par conclure pour lui-même.

Enhardi par cette réussite facile, Émile décida sur-le-champ d'aller rendre visite à Florence. Sa mère croirait que Louisa l'avait gardé à dîner et, comme il serait sagement revenu pour l'heure du souper, il réglerait ainsi une autre transaction à l'insu de tous. La cueillette fut moins importante auprès de sa sœur mais il s'y attendait et en fut tout de même satisfait.

À son retour, Adélaïde l'accueillit avec sa bonne humeur habituelle. Émile la serra dans ses bras, la couvrit de baisers dans le cou, dans les cheveux, essaya de la soulever et la fit tant rire qu'elle le supplia d'arrêter avant qu'un accident se produise. Les effluves du repas embaumaient l'air de la cuisine et Émile se sentit le plus heureux des hommes. Il se promit d'écrire plus souvent à sa mère, de lui envoyer de petits cadeaux, et s'installa devant une assiette fumante et pleine à ras bord, la dévora comme s'il n'avait pas mangé depuis deux jours, puis en redemanda.

～✧❀❀❀✧～

Arthur avait passé une journée relativement paisible. Peu de clients s'étaient présentés au magasin, phénomène tout à fait normal entre Noël et le jour de l'An, et l'absence de M. Richard, qui avait pris dix jours de congé pour visiter sa famille à Victoriaville, ne lui causait aucun problème, lui procurant au contraire une grande satisfaction personnelle, du fait que toutes les responsabilités reposaient sur ses épaules.

Il arriva donc chez lui en pleine forme et savoura le souper, composé des restes du festin d'Adélaïde. Même s'il mangeait peu, il appréciait la nourriture et, en particulier, les plats réchauffés. Il était d'humeur taquine et Florence venait tout juste de servir le thé au salon quand il aperçut une pipe sur le rebord de la fenêtre.

– Pas encore un an de mariage et tu reçois déjà un amant en cachette ?

Comme Florence n'avait pas l'air de comprendre son humour, il désigna la pipe en riant.

– C'est la pipe d'Émile. Il est venu faire un tour, cet après-midi.

– Et tu ne l'as pas gardé à souper ?

– Je l'ai invité mais il a pensé que maman l'attendrait et s'inquiéterait.

– Ça m'étonne que tu n'aies pas parlé de sa visite durant le souper.

– J'ai oublié, c'est tout, dit Florence en haussant les épaules.

– Quelque chose ne va pas ?

– Mais non, Arthur. Pourquoi toutes ces questions ?

– Je te ferai d'abord remarquer, ma chère Florence, qu'il n'est pas dans tes habitudes de t'impatienter à mon égard, et ça me semble étrange que tu le fasses à ce moment-ci, considérant le caractère bien anodin de mes questions. Je te dirai aussi que j'ai la mauvaise impression que tu as volontairement omis de me parler de la visite de ton frère.

– Arthur Grand-Maison, on dirait que tu cherches des poux !

– Je n'ai pas l'intention de me disputer avec toi, Florence, mais je comprends mal que tu me caches la visite de ton frère et je t'avoue que ça m'inquiète. Si une confiance absolue ne règne pas entre mari et femme, le couple est en mauvaise situation, tu ne trouves pas ?

Florence ravala sa salive et son humiliation d'être prise en faute. Arthur avait raison, elle aurait dû lui faire confiance, car il aurait tout compris et l'aurait même encouragée à investir ses maigres économies dans l'entreprise de son frère. Elle lui raconta tout.

– Tu as une confiance absolue en ton frère ?

– Oui.

– Tu as vu son projet sur papier ?

– Non. Sa parole me suffit.

– Évidemment, tu lui as remis ton argent sans lui faire signer quoi que ce soit.

– Évidemment ! C'est mon frère !

Arthur se versa une nouvelle tasse de thé pour se donner le temps de se calmer et de réfléchir. Il alluma sa pipe, tira quelques bouffées et observa Florence à la dérobée. Elle avait un visage fermé. Il la sentait blessée dans son orgueil et ne voulait pas l'humilier inutilement mais considérait qu'elle devait tirer une leçon de cette histoire. Il retint sa rage contre Émile et parla posément mais sans ménagement.

– A beau mentir qui vient de loin, dit le proverbe. À part de mentir, depuis son exil, qu'est-ce qu'il a fait d'autre, ton frère ? À part d'essayer de soutirer de l'argent aux femmes au lieu de s'en prendre aux hommes qui ont en général de plus grands moyens financiers, qu'est-ce qu'il a réalisé de concret dans sa vie ?

Comme Florence ne répondait pas, Arthur poursuivit.

– Tu sais que je pourrais user de mon droit à l'obéissance et te forcer à récupérer ton argent tandis qu'il en est encore temps ? Pourtant, je ne le ferai pas. Je ne le ferai jamais, Florence, parce que je t'aime et te respecte trop pour en arriver là. Alors, tu es libre de faire ce que bon te semble avec ton argent. Tu as même la liberté de le perdre aux mains de ton frère. Je te demande une seule chose, cependant. Quand tu l'auras perdu, que cela te serve de leçon pour le reste de tes jours, et sache que la confiance seule ne vaut rien en affaires, pas même avec les membres de sa famille.

Florence se coucha avec la rage au cœur, bien décidée à ne pas retirer sa confiance à Émile. Il verrait bien, Arthur Grand-Maison, que dans la famille Beauchamp on respectait la parole donnée et qu'on n'allait pas s'épivarder avec la première venue, comme son frère Raoul !

–⁊⁊🌸⟪⟪⟫⟫

À la fin du mois de janvier, Florence reçut une lettre de son frère. Il était en prison. Il lui demandait pardon pour l'argent perdu et l'implorait de venir lui rendre visite, sans donner plus d'explications. Quand Arthur revint de son travail, Florence lui tendit la lettre.

– Jamais je n'irai le visiter en prison, dit-elle à Arthur qui venait de terminer la lecture de la lettre, c'est hors de question !

– J'irai le voir et je verrai ce que je peux faire pour lui.

– S'il faut que ma mère l'apprenne, elle en mourra de honte.

En visitant Émile, Arthur apprit qu'on l'avait arrêté à la frontière, juste avant qu'il traverse dans l'État du Maine, pour avoir

124

tenté de passer frauduleusement de la boisson forte, un chargement de camion assez impressionnant, caché au fond de caisses de légumes pour lesquelles il possédait des papiers en règle. Le malheur avait voulu qu'un douanier décide de soulever les légumes, à cause de leur manque de fraîcheur, ce qui, à son sens, rendait la cargaison suspecte.

Arthur ne voulait pas retourner le fer dans la plaie mais ne put s'empêcher de taquiner Florence.

– Qui aurait pu imaginer que ma femme, pourtant si sage, allait se lancer dans la vente illégale de boisson ?

– Crains pas, Arthur. J'ai beau être orgueilleuse et avoir la tête dure, ta leçon vaut de l'or en barre ! C'est pas demain la veille que je vais l'oublier ! Pas la peine de m'étriver par-dessus le marché. Je veux m'excuser de mon manque de confiance en toi et de cet argent perdu aussi stupidement. À l'avenir, je saurai me rappeler vers qui me tourner avant de jeter mon argent par les fenêtres.

Arthur fit comprendre à Florence qu'il était de leur devoir d'avertir ses parents et elle y consentit, la mort dans l'âme à l'idée du chagrin de sa mère. La vérité ne tua pas Adélaïde mais l'endurcit amèrement à l'égard de son fils. Florence, quant à elle, pensait ne jamais pouvoir pardonner cette humiliation à Émile.

IV

Florence en avait presque terminé avec l'installation du nouveau logement. À peine quelques boîtes à vider et ils auraient l'impression de l'habiter depuis longtemps. Zélia l'avait beaucoup aidée en s'occupant des enfants, lui permettant ainsi de ranger plus rapidement. Maintenant qu'elle était repartie, que les enfants dormaient sagement, elle en profitait pour terminer sa chambre. Elle sortit d'une boîte sa poche à souvenirs et en vida le contenu sur le lit. Elle constata à quel point les objets s'accumulaient au fil des ans et pensa qu'à ce train-là elle devrait bientôt l'agrandir ou se guérir de sa peur du feu.

Il y avait d'abord de jolis encadrements dont les photographies relataient leur histoire, et qui retrouvaient naturellement leur place sur les commodes. Venaient ensuite sa boîte en verre, son chapelet de cristal, ainsi que les cadeaux offerts à chaque naissance et qui garnissaient dorénavant sa coiffeuse. Florence souriait en rangeant chaque objet, comme si le fait de les avoir emballés pour le déménagement leur donnait tout à coup une autre dimension lorsqu'elle les déballait. Sur un napperon de dentelle, elle déposa un superbe ensemble de boudoir tout en argent, comprenant un plateau, un miroir, une brosse, un peigne et trois pots de différentes grosseurs. Elle se remémora les paroles d'Arthur qui tendait la boîte au papier doré, une heure après la naissance de Charles: «Pour les soins de beauté d'une reine, la mienne, afin qu'elle sache et se rappelle, tous les jours de sa vie, qu'elle est la plus belle femme du monde et que sans elle je ne pourrais pas exister.»

Puis, des deux côtés de la coiffeuse, surélevés par rapport au centre, elle disposa des napperons ronds et mit sur l'un d'eux son coffre à bijoux. Elle était persuadée que ce cadeau était une pure folie, car l'écrin lui-même ressemblait à un bijou, avec ses ciselures et ses incrustations d'émail sur argent. Il soulignait la naissance de Jeanne. Arthur avait dit, en le lui offrant, qu'il s'emploierait à l'emplir tout au cours de leur existence. De l'autre côté, elle installa avec précaution un vase de cristal, qui rappelait cette fois la naissance du petit Gérard. Les souvenirs qui s'y rattachaient ne l'emplissaient pas de fierté. Les souffrances de cet accouchement l'avaient laissée infiniment faible et déprimée, et le lendemain, quand elle avait consenti à déballer son cadeau, elle n'avait pu exprimer aucune joie. Pourtant, en avait-elle rêvé de posséder un tel vase! Durant un long mois, Arthur l'avait soutenue de son amour et d'attentions délicates, et s'était évertué à la faire rire jusqu'à ce qu'elle retrouve sa joie de vivre.

Florence secoua tristement la tête en pensant à son petit dernier. Elle n'arrivait pas à lui consacrer assez de temps et en ressentait de la culpabilité. Deux boîtes restaient encore à vider mais elle décida de s'allonger sur le lit et de s'offrir un moment de répit. Elle pensa à Arthur, qui aurait bien du mal à garder son sérieux dès qu'il apercevrait la petite Jeanne avec une longue mèche de cheveux en moins, coupée par les bons soins de Charles tandis que Zélia s'était absentée quelques minutes. Elle le ferait rire aux larmes en lui racontant le regard horrifié de son amie, à qui Charles disait naïvement: «C'est pas moi, marraine, c'est mes mains!»

Florence souriait. Certes, les aînés se révélaient des enfants turbulents, Jeanne étant le pendant féminin de Charles, mais leur bonne humeur constante et leurs rires la comblaient. Si elle devait parfois les punir, c'est avec humour qu'elle racontait ensuite leurs espiègleries à Arthur. La différence entre eux et le plus jeune la laissait de plus en plus songeuse, le petit Gérard démontrant déjà, au bout de sa première année de vie, un tempérament taciturne.

Jamais un sourire n'éclairait son visage. Les sourcils froncés, il observait le monde en retrait, préférant jouer seul, malgré l'énergie qu'elle mettait à tenter de le faire participer aux activités des deux autres.

À regret, Florence se releva péniblement au bout de dix minutes et accrocha son image au triple miroir de la coiffeuse. «Je suis encore plus grosse qu'aux trois autres, se dit-elle, et ce n'est pas peu dire!» Elle pensa à Hortense qui venait d'accoucher de son quatrième et se demanda si elles ne tentaient pas toutes deux de gagner un concours. «À ce rythme-là, nous en aurons bien dix-huit ou vingt avant la quarantaine!» Elle pria le ciel qu'une telle chose ne lui arrive jamais et demanda, une fois de plus, que cet accouchement se déroule plus facilement. Elle eut tout juste le temps de ranger le contenu des deux dernières boîtes avant que les enfants terminent leur sieste.

***

Comme si tout le canton participait d'un mouvement uniforme, l'air se chargeait d'odeurs nauséabondes à mesure que s'intensifiait l'épandage du fumier. Émérentienne et Louisa en riaient, la première soutenant qu'on s'y habituait en une heure, la deuxième reconnaissant qu'on pouvait heureusement associer les relents d'engrais au retour du printemps et au fait que les hommes, enfin, quittaient la maison après plusieurs mois d'enfermement.

Leurs charges respectives ne leur permettaient pas de se rendre visite tous les jours, loin de là, mais tour à tour elles trouvaient le moyen de se retrouver quelques heures dès qu'un moment de répit se présentait. Elles venaient toutes deux de familles pauvres où l'on trimait dur dès l'enfance, du matin jusqu'au soir, et n'avaient eu, de ce fait, la chance de connaître l'amitié. À l'aube de la quarantaine, elles en découvraient l'inestimable valeur et en savouraient chaque instant. Elles parlaient de tout et de rien, pour le simple plaisir de parler et parfois pour le soulagement que procure la confidence. Elles regrettaient de n'avoir pas développé cette amitié plus tôt mais, comme elles n'étaient pas femmes à s'éterniser sur des sentiments inutiles, elles mettaient les bouchées doubles pour rattraper le temps perdu.

– Tu te souviens de la vieille Arthémise ? demanda soudainement Émérentienne qui aidait Louisa à éplucher des pommes de terre.

– Si je m'en souviens ? Ma mère prétendait que si un ragot n'avait pas été raconté à son sujet, quelqu'un allait vite se charger de l'inventer.

– Tout un chacun médisait sur son compte. Pourtant, on se vantait de l'avoir reçue à sa table et ceux qui n'y arrivaient pas enviaient les autres.

– En tout cas, elle laissait pas les gens indifférents !

– Ça non ! Je pense que les femmes la jalousaient à cause de sa liberté d'action, à la suite de la mort de son mari, et colportaient les pires histoires à son sujet.

– Si tu veux mon avis, ça lui faisait pas un pli sur la différence ! Mais pourquoi as-tu commencé à me parler de la vieille Arthémise ?

Émérentienne tournait une pomme de terre entre ses mains et la montra finalement à Louisa.

– À cause de cette patate jumelle. Tu vois ? On dirait deux dans une. La vieille Arthémise disait que si on trouvait un légume ou un fruit double, on devait le tourner dans ses mains en faisant un désir et que, au bout de quelques jours, il se réalisait. Essaie, tu verras bien ! dit Émérentienne en tendant la patate bosselée à Louisa.

– Je peux savoir ce que tu as souhaité, toi ?

– Que Florence accouche plus facilement de son quatrième enfant. Tu sais que Mme Beauchamp est partie ce matin ?

– Tant mieux ! Ça me rassure de penser qu'elle n'est pas seule. Ça calmera aussi les inquiétudes d'Arthur. Le pauvre se ronge les sangs à chaque fois.

– C'est bien le moins qu'un homme puisse faire, tu penses pas ?

130

Émérentienne riait de sa blague, tandis que Louisa tournait sérieusement la pomme de terre entre ses mains, un pli creux lui barrant le front.

– Veux-tu me dire, dans le monde, ce que tu peux désirer pour avoir l'air aussi grave ?

Louisa rougit subitement, comme si on la prenait en défaut, et se mit à éplucher le légume avec application.

– Louisa Grand-Maison ! Tu me fais des cachotteries, à c't'heure ?

– C'est pas une cachotterie ! C'est un gros secret que j'ai sur le cœur depuis longtemps. Si je t'en parle, Émérentienne, peux-tu me jurer que ça restera entre nous ?

Émérentienne jura et Louisa lui raconta enfin l'histoire de l'argent perdu aux mains d'Émile dont on n'entendait plus parler depuis belle lurette. Elle en éprouva un tel soulagement qu'elle se mit à pleurer comme elle ne l'avait pas fait depuis la mort de son beau-père. Émérentienne la consola de son mieux et se promit de l'aider, au risque même de trahir la promesse du secret et d'encourir le courroux de son amie.

❦

Les employés du magasin Max Beauvais gardaient en général leur emploi jusqu'à un âge assez avancé. Les salaires et les conditions de travail étaient des plus convenables et M. Richard avait la considération de chacun. Ainsi, quand M. Fortier annonça que l'heure de se retirer avait sonné pour lui, on organisa une petite fête pour saluer sa retraite, et M. Richard souligna ses nombreuses années de service par un discours et un montant d'argent substantiel.

Au troisième étage, Charlotte avait donné des airs de salle de réception au grand bureau du patron. Les employés dégustaient les canapés, les sandwichs de fantaisie, les petits gâteaux et le vin avec joie, tandis qu'une impatience fébrile se ressentait dans le rang des employés les plus anciens pour l'obtention du poste de M. Fortier. Son comptoir représentait le but ultime à atteindre au sein des vendeurs, car on y côtoyait les gens les plus importants de la ville. De ce fait, le poste résumait la quintessence de l'art de la vente.

La nomination prestigieuse à ce comptoir tant convoité, ainsi que les déplacements inévitables qu'elle entraînait pour les autres comptoirs, ne surprit personne. M. Richard et Arthur en avaient longuement discuté, car la bonne entente et l'atmosphère de cordialité qui régnaient entre les employés en dépendaient. On procéda donc par ordre d'ancienneté, ce qui parut logique à chacun, et on effectua des changements d'affectation dans certains rayons. Un poste restait à combler au comptoir des cannes et des parapluies. Le jeune Alfred Poulin l'obtint, passant de conducteur et homme à tout faire au poste de vendeur. On l'accepta d'emblée et il fut chaleureusement applaudi. Pour le remplacer, et en signe d'ultime reconnaissance pour ses nombreuses années de loyaux services, M. Richard engagea le petit-fils de M. Fortier.

Parce que le patron n'avait pas lésiné sur le nombre de bouteilles de vin, la petite fête dura plus longtemps que prévu. La présence féminine de Charlotte, qui avait négligemment oublié ses lunettes dans son bureau, ajoutait un certain charme. Les occasions où tout le personnel se trouvait réuni pour festoyer n'étaient pas si nombreuses, expliquait M. Richard à Arthur, qu'il fallait en profiter pour solidifier les liens entre eux. Quant à la dépense, disait-il, l'argent sorti d'une main se gagnait de l'autre, par la satisfaction des employés qui renouvelaient leur ardeur au travail.

～⁊⁊𝕸🙰ⅇⅇ⁄

Arthur quitta le magasin vers neuf heures, de fort bonne humeur, après avoir refusé l'offre de son patron d'aller le reconduire chez lui. La douceur des beaux jours du mois de mai l'incitait à marcher. De plus, il préférait évacuer les vapeurs de l'alcool avant d'entrer à la maison. Comme sa belle-mère était arrivée et que, de toute façon, l'accouchement de Florence n'était pas prévu avant une semaine, il revint chez lui d'un pas tranquille. Il regretta amèrement cette nonchalance à flâner sur les trottoirs lorsque, sur le pas de la porte, il apprit que sa femme venait d'agrandir la famille non pas d'un mais de deux enfants.

– Des jumeaux ? s'écria-t-il.

– Un garçon et une fille, monsieur Grand-Maison, lui dit le docteur qui s'apprêtait à partir. Et la meilleure nouvelle dans tout ça c'est que votre femme n'a pas souffert comme à l'accoutumée. À croire qu'il vaudrait mieux pour elle d'accoucher par paire à chaque fois !

Arthur entra dans la chambre sur la pointe des pieds mais Florence ne dormait pas. Elle tenait dans chaque bras un petit paquet bien langé. Adélaïde se retira pour les laisser seuls.

– D'une pierre deux coups ! Arthur, viens vite voir comme ils sont beaux. On dirait même qu'ils sont presque trop beaux pour être vrais.

– Ma grande foi du bon Dieu ! C'est vrai qu'ils sont beaux ! Et toi, ma Florence, si tu voyais comme tu es belle. Attends !

Arthur alla chercher le miroir sur la coiffeuse de sa femme et le tint devant elle. Florence elle-même se trouva belle, ce qui la fit rougir car ce n'était pas dans ses habitudes. Elle était belle et heureuse. Elle avait souffert mais les douleurs n'avaient rien de comparable à celles des autres accouchements. Elle était donc belle, heureuse et sereine, ce qui, peut-être, la poussa à parler avec moins de retenue.

– Je t'aime, Arthur. Si je ne dis pas ces mots-là aussi souvent que toi, c'est à cause d'une fausse pudeur qui me retient. J'aimerais m'en débarrasser mais on ne peut pas se refaire aisément. Je te conseille de profiter de mon moment d'attendrissement tandis qu'il passe ! Une fois partie, aussi bien te dire que je t'aime à chaque jour un peu plus et aujourd'hui plus que jamais. Je suis heureuse, Arthur, et très fière d'être encore belle à tes yeux.

Les larmes roulaient sur les joues d'Arthur, peu habitué à entendre Florence s'exprimer ainsi. Il gravait en lui chaque parole afin de les retenir à tout jamais. Intimidée par les larmes de son mari, Florence se pencha sur les jumeaux.

– Regarde-les. On dirait deux petits anges descendus du ciel. Marie-Ange ! Il me semble que c'est une petite Marie-Ange. Qu'en penses-tu ?

– Oui, ça lui va à merveille. Et le petit ?

– Je ne sais pas encore. Tu as une idée, toi ?

– Du côté de ma mère, il y avait un grand-oncle qui a marqué mon enfance. Tout le monde l'aimait et ma grand-mère disait qu'avec un nom pareil ça ne pouvait pas faire autrement. Mon oncle Aimé, je l'avais un peu oublié, celui-là. C'est un beau prénom, tu ne trouves pas ?

– Aimé... Marie-Ange et Aimé. Aimé et Marie-Ange. Oui !

Arthur aimait que Florence choisisse elle-même les prénoms des enfants, mais, cette fois, il se sentit très fier d'avoir soulevé l'enthousiasme de sa femme et d'en avoir trouvé un à son tour. Malgré l'euphorie du moment, il se rappela le cadeau fraîchement terminé et qu'on lui avait livré de la bijouterie Birks, le matin même. Il sortit l'écrin de la poche intérieure de son veston et sourit.

– Je ne sais pas si on peut parler de pressentiment mais, vu la circonstance, je ne pouvais pas mieux choisir ton cadeau, puisqu'il est double.

Florence déposa les jumeaux sur le lit sans qu'aucun sourcille et prit l'écrin entre ses mains.

– Comme à chaque enfant, j'avais un beau papier doré pour l'envelopper, mais, à cause de la réception en l'honneur de M. Fortier, je n'ai pas eu le temps d'y voir.

– Arthur ! Un cadeau pareil n'a pas besoin d'emballage ! S'il te plaît, va chercher ma bague dans mon coffre à bijoux.

Arthur s'exécuta tandis que Florence accrochait à ses oreilles les pendeloques qu'on eût dit taillées à la même aigue-marine que la bague. Elle en admira l'effet dans son miroir resté sur le lit, enfila ensuite la bague à son doigt, releva la tête fièrement et sourit à Arthur.

– Avec des yeux pareils, toi aussi, ma Florence, tu es presque trop belle pour être vraie.

Arthur restait planté à côté du lit, les bras ballants, éperdu d'amour pour sa Florence. Intimidée de nouveau sous le regard noir qui la chavirait toujours autant, Florence reprit le miroir pour faire diversion, puis se rembrunit soudainement.

– Tu me fais de trop beaux cadeaux, Arthur. C'est trop, vraiment trop !

– Tu ne peux pas me priver de te gâter, ma reine. C'est le plus grand bonheur de ma vie.

Florence aimait les bijoux mais, paradoxalement, détestait les porter. Elle aurait voulu expliquer à Arthur qu'elle se sentait mal à l'aise face aux autres femmes qui, souvent, avaient à peine de quoi se vêtir convenablement. Elle aurait voulu lui dire qu'elle n'oserait jamais se présenter face à ses belles-sœurs, qu'il s'agisse de Louisa et de Malvina ou d'Émérentienne et de Mathilde, bijoutée comme la défunte reine Victoria. Déjà qu'elle se différenciait tellement d'elles par sa manière de se vêtir, elle n'allait pas en rajouter en se pavanant de la sorte.

Elle aurait voulu lui dire tout cela mais les jumeaux se mirent à pleurer, dans un ensemble parfait, au quart de seconde près, et Adélaïde accourut aussitôt. Elle se tint un moment sur le seuil de la chambre, bouche bée. Sa Florence avait l'air d'une reine, ou d'une fée, elle ne savait plus trop, mais elle était certaine, par contre, qu'elle n'allait pas oublier de sitôt cette vision. Elle entra dans la pièce comme on entre dans une église, sur la pointe des pieds, sur la pointe du cœur. Elle admira sa fille à la dérobée et prit les petits dans ses bras en remerciant le ciel pour tant de beauté autour d'elle.

En apprenant par Ferdinand que son beau-père se rendrait chez le forgeron dans la matinée du lendemain, Émérentienne comprit qu'elle devait saisir l'occasion de se retrouver seule à seul avec Cléophas. Elle planifia sa journée à venir en conséquence et augmenta ses tâches de la soirée afin d'alléger celles du jour suivant.

Le lendemain, donc, postée à l'embranchement du village et de la grande route menant à la ville, Émérentienne se remit en marche en voyant venir de loin son beau-père. Tout se déroula selon ses plans, Cléophas s'arrêtant à ses côtés et la faisant monter pour la conduire chez Louisa. Chemin faisant, prenant son courage à deux mains, elle lui raconta l'histoire de l'argent investi par

Louisa dans l'affaire d'Émile, quelques années auparavant. Nul besoin n'était de demander la confidentialité, Émérentienne sachant fort bien que Cléophas ne tenait pas plus que Louisa à ébruiter la chose.

– Tu as bien fait de me parler, ma belle-fille, dit-il, le visage empourpré sous la colère. Prendre l'argent d'une femme! La belle-sœur de ma fille en plus! Donne-moi la nuit pour réfléchir et demande à Louisa de se trouver chez toi dès demain. Tout ce qui traîne se salit et c'est déjà assez sale comme ça! Je trouverai le moyen d'y aller au milieu de l'avant-midi. Il ne sera pas dit que l'honneur des Beauchamp sera terni par ce vaurien! Pour sûr!

La somme n'était pas exorbitante en soi mais il ne possédait pas cette liquidité et c'est à plein régime que ses méninges s'activaient pour trouver une solution rapide. Il arrêta son cheval devant la maison des Grand-Maison et, tandis que sa bru descendait de la voiture, son regard se porta sur le champ adjacent aux terres des Grand-Maison. Ce champ lui appartenait et faisait l'envie de Raoul et de Mathieu qui l'avaient abordé un an plus tôt pour en connaître le prix. Les deux hommes avaient remis leur projet d'expansion à plus tard, en lui demandant de les informer si un autre acheteur se présentait, car seule une question d'argent les empêchait d'en faire l'acquisition immédiate.

La terre valait trois fois le montant que Louisa avait confié à Émile. Pourtant, Cléophas considéra que l'honneur serait ainsi lavé et résolut sur-le-champ de l'offrir à Louisa. Puis, au lieu de s'arrêter chez le forgeron, il guida son cheval jusque chez le notaire. Encore sous le coup de la colère, mais certain d'agir en toute justice, il fit ajouter un codicille à son testament, dans lequel il indiquait clairement la diminution de la part d'héritage d'Émile. Avec l'aide du notaire, il calcula soigneusement chaque sou noir investi sur son fils au détriment des autres enfants et le résultat final le sidéra. Adélaïde n'en saurait rien avant sa mort, ce qui évitait d'ajouter à sa peine déjà trop lourde. Seule une note explicative lui serait remise pour justifier sa décision, écrite par les bons soins du notaire. Elle comprendrait alors et ne lui en tiendrait pas rigueur, Cléophas en était convaincu.

Comme convenu, Louisa se rendit chez Émérentienne le lendemain avant-midi, ignorant pourquoi il était primordial de s'y trouver à l'heure dite. En voyant Cléophas entrer par une porte et Émérentienne sortir par l'autre en coup de vent, elle comprit aussitôt. Sur le coup, elle en voulut tant à son amie qu'elle pensa ne jamais pouvoir lui pardonner son indiscrétion. Pourtant, quinze minutes plus tard, elle sortit de la maison la tête haute et le cœur débordant de reconnaissance, pressant le pas vers Émérentienne qui secouait ses catalognes avec l'énergie d'une forcenée.

– Pas la peine de t'éreinter comme ça, tu vas te donner un tour de reins ! J'ai compris, va ! Il faut que tu m'aimes beaucoup pour avoir risqué de mettre notre amitié en péril. Un gros, gros, gros merci !

Émérentienne soupira d'aise, relâchant d'un coup la pression de la peur. Louisa la prit dans ses bras et l'embrassa sur les deux joues. Peu habituées à ce genre d'effusion, les deux femmes riaient timidement.

– Grâce à toi, je deviendrai partenaire à part entière dans l'association de Raoul et de Mathieu. Ce sera ma condition pour leur céder ma terre. Malvina en bavera d'envie, tu verras !

Émérentienne ne comprenait rien au discours de Louisa mais peu lui importait. Elle n'avait pas perdu son amie et lui avait servi d'intermédiaire pour que justice soit rendue. Cela suffisait largement.

Succédant au lilas et au muguet, les roses s'épanouissaient, se multipliaient, tandis que les pivoines s'affaissaient déjà, lourdes et disgracieuses, gorgées d'eau. Adélaïde se désolait de leur courte vie, tentait de retrouver la trace de leur parfum enivrant, même si aucune d'elles n'était plus en mesure de lui offrir son odeur de paradis. Devant l'évidence, elle se mit au travail. La vue de son allée de pivoines fanées lui était insupportable et c'est maintenant qu'elle choisissait d'en faire le nettoyage. Rien au monde n'allait lui faire remettre ce travail à un autre moment, pas même le soleil de plomb qui la faisait suer à grosses gouttes, non plus que les nuées d'insectes qu'elle soulevait en remuant la terre autour des plants. Elle pensa rageusement que tous les maringouins du village s'étaient donné rendez-vous sur son corps mais continua de plus belle.

La flétrissure des pivoines exerçait sur elle un effet dévastateur et, d'année en année, enfouie au plus profond de ses souvenirs, ressurgissait à cette époque la mort d'un vieux chien blanc aux yeux globuleux, frileux comme un pou, et qu'elle aimait par-dessus tout, à l'âge de six ans. Ayant trouvé le chien mort sous les pivoines fanées, elle avait pleuré toutes les larmes de son corps d'enfant, puis avait demandé à sa mère qu'il soit enterré sous les fleurs. À quatre pattes, Adélaïde sarclait la terre à mains nues, l'esprit en errance au pays des souvenirs douloureux où sa mère, les lèvres pincées, se moquait de sa demande extravagante. Cléophas arriva au bout de l'allée, tout essoufflé et rouge comme un coq, au moment précis où la mère d'Adélaïde prononçait le non fatidique qui, une cinquantaine d'années plus tard, lui restait toujours en travers de la gorge.

— Une lettre d'Émile, lui dit Cléophas en tendant une enveloppe. Du Klondike!

Passer du pays des souvenirs à celui du Klondike demanda à Adélaïde un tour de force.

— Du Klondike? demanda-t-elle en revenant de plus loin encore.

— C'est ce que le maître de poste a dit, en tout cas.

Adélaïde se pencha sur l'enveloppe, incrédule, puis regarda Cléophas, hors d'elle.

— Mais qu'est-ce qu'on a fait au bon Dieu pour avoir un fils aussi fou?

— Peut-être que le bon Dieu pense que c'est mieux pour lui de chercher de l'or à l'autre bout du monde. Pendant ce temps-là, il a pas la tête à organiser des mauvais plans et c'est préférable à la prison, tu penses pas?

Incapable d'entendre prononcer le mot «prison» sans réagir, son chien mort et enterré Dieu sait où encore frais à sa mémoire, Adélaïde laissa retomber sa colère sur le dos de son mari.

– Saint Cléophas qui avez réponse à tout, priez pour nous!

– J'ai autant de peine que toi, tu sauras!

Cléophas tourna les talons tellement vite que, par mégarde, il entraîna dans son sillage les pivoines fanées.

– C'est ça! Pars comme un fusil pas de plaque, pis défais tout mon travail par-dessus le marché!

Le fait de crier calma Adélaïde aussitôt. Elle s'en voulut d'avoir blessé son mari. «Lui qui ne ferait pas de mal à une mouche pour tout l'or du monde, pensa-t-elle, pas même celui du Klondike.» Elle laissa son travail en plan et remonta vers la maison. Elle n'avait pas envie de lire la lettre d'Émile, elle voulait seulement se faire pardonner. «Pour l'amour du ciel, qu'est-ce qui m'a prise? se demanda-t-elle. Ça m'apprendra, aussi, à travailler dehors par une chaleur pareille sans même un chapeau sur la tête. Me voilà bien avancée, prise pour faire du sucre à la crème au-dessus du poêle, à c't'heure! N'empêche, avec le bec sucré, mon Cléophas va vite oublier ma grande sortie.

Adélaïde entra dans la maison en souriant.

❧

– Là! s'exclamèrent en même temps Rose-Aimée et Hortense.

Louis et son père déposèrent la table avec soulagement, car elle était plus lourde qu'il n'y paraissait. Après avoir essayé tous les angles possibles afin de répondre aux désirs des deux femmes, ils disparurent aussitôt qu'elles furent satisfaites. Hortense avait d'abord cru que l'emplacement idéal se trouvait sous les trembles mais, après mûre réflexion, elle pensa que le soleil chaufferait trop fort à cet endroit, l'heure du midi venue. L'immense saule pleureur offrait plus d'ombre et la proximité de la rivière ajoutait encore au charme d'un repas à l'extérieur. Certes, il faudrait plus de surveillance vis-à-vis des enfants, mais le coup d'œil en valait la peine.

À part la nourriture, elles avaient tout apporté avec elles et s'empressaient de garnir la table, se réjouissant à l'avance du pique-nique si longuement attendu. Chacune pensait au plaisir des retrouvailles, aux moments d'intimité qu'elles sauraient bien susciter pour se retrouver seules entre amies et se raconter mille petits riens. Leur bonheur augmentait au rythme des préparatifs.

– La touche finale, dit Hortense en déposant un bouquet de glaïeuls en plein centre de la table.

La rivière des Prairies scintillait sous le chaud soleil du mois d'août, bourdonnante de remous à cet endroit précis où les rapides se formaient. Une luminosité sans pareille éclairait la campagne avoisinante, tandis que par centaines les mésanges à tête noire chantaient tout autour. Après un dernier regard circulaire, les deux femmes remontèrent vers la maison, juste à temps pour accueillir les premiers invités.

Florence portait fièrement ses jumeaux dans ses bras malgré le poids respectable de leurs trois mois accomplis, les trois autres enfants suivaient et Arthur fermait le cortège, surveillant les pas hésitants du petit Gérard.

– Comme ils sont beaux! s'exclama Hortense en embrassant les jumeaux. Venez voir, madame Charbonneau, on dirait des petits anges!

Rose-Aimée avait à peine eu le temps de les embrasser que Cléophas et Adélaïde arrivaient, accompagnés de Maurice et de Mathilde. Cette dernière resplendissait de bonheur et ne tentait nullement de cacher la naissance d'un petit ventre rond, la maternité s'étant fait désirer trop longtemps à son goût. Hortense serra sa sœur sur son cœur avec tendresse et fierté, car elle avait craint pour elle la stérilité.

Comme Rose-Aimée et Hortense avaient passé la journée de la veille à cuisiner, la boustifaille était aussi abondante que variée et chacun fit tant honneur au repas que la somnolence en gagnait plus d'un quand Louis suggéra une partie de fers à cheval pour se

140

dégourdir les jambes. Les hommes acceptèrent d'emblée, donnant ainsi aux femmes, qui prisaient moins ce jeu, le signal d'organiser l'après-midi. Une fois la table débarrassée et la vaisselle lavée, on improvisa un lieu de sieste pour les enfants, juste sous les trembles maintenant désertés par le soleil. Mathilde offrit de surveiller leur sommeil, donnant ainsi la chance à Florence et à Hortense de se retrouver seules.

Hortense entraîna son amie vers les serres où personne ne viendrait interrompre leur conversation. Rose-Aimée et Adélaïde, prétextant un moment de fatigue, s'étaient quant à elles retirées au salon et jacassaient à présent à qui mieux mieux.

– Il me semble que c'était hier, dit rêveusement Rose-Aimée, alors que seule l'insouciance guidait nos pas et qu'on descendait la grande côte en chantant, toutes les trois.

– On dira ce qu'on voudra, le temps nous file entre les doigts comme c'est pas possible, renchérit Adélaïde.

– Elle est partie trop vite.

– Oui, beaucoup trop vite. En nous prenant un morceau de cœur en partant.

Les deux femmes se berçaient à présent en silence, accordant au temps le moment voulu pour dissiper la douleur de l'absence, sans chercher pour autant à chasser le souvenir de la grande Zoé.

Pendant ce temps, Hortense et Florence parcouraient les serres l'une après l'autre. La moiteur de l'air, leur rapprochement dans les allées étroites provoquèrent rapidement leurs confidences.

– Dis-moi, Florence, tu es toujours aussi amoureuse de ton mari?

– Plus que jamais, si c'est possible. Je ne sais pas comment t'expliquer ça mais, depuis l'arrivée des jumeaux, je me sens comblée. Toi, Hortense, tu n'es plus aussi amoureuse de Louis?

– Je l'aime toujours, c'est certain. Pourtant, je t'avoue franchement que sans la présence de Rose-Aimée – je l'appelle par son prénom quand nous sommes seules, elle y tient – je m'ennuierais à mourir. Louis ressemble à son père comme deux gouttes d'eau se ressemblent. Muets comme des carpes, ces deux-là. Il faut se lever de bonne heure pour les faire parler. Et encore! Si tu ne leur sors pas les vers du nez, tu ne sauras jamais ce qu'ils pensent.

– Il y a quand même de plus grands malheurs, tu ne penses pas?

– Sûrement! N'empêche que j'aurais bien aimé que mon Louis soit moins taciturne ou, à tout le moins, qu'il tienne parfois une conversation qui dure un peu plus de deux minutes.

– Quant à ça, j'aimerais au contraire qu'Arthur pose moins de questions, à certains moments. Toujours à essayer de savoir ce que je pense, ce que je ressens. Comme quoi il y a pour chacune un bout qui retrousse, non?

– Je t'envie, tu sais. Plus le temps passe, plus tu as l'air d'une grande dame. Toujours bien mise, élégante. À tes côtés, je fais figure de grosse habitante.

– Moi, j'envie ton coin de paradis, Hortense. Je l'échangerais contre toutes mes toilettes sans hésitation, tu peux me croire! Quant à la grosse habitante, la grosse madame de la ville n'a rien à envier à ses rondeurs.

– Ça non! Avec les années, les enfants, on peut dire qu'on prend de l'ampleur. Regarde-nous!

– Arthur dit que j'ai l'air prospère et que personne ne pourra l'accuser de ne pas me nourrir convenablement.

– Prospère! Parlant de prospérité, comptez-vous acheter votre maison bientôt?

– D'ici un an ou deux, si tout va bien. En attendant, je me fais une raison. Je vais souvent au parc avec les enfants. Charles et Jeanne sont convaincus que ce parc leur appartient. Ces deux-là! Des idées de grandeur comme leur père.

– Et Gérard? Es-tu moins inquiète à son sujet?

– Oui et non. Il est tellement différent des deux autres.

– Et Mme Richard? Vous êtes toujours en aussi bons termes?

– Zélia! Qu'est-ce que j'aurais fait sans elle? Si tu savais à quel point elle m'est précieuse. Sa santé m'inquiète, pourtant. Ce n'est pas qu'elle soit malade, non, c'est plutôt un état de faiblesse ou de fatigue. Le médecin suggère un climat plus chaud et M.

Richard commence à parler de se retirer plus vite que prévu. Rien que d'y penser, j'en pleurerais!

– Si M. Richard se retirait, Arthur pourrait-il prendre le magasin en main?

– M. Richard a beau aimer Arthur, il ne laissera quand même pas aller le magasin pour une chanson. Mais on ne sait jamais. Avec la Bourse... J'aime autant ne pas parler de ça, parce que, avec ces histoires-là, on peut se retrouver riche comme Crésus ou pauvre comme Job du jour au lendemain!

Après plusieurs parties de fers à cheval, les hommes s'étaient réunis autour de la table pour jouer aux cartes, tout en sirotant un petit remontant. Non loin d'eux, Mathilde entraînait les enfants dans une ronde, tandis que les plus jeunes dormaient encore. Charles, Jeanne et Omer criaient à tue-tête des «rond, rond, macaron» en tournant à toute vitesse quand Mathilde s'arrêta brusquement, blanche comme un drap, provoquant une bousculade comique.

– Maurice!

Maurice arriva juste à temps pour recueillir sa femme dans ses bras, à demi inconsciente. Arthur courut vers les serres, Louis vers la maison, et quand les femmes arrivèrent, elles surent immédiatement que Mathilde venait de perdre son enfant.

– Arrête de tourner autour du pot, Mathieu. Dis-moi plutôt où tu veux en venir, avant que mes pommes pourrissent au fond du panier!

Louisa avait relevé la tête vers son beau-frère et lui tendait à présent une pomme bien rouge. Pour un homme qui ne parlait jamais pour rien dire et ne passait pas par quatre chemins pour exprimer le fond de sa pensée, elle le trouvait soudainement bien compliqué et ressentait son embarras. Elle choisit une pomme pour elle et y croqua à belles dents.

– Du temps où la mère vivait, vous vous mettiez à trois pour faire les tartes, tu te souviens? Je venais conduire Malvina très tôt et je la ramenais le soir avec des montagnes de tartes.

– Bien de l'eau a coulé au moulin depuis.

– Tu as toujours une dent contre elle ?

– Contre qui ?

– Louisa ! C'est pas dans tes habitudes de te défiler. Tu sais bien que si je tourne autour du pot depuis dix minutes, c'est pas pour te parler de la pluie et du beau temps. Ça va pas fort pour Malvina.

– Les remords, ça ronge par en dedans. Comme un ver au milieu d'une pomme.

– Je te connais trop pour te croire méchante, Louisa. J'ai personne d'autre que toi vers qui me tourner.

Il en avait dit suffisamment pour la toucher. «Quémander n'est pas son fort, reconnut-elle intérieurement, il faut que ce soit grave pour qu'il vienne me trouver.» Louisa fit abstraction de sa rancœur envers sa belle-sœur et se sentit disponible pour écouter Mathieu.

– Qu'est-ce qu'elle a, ta femme, au juste ?

Mathieu haussa les épaules et Louisa lui trouva un air de petit garçon qui a un gros chagrin sur le cœur tout en faisant un effort terrible pour le cacher. Elle ne vit plus que le petit garçon et s'approcha de lui avec tendresse.

– C'est si difficile que ça à raconter ?

Mathieu croqua dans sa pomme à deux reprises, coup sur coup, et avala presque ses bouchées tout rond. Louisa lui laissa le temps de se reprendre, en se disant que les hommes ne se donnaient pas souvent la chance de s'épancher. Elle-même ne disait-elle pas à ses propres fils, dès leur plus jeune âge, qu'un homme ne devait pas pleurer ? Elle l'avait toujours entendu dire par les autres femmes et l'avait répété à son tour comme un perroquet. Elle se promit de ne plus prononcer cette phrase de sa vie. Elle cueillit encore quelques pommes pour dissiper le malaise.

– Vous autres, les femmes, vous n'avez pas peur des mots. Pour les hommes, c'est différent. Ça nous reste en travers de la gorge et ça veut pas sortir.

144

– Si tu veux que je comprenne, Mathieu, il faudra bien que tu trouves des mots, pourtant.

– Malvina, on dirait une ombre. Je la regarde tourner en rond dans la maison comme une âme en peine et j'arrive pas à lui dire que je l'aime encore, que j'ai tout pardonné, même si j'ai jamais su au juste si j'avais à pardonner ou pas. Viarge! Ça fait au-dessus de cinq ans, cette histoire-là! Ça devrait faire! Pourquoi j'arrive pas à lui parler, quand c'est juste ça qu'elle attend? Comment on fait pour mettre son maudit orgueil de côté?

– On fait comme tu viens de faire, Mathieu. On prend son courage à deux mains, pis on parle! Mais on parle à la bonne personne, à la personne concernée. Tu veux quand même pas que j'aille dire à Malvina que tu l'aimes?

Mathieu éclata de rire. Il lança son trognon de pomme à bout de bras et fit tournoyer Louisa dans ses bras.

– Je savais bien que t'allais trouver les mots pour m'aider. Merci, Louisa, merci!

Louisa se retrouva très loin de son panier de pommes, tout étourdie. Son aplomb retrouvé, elle plaça ses mains en cornet et cria en direction de Mathieu:

– Demande à ta femme si elle a envie de faire ses tartes aux pommes avec moi demain!

⁂

À la suite des événements relatifs au lendemain du mariage de Florence et d'Arthur, quand Eugène avait découvert Raoul et Malvina dans l'étable, Louisa avait souvent pensé que son mari était le père de l'enfant de Malvina. Les deux femmes avaient accouché à deux semaines d'intervalle, Malvina d'une fille, Louisa d'un garçon, et les deux enfants avaient maintenant quatre ans. Louisa avait longtemps scruté le visage de la petite, presque à la loupe, sans jamais trouver de ressemblance marquante entre elle et Raoul. Au contraire, l'enfant ressemblait beaucoup à Malvina. Avec le temps, Louisa avait endormi ses soupçons et s'en portait mieux ainsi.

Depuis le mois de septembre, depuis le jour où Louisa avait mis sa rancœur en veilleuse face à Malvina et qu'elles avaient ri comme des enfants d'école en mangeant une tarte aux pommes complète à elles deux, leur relation s'était améliorée. Un mois avant Noël, jour pour jour, elles confectionnaient des manteaux d'hiver pour les plus jeunes à même les manteaux usés des aînés.

– Le mal qu'il faut se donner pour essayer de faire du neuf avec du vieux, lança Malvina, c'est pas croyable!

– Considérons-nous chanceuses d'avoir du vieux pour y arriver. Dans mon jeune temps, savais-tu qu'on s'échangeait un manteau à tour de rôle, ma plus jeune sœur et moi? Pourtant, ma mère était pas une sans-allure, loin de là! C'est juste que la famille était pauvre comme la gale. Trop pauvre pour posséder du vieux à transformer, tu te rends compte?

Louisa taillait, Malvina cousait sur sa précieuse Singer à pédale et toutes deux s'occupaient ensemble de la finition à la main. Un premier manteau pendait fièrement au crochet d'une porte et le deuxième prenait forme quand elles entendirent, provenant de l'extérieur où ils jouaient, les pleurs effrayés des enfants et les aboiements d'un chien.

– Mon Dieu Seigneur! s'exclama Malvina, le chien du bonhomme Langlois!

Les enfants pleuraient à fendre l'âme et le chien semblait avoir malmené la petite dont la jambière était trouée. Malvina la déshabilla à la hâte afin de s'assurer que la morsure n'avait pas atteint la chair. Il y avait plus de peur que de mal et, tandis que Malvina allait chercher des vêtements de rechange pour sa fille, Louisa aperçut une étrange marque sur la cuisse gauche de l'enfant. De taille et de forme, et en usant d'imagination, on pouvait la comparer à un citron. Une tache blanche, plus pâle que la peau. Louisa observait la tache sans pouvoir en détourner les yeux, comme obnubilée devant une apparition. Malvina revint avec les vêtements et commençait à rhabiller sa fille quand Louisa sortit de sa torpeur.

– La tache, là, sur la cuisse, qu'est-ce que c'est?

– Ça? Pas la moindre idée, répondit Malvina en haussant les épaules. Une tache de naissance, je suppose. Étrange quand même, tu trouves pas? Habituellement, une tache de naissance, c'est plutôt brun. Un caprice de la nature, faut croire. Tant mieux! Tu la vois avec une grosse tache brune sur la cuisse, le soir de ses noces?

Louisa s'efforça de rire avec Malvina, puis prétexta un mal de tête subit pour retourner chez elle. Elle devait cacher ses émotions, ne pas se trahir. Personne ne devait savoir! Un doute raisonnable planait dans l'esprit de Malvina, de Raoul et de Mathieu quant à la paternité de l'enfant, mais une certitude habitait maintenant Louisa. Raoul avait exactement la même tache de naissance, de la même taille, de la même forme et au même endroit. Une seule différence: la sienne était brune!

«Ce n'est pas avec Florence que les traditions risquent de se perdre», pensa Arthur en s'asseyant sur le bord du lit. Selon ses habitudes quotidiennes, il avait verrouillé les portes avant et arrière, remonté son horloge au salon, et il comptait à présent les coups de la neuvième heure au même rythme que la pendule.

Florence n'avait pas terminé sa besogne et devait, selon toute probabilité, faire tremper le linge des enfants pour la nuit, afin qu'il n'en reste aucune tache le lendemain. Rien n'échappait à sa vigilance, pensa-t-il encore avant de se replonger dans le souvenir de la matinée, au moment où le petit Charles lui avait demandé la bénédiction au nom de ses frères et sœurs, dans une formulation parfaite pour ses cinq ans. Oui, Florence était la gardienne des traditions, comme toutes les femmes, d'ailleurs. Pourquoi utilisait-on le terme de sexe faible en parlant d'elles? se demanda-t-il. «Elles sont taillées à même l'étoffe du pays, fortes, indestructibles.» Il éprouva soudainement un profond respect et une admiration sans borne pour la plupart de celles qu'il connaissait.

Sa toilette terminée, Florence pénétra dans la chambre, sa longue chevelure brune flottant sur son dos, et il la désira très fort. Il retint pourtant ses ardeurs, conscient des deux jours exténuants qui venaient de se terminer par un retour sur la glace vive en plusieurs endroits. Il se contenta de l'observer avec amour tandis qu'elle brossait ses cheveux.

– Quel beau jour de l'An nous avons eu, Arthur! Se retrouver en famille au milieu des nôtres, retrouver la chaleur de nos jeunes années. Il faut remercier Dieu de toutes ses bontés. Le remercier aussi de nous avoir permis de revenir sains et saufs malgré les routes de glace vive!

Comme à tous les soirs, ils s'agenouillèrent et récitèrent un Notre Père. Arthur aida ensuite Florence à se relever et la retint un moment dans ses bras.

– Je suis si heureuse de notre vie, Arthur.

Malgré sa résolution, les mains d'Arthur vagabondaient sur le corps de Florence. Comme elle n'offrait aucune résistance et émettait au contraire de légers soupirs de satisfaction, il la souleva dans ses bras, la déposa sur le lit et se promit de faire durer le plaisir de sa femme très longtemps. Était-ce la fatigue des derniers jours qui amenait plus d'abandon? L'habileté qu'il mettait à la contenter? Il eut l'impression qu'une excitation réelle habitait le corps de sa femme. Pourtant, malgré mille précautions, la même résistance refit surface au moment où il la pénétrait et, comme à chaque fois depuis le jour de leur mariage, il prit seul son plaisir.

Il l'entoura de ses bras, caressa ses cheveux et sentit malgré tout une certaine forme de satisfaction chez elle. Non pas celle qu'il espérait sans cesse, mais un bien-être réel, il en était convaincu. Une fois de plus, il aurait voulu poser des questions, savoir pourquoi elle offrait tant de résistance à la fin, mais il s'abstint pour ne rien gâcher. Le sommeil le gagnait quand Florence se releva d'un bond.

– J'allais oublier ma poche à souvenirs!

À peine l'entendit-il ramasser les précieux objets qu'elle entassait dans la poche, à peine eut-il conscience de son retour à ses côtés.

– Arthur! Arthur!

Sortait-il d'un profond sommeil? Il ne l'aurait pas juré. De toute façon, il n'eut pas le loisir d'approfondir la question car Florence avait crié son nom sur le ton du commandement et il y répondit presque instantanément. Une désagréable odeur flottait dans l'air.

– Occupe-toi des trois enfants! ordonna Florence en enfilant sa poche à souvenirs autour de son cou. Moi, je m'occupe des jumeaux! Sors-les immédiatement! Sans t'occuper de moi!

Tout se déroula très rapidement, même si Arthur ne trouvait pas à ses mouvements leur agilité habituelle. La peur envahissait son esprit. Les paroles de Florence, lancées durement et froidement, le galvanisèrent de nouveau et il arracha les trois petits corps de ses enfants à leurs lits, prenant les couvertures en même temps, conscient du froid de la nuit qui les attendait à l'extérieur. Puis, les trois enfants dans ses bras, il courut vers la porte sans se retourner, priant le ciel que sa femme soit déjà derrière lui. Il descendit les marches de l'escalier avec précaution, afin de ne pas entraîner les enfants dans une mauvaise chute. Parvenu en bas, il les confia aux premiers venus et remonta les marches à toute vitesse. Juste au moment où il arrivait en haut, Florence parut dans l'embrasure de la porte, les jumeaux dans ses bras, bien enveloppés dans leur couverture de laine. Il se pencha vers eux mais Florence le repoussa durement.

– Va chercher ton horloge! Fais vite! cria-t-elle avant de descendre.

Charles et Jeanne pleuraient dans les bras de deux voisines, tandis que le petit Gérard fixait la scène en silence, dans les bras d'une autre. Deux hommes s'élancèrent pour aider Arthur en le voyant sortir avec son horloge. Il avait eu le temps de prendre bottes et manteaux qui se trouvaient à l'entrée et s'employait maintenant à couvrir toute sa famille. Florence le laissa lui enfiler ses bottes mais ne voulut pas se séparer des petits pour passer les manches de son manteau et Arthur se contenta de l'ajuster sur ses épaules. C'est alors que, par mouvements saccadés, elle commença à bercer les jumeaux dans ses bras, le regard fixe.

La foule s'élargissait, se faisait bruyante. Quand les premières voitures de pompiers arrivèrent, le feu sortait déjà aux fenêtres de plusieurs logements. Il y eut soudainement un embrasement qui illumina la rue d'un coup, faisant reculer les chevaux dans un hennissement d'horreur. Les pompiers avaient du mal à les contrôler et lançaient des ordres à la ronde, sommant les gens de s'éloigner. Les bêtes aux yeux révulsés, dont les crinières semblaient flamber sous le brasier, retenaient toute l'attention d'Arthur qui ne pouvait plus supporter les mouvements désordonnés de Florence. Les battements de son cœur lui martelaient les tempes, sa gorge brûlait, tout comme si les flammes extérieures le pénétraient. Par un effort suprême de volonté, il s'arracha de sa torpeur, confia son horloge à un voisin, en trouva un autre qui possédait un cheval et une voiture et lui demanda de les conduire rue Querbes.

Le voyage se fit silencieusement jusque chez les Richard. Juste avant de descendre de voiture, le petit Gérard, qui n'avait encore jamais prononcé une seule parole, désigna les jumeaux en répétant à plusieurs reprises le mot «bébé». Arthur pensa que le pauvre enfant ne faisait décidément rien comme les autres et choisissait bien mal son moment pour s'approprier la parole. Ils furent accueillis à bras ouverts. En désignant sa femme à Zélia, Arthur mit un doigt sur sa bouche pour lui indiquer de ne pas poser de questions.

– Venez vous installer dans mon boudoir, Florence, pendant que nous organisons le coucher de chacun.

Elle la laissa entrer seule dans la pièce et referma la porte derrière elle. Bouleversée, elle s'appliqua à concentrer toute son énergie sur l'organisation des lits de fortune pour les enfants, dans la chambre des invités où un lit confortable pouvait accueillir le couple. M. Richard se révéla d'une grande efficacité et, une fois les enfants couchés, il prit Arthur par les épaules en le fixant droit dans les yeux.

– Qu'est-ce qui se passe avec Florence?

– Les jumeaux sont morts, répondit Arthur d'une voix à peine audible, les yeux exorbités par l'énormité de ce qu'il énonçait et qu'il avait refoulé jusque-là. Ils ont dû être asphyxiés, car il y avait plus de fumée du côté de leur chambre. Aidez-moi! Aidez-moi, tous les deux! On dirait qu'elle a perdu la raison!

– Il faut y aller tous les trois, dit Zélia, mais laissez-moi l'approcher et ne dites pas un mot!

Florence était restée debout au milieu du boudoir et continuait de bercer les enfants. Chacun put voir cependant que ses forces déclinaient, car les mouvements de ses bras se faisaient plus doux et plus espacés. Zélia s'approcha, fine comme une mouche, pensa son mari, s'arrêtant à deux pas d'elle.

– Il faut venir vous allonger, maintenant. Voulez-vous me confier les jumeaux, Florence?

Les larmes roulaient sur les joues de Zélia tandis qu'elle tendait les bras vers son amie. Florence la regarda, reconnut sa propre douleur au fond des yeux de Zélia et lui remit les jumeaux sans un mot. Elle jeta alors un œil morne sur sa poche à souvenirs qui pendait à son cou, haussa les épaules et se laissa entraîner vers la chambre. Molle et impassible, elle se laissa ensuite déshabiller par Arthur, comme si la vie l'eût quittée elle aussi.

Arthur entendait les pleurs étouffés de M. et Mme Richard et réprimait les siens au prix d'efforts surhumains. Florence fixait le plafond, les yeux secs. Arthur remonta la couverture jusqu'à son cou, s'allongea à ses côtés, incapable de toucher sa femme, pas même de l'effleurer, de peur qu'elle se mette à hurler. «"Je suis si heureuse de notre vie, Arthur", c'est bien ce qu'elle m'a murmuré, il y a quelques heures à peine, se dit-il. Je n'ai pas rêvé, ou alors c'est maintenant que je rêve et je vais vite sortir de ce cauchemar.» Il ferma les yeux un moment et espéra. Puis, lui qui avait connu la peur terrible de perdre sa femme au moment où elle allait chercher les jumeaux dans leur chambre, il connut une frayeur plus grande encore face au silence glacial de Florence.

Arthur n'allait jamais oublier la générosité de Raoul et de Louisa, qui avaient pris en main l'organisation entourant la mort des jumeaux. On les avait exposés chez eux durant trois jours et ils s'étaient occupés du service funèbre ainsi que de l'enterrement. Marie-Ange et Aimé allaient désormais reposer auprès d'Eugène et de Zoé, et Arthur en éprouvait un certain réconfort.

Adélaïde et Mathilde avaient pris Charles, Jeanne et Gérard en charge, tandis que Cléophas n'avait plus quitté Florence, s'asseyant à ses côtés sans un mot, la forçant à manger à chaque repas. Il avait pour elle une patience et une douceur d'ange. Arthur avait fait la navette entre les deux familles durant ces pénibles journées, désespéré que sa femme ne l'accompagne pas pour voir les petits corps exposés, n'assiste pas à la cérémonie religieuse et ne vienne pas les accompagner au cimetière en leur demeure finale.

Suivant les conseils des femmes, et sur ce point elles étaient unanimes, il avait réitéré ses demandes à chaque jour pour tenter de la garder en contact avec la réalité, mais n'avait pas insisté outre mesure. La divergence d'opinions des femmes se situait précisément au niveau de l'insistance. Florence ne parlait plus, mangeait à peine et dormait beaucoup, ce qui, selon certaines, lui permettait d'embrouiller les journées les plus atroces dans le réconfort d'un sommeil réparateur. Ainsi donc, Arthur ne devait pas trop insister pour que Florence l'accompagne. Selon les autres, il fallait au contraire insister beaucoup plus, afin qu'elle cesse de se cacher la réalité en utilisant le sommeil comme échappatoire. Ces discussions occupaient les femmes et les détournaient de la tragédie. Aucune d'elles ne désirait vraiment gagner son point mais chacune tentait d'oublier que personne n'était à l'abri du malheur.

Arrivée avec son mari le matin de l'enterrement, Zélia offrit de rester avec Florence à la maison. Chacun trouva finalement que c'était la meilleure solution. La maison se vida et les deux femmes se retrouvèrent seules. Zélia fit du thé bien fort, en servit deux tasses et s'installa aux côtés de Florence qui se berçait près du poêle.

– C'est un thé bien fort. Pour vous réveiller, Florence. Buvez!

Florence ne connaissait pas cette voix à son amie, la douce Zélia. Elle sortit légèrement de sa torpeur et avala quelques gorgées chaudes et amères.

– Les jumeaux sont morts, Florence, et la triste réalité, pour vous, c'est que la vie continue malgré tout. La terre ne s'est pas arrêtée de tourner et Charles, Jeanne et Gérard sont bien vivants, eux. Il faut maintenant vous ressaisir, apprendre à vivre avec votre douleur, coûte que coûte !

– Faire semblant ? prononça faiblement Florence.

– Oui, faire semblant, s'il le faut. C'est déjà un début. La vie vous rattrapera plus tard, mais, en attendant, faites semblant, si c'est là votre seule porte de sortie.

– Faire semblant de quoi, Zélia ?

– Faire semblant de vivre malgré tout. Faire les lits, le ménage, faire à manger, vous occuper des enfants. Faire à chaque jour comme si de rien n'était et peut-être prier deux petits anges de vous venir en aide de là-haut.

Zélia se releva, ajouta une bûche au poêle, resservit du thé, remonta le châle de Florence sur ses épaules et se rassit.

– Le mois dernier, j'ai hérité d'une vieille tante de Victoriaville. Une maison toute meublée et un peu d'argent. Les meubles sont à votre disposition. Hier, mon mari a trouvé un logement pour vous, très grand, bien éclairé, tout près de chez nous. Vous voyez bien que la terre continue de tourner, que vous êtes aimée et choyée malgré l'épreuve qui vous semble présentement insurmontable.

Florence serra le châle autour de ses épaules et appuya sa tête au dossier de la chaise berçante.

– Je sais ce que vous pensez, Florence, même si ce sont là des pensées inavouables. J'aurais les mêmes si j'étais à votre place. Pourtant, j'aimerais qu'on me secoue et qu'on m'arrache ces pensées affreuses. Vous donneriez tout pour retrouver les jumeaux, tout ! Les biens matériels, il va sans dire, mais, cruellement, vous échangeriez leurs vies contre celles de tous les êtres de votre entourage, si c'était possible. C'est cela, Florence, qui est inacceptable.

Florence ferma les yeux et acquiesça d'un léger signe de tête. Zélia pensa alors qu'elle revenait lentement à la réalité, ferma les yeux à son tour, puis, elle qui ne priait plus depuis si longtemps, pria Marie-Ange et Aimé de veiller sur leur mère.

La vie avait repris son cours mais n'avait pas encore rattrapé Florence. Elle faisait semblant, tant bien que mal, sans parvenir à accomplir seule ses tâches familiales. Une année s'était écoulée, lui glissant sur le dos comme l'eau sur celui d'un canard, sans qu'elle réalise qu'elle avait survécu, sans qu'elle retienne un événement en particulier. La belle Mathilde avait subi une deuxième fausse couche, était retombée enceinte aussitôt et avait finalement accouché d'un gros garçon. Rose-Aimée avait perdu son mari une semaine après l'arrivée du cinquième enfant de Louis et d'Hortense, et, plus près d'elle, son amie Zélia courait après son souffle tel un petit oiseau en bout de course. Elle savait tout cela mais l'enregistrait sans plus s'y attarder.

Adélaïde venait, passait plusieurs jours auprès de Florence, puis repartait la mort dans l'âme. Zélia lui rendait visite tous les après-midi, dispensait largement son attention et son affection aux enfants, les berçant, les cajolant, leur racontant des histoires. Arthur faisait de son mieux et souffrait en silence. Il ne connaissait plus le corps de sa femme et se sentait exclu de sa douleur. Quand le désir le gagnait, il s'en voulait, se méprisait, se reprenait à chaque fois en se convainquant qu'une année de malheur à absorber le choc d'un deuil, une année de privations sexuelles représentait une goutte d'eau dans le vase de leur amour. Sa Florence lumineuse s'était momentanément éteinte mais elle allait renaître bientôt, s'encourageait-il inlassablement. Elle avait beaucoup maigri, ses cheveux grisonnaient prématurément, mais rien de tout cela pourtant ne pouvait empêcher Arthur de la considérer comme la plus belle femme du monde et il pensait qu'une seule étincelle suffirait à l'enflammer de nouveau.

Certains jours, Florence s'activait plus que de coutume, entreprenait de nouvelles tâches, et son entourage se prenait à espérer. Cela ne durait jamais bien longtemps et une période d'abattement suivait en général ses tentatives de retour à la vie normale. Si Adélaïde ne se trouvait pas à la maison durant ces périodes d'abattement, Arthur devait s'empresser de l'envoyer chercher.

En cette fin d'après-midi du lendemain de l'Épiphanie, où une neige folle tombait sur la ville, Florence semblait calme et observait Zélia qui tressait les cheveux de Jeanne. Sagement assise sur le bout d'une chaise, elle tripotait une enveloppe entre ses mains.

– Vous avez reçu une lettre, Florence? Tandis que je suis ici, pourquoi n'en profitez-vous pas pour aller la lire en paix dans votre chambre?

Florence ne se fit pas prier mais ne se hâta pas non plus, comme si cette action en valait une autre, sans plus. Elle se retira dans sa chambre et ouvrit l'enveloppe.

Sainte-Dorothée, 2 janvier 1906.

Ma très chère Florence,

J'ai tout laissé de côté pour venir passer un moment avec toi en pensée. Ma belle-mère s'occupe d'habiller les enfants pour qu'ils aillent jouer dehors, en espérant que ça calmera leurs ardeurs. La période des fêtes les rend plus dissipés qu'à l'accoutumée, ce qui n'est pas peu dire! J'ai demandé à Louis de les aider à faire un gros bonhomme de neige, afin de lui changer les idées et de lui aérer le cerveau par la même occasion. Depuis la mort de son père, il erre dans la maison comme une âme en peine et se ronge les sangs à penser qu'il est désormais tout fin seul à porter la responsabilité familiale. Sa mère et moi avons beau lui seriner sur tous les tons qu'il n'a qu'à prendre un employé responsable à ses côtés, rien n'y fait! Il s'entête à se désespérer sur la mort de son père, sans se préoccuper de la présence de ceux qui l'aiment et sont bien vivants, eux! Il faudra bien qu'il se fasse une raison tôt ou tard, mais en attendant la vie n'est pas des plus roses à ses côtés. Quant à Rose-Aimée, elle est comme toujours étonnante de ressources et survit bien à la mort de son mari. Une vraie force de la nature, de qui Louis devrait prendre exemple.

Et toi, ma chère amie, comment vas-tu? Il m'arrive souvent de prier tes petits anges afin qu'ils t'envoient la force nécessaire pour reprendre goût à la vie. En cette journée anniversaire de leur tragique disparition, je suis avec toi plus que jamais.

Tu peux toujours compter sur moi, je tenais à te l'écrire noir sur blanc. Tu peux tout me demander, n'importe quel service. Rien ne me ferait plus plaisir que de te venir en aide. Si jamais tu as besoin de quoi que ce soit, n'hésite pas! À part de te donner la lune, je peux tout faire pour toi, ma chère Florence.

Pourquoi faut-il que nous soyons si loin l'une de l'autre et avec tant de responsabilités que nous ne pouvons pas nous soutenir de façon plus tangible? Dieu seul le sait, qui nous envoie parfois des épreuves terribles et nous demande un dépassement presque au-dessus de nos forces. J'ai bien dit «presque», tu l'auras remarqué, car il paraît qu'Il choisit les épreuves en fonction des forces de chacun. Les tiennes sont immenses, ma douce amie, et c'est par la prière que tu parviendras à les retrouver. En attendant ce jour, je prie pour deux et je te tiens bien au chaud sur mon cœur.

Avec mon affection la plus sincère,

Hortense.

P.-S. Dans la prochaine, je te parlerai de la petite dernière qui gruge toutes mes énergies. Souhaite-moi seulement que je puisse l'allaiter très longtemps. Je ne pourrais pas supporter de repartir pour la famille trop vite, avec mon Louis qui se conduit comme un enfant! Un petit mot de toi me ferait le plus grand bien, si tu le peux. Si tu n'y arrives pas encore, je comprendrai, va!

La lettre entre les mains, Florence resta songeuse un long moment, puis la rangea avec les autres dans le deuxième tiroir de la coiffeuse, presque identique à la sienne et qui faisait partie des meubles de l'héritage de Zélia.

Tandis que Florence s'était isolée pour lire se lettre, Zélia avait terminé les tresses de Jeanne par de jolis rubans blancs dont l'enfant semblait très fière, et, le petit Gérard sur les genoux, elle fredonnait à présent *Frère Jacques*, s'arrêtant au bout de chaque phrase pour lui permettre de la reprendre avec elle. Toute à la joie de son succès, elle éclata d'un beau rire, puis s'arrêta net en apercevant Florence dans l'embrasure de la porte, l'air grave, les lèvres pincées, comme si elle venait de recevoir de mauvaises nouvelles.

– Est-ce que vous priez, Zélia?

– Oui.

– Ça vous aide?

– Je ne le fais pas pour moi. Je le fais pour les autres.

– Ça aide les autres?

Zélia ne voulait pas lui avouer qu'elle avait repris la prière depuis un an seulement et qu'elle priait uniquement pour elle. Elle se sentait infiniment mal à l'aise face au regard pénétrant de Florence et ne savait pas quoi lui répondre, trop prise au dépourvu par l'incongruité du moment.

– C'est pour moi que vous priez?

– Oui.

– Tout le monde a l'air de prier pour moi, ces temps-ci. Pourtant, je ne vois pas ce que ça donne. Des prières inutiles, jetées à l'eau comme des sous noirs dans une fontaine.

Zélia se sentit si lasse tout à coup, si démunie et si triste, qu'elle déposa le petit Gérard au milieu des jouets et se dirigea vers la patère où pendait son manteau. Elle s'habilla et sortit aussitôt, sans un mot, sans un regard pour Florence.

⚜

Les mains de Zélia tremblaient légèrement en ouvrant le carnet de cuir rouge. En fouillant dans le veston de son mari, elle avait espéré ne pas le trouver et avait senti son cœur se resserrer en mettant la main dessus, toujours au même endroit, toujours le même genre de carnet année après année. Bien du temps s'était écoulé avant qu'elle repose ce geste familier. Ce soir-là, pourtant, la tentation l'avait emporté sur la raison. Lasse et désabusée, ne sachant plus quoi faire de son corps, se sentant inutile et impuissante, elle avait instinctivement repris ses anciennes habitudes. Elle le feuilleta rapidement et s'arrêta sur la pensée à l'ordre du jour: «Avec moi s'achève une branche de la lignée des Richard.

Puissent mes ancêtres me pardonner, car ce n'est pas faute d'avoir essayé de les honorer.»

La souffrance reprit confortablement sa place et ses droits, telle une vieille paire de pantoufles retrouvées. La culpabilité l'enveloppa de nouveau et elle s'en délecta presque, comparant son corps à un pruneau desséché. «Incapable d'enfanter comme une vraie femme, pensa-t-elle, responsable de la lignée des Richard qui s'éteint dans la branche qui m'est la plus précieuse.»

Elle relut les deux phrases et s'attarda sur les derniers mots: «pas faute d'avoir essayé». Ces mots lui martelaient la tête à grands coups de soupçons. Elle s'en voulut d'avoir succombé à la tentation d'ouvrir le carnet de cuir rouge et de fouiller sans pudeur les pensées intimes de son mari. «Ne pas laisser la folle du logis s'emparer de mon esprit», se dit-elle, et, tout comme si son esprit répondait à sa demande en lui offrant une diversion, elle en voulut soudainement très fort à Florence. «Elle a tout pour elle, tout! La jeunesse, la beauté, trois enfants en santé, un mari qui l'adore, et, pendant ce temps, que fait-elle? Elle se regarde le nombril!» Zélia ressentit aussitôt la honte l'envahir. «Qui suis-je pour juger mon prochain? Du degré et de la durée de sa peine? Qui suis-je pour soupçonner mon mari? Je ne dois plus ouvrir ce carnet maudit!» Son regard se porta alors sur la photographie des jumeaux, prise un mois avant leur décès. Elle se releva de son fauteuil et la fit disparaître au fond d'un tiroir du secrétaire. «Des prières inutiles, jetées à l'eau comme des sous noirs dans une fontaine, voilà ce qu'a dit votre mère, aujourd'hui. À vous de décider si elle a tort ou raison!»

En entrant dans la chambre, Zélia trouva son mari endormi. Elle s'étendit à ses côtés, scruta son visage un long moment, se demandant malgré elle si le «pas faute d'avoir essayé» s'appliquait uniquement à elle ou à d'autres, puis, lasse de chercher en vain sur ses traits un quelconque indice d'infidélité, elle appuya sa tête contre son épaule, ferma les yeux et rêva qu'il n'aimait qu'elle et n'avait jamais aimé personne d'autre, pas même la très belle Élodie de sa jeunesse.

V

La neige s'engouffrait par bourrasques dans la rue Saint-Jacques où se formaient de redoutables tourbillons blancs, masquant les édifices par à-coups, forçant les piétons à se courber sous les rafales.

Face au vent, luttant contre la tempête pas à pas, Arthur savait qu'il était fort en retard. À deux pas devant lui, une femme trébucha. En parfait gentleman, il s'empressa de la relever, reconnaissant Charlotte du même coup. Le froid le mordait jusqu'aux os, mais il ressentit à son contact une chaleur étourdissante et la tint serrée contre lui jusqu'à la porte du magasin.

À part Charlotte, qui habitait tout près de son lieu de travail, tous les employés arrivèrent en retard. L'avant-midi fut des plus calme car seuls deux clients avaient osé braver la tempête. À l'heure du midi, les employés se retrouvaient au troisième étage où une pièce leur était réservée pour manger et se reposer. L'ensemble du personnel, séparé en deux groupes, profitait de la pause du midi selon une rotation de deux heures. Charlotte faisait partie du premier groupe et Arthur du deuxième. Il en avait décidé ainsi au moment de leur rupture afin d'éviter le plus possible les contacts entre eux. Ce jour-là, pourtant, il monta avec le premier groupe et ne trouva pas Charlotte à la salle commune. Il revint sur ses pas et s'arrêta devant la porte de son bureau.

– Monsieur Richard est déjà parti ? lui demanda-t-il en guise d'introduction, plus ou moins conscient de son envie de se retrouver avec elle.

M. Richard ne dînait jamais avec les employés, question de garder ses distances avec eux et aussi parce qu'il aimait se retrouver au restaurant pour rencontrer des connaissances ou des gens d'affaires qui devenaient pour lui des clients potentiels.

– Il est parti un peu plus tôt que de coutume.

Arthur hésitait devant la porte de Charlotte, le sac à lunch au bout du bras. Elle ressentit son embarras.

– Il y a si longtemps que je n'ai plus de nouvelles de votre famille, monsieur Grand-Maison. On pourrait peut-être manger ici, dans mon bureau, et profiter de l'heure du dîner pour jaser un peu ?

Arthur ne se fit pas prier et entra. Charlotte nota cependant qu'il avait laissé la porte toute grande ouverte. Ils mangèrent, parlèrent de tout, en passant par les finesses des enfants d'Arthur jusqu'aux nouveaux cours de couture de Charlotte, mais n'évoquèrent pas de choses importantes, surtout celles les concernant personnellement. Pourtant, quand Arthur se passa machinalement la main dans les cheveux, Charlotte sentit son corps s'alourdir et elle s'appliqua de son mieux à cacher son émoi. Ce geste d'Arthur, qu'elle affectionnait particulièrement, la chavira comme aux premiers jours de leurs rencontres secrètes et lui donna la pleine mesure de son désir, sagement enfoui au fond d'elle-même mais constamment présent. La maturité embellit les hommes, soupira-t-elle intérieurement sous l'intensité du regard noir qu'elle ne parvenait plus à soutenir.

Juste à la fin du repas, alors que chacun avait épuisé sa ration de nouvelles anodines, Charlotte se pencha vers Arthur et lui dit, en baissant la voix pour ne pas être entendue à l'extérieur du bureau :

– Tu n'es plus tout à fait le même, depuis un an. Je mettrais ma main au feu que ce changement ne s'explique pas seulement par la mort de tes jumeaux. Si jamais tu ressens le besoin de parler, je suis toujours là pour toi.

Depuis deux jours, Adélaïde était revenue s'installer auprès de Florence et s'inquiétait de l'absence de Zélia.

– Elle venait pourtant tous les après-midi, dit-elle à Florence. Est-elle malade ?

Florence ne répondit pas, mais écrivit un petit mot qu'elle demanda à Charles d'aller porter à sa marraine. «Si je vous ai offensée, écrivait-elle, pardonnez-moi. Votre présence m'est indispensable. Votre amie Florence.»

Zélia arriva une heure plus tard et, sans qu'un mot ne soit dit, Adélaïde comprit que Florence avait dû la blesser. Elle chouchouta donc Zélia de son mieux, afin de lui faire oublier le mal causé par sa fille et aussi, dût-elle s'avouer, pour s'assurer qu'elle revienne et soutienne Florence durant ses absences. Zélia le comprit ainsi et ne s'en offusqua pas, trop heureuse de se faire dorloter.

– Avec toute cette belle neige qui nous est tombée dessus, vous devriez aller prendre une grande marche. Pâlichonnes comme vous l'êtes, toutes les deux, ça vous fera pas de tort !

Florence hésita, mais finit par céder sous la pression muette du regard de Zélia. Bien emmitouflées, les deux femmes longèrent le parc où les arbres scintillaient de mille feux, comme si des parcelles de diamant se balançaient aux branches. La dernière tempête avait laissé une épaisse bordée de neige qui crissait à présent sous leurs bottes. Le soleil dardait si fort qu'elles plissaient les yeux sous la réverbération, aveuglées. L'air était doux, le ciel sans nuage, et le cœur de Florence s'accorda à la nature, se laissa fléchir sensiblement.

– Vous m'en voulez beaucoup, Zélia ?

– Je vous en veux de me faire sentir inutile.

– Si vous saviez, au contraire, ce que vous m'apportez.

– Ma présence vous est rassurante, je sais. Mais en quoi vous ai-je aidée durant toute cette année ? Et sur qui d'autre que vous-même vous êtes-vous penchée durant tout ce temps ?

– Vous ne pouvez pas comprendre.

– Parce que je n'ai pas d'enfant ? C'est bien cela, Florence ? Comment pouvez-vous, de votre côté, comprendre ma douleur de ne pas avoir d'enfant ? La douleur de ne pas offrir un fils à mon mari, afin de perpétuer son nom ?

– C'est comme un grand trou, Zélia. Un grand trou au milieu de la poitrine. Comment vous expliquer ? Un vrai trou ! Qui fait mal pour vrai ! Pas juste dans la tête ou dans le cœur, dans le corps aussi. Certains jours, j'ai l'impression qu'il suffirait d'y entrer ma main et de me sortir le cœur tout simplement, mais une bonne fois pour toutes !

Les deux femmes poursuivaient leur marche et leur dialogue de sourds.

– Que savez-vous de moi ? reprit Zélia. Quand vous êtes-vous donné la peine de me poser des questions ? De tenter de savoir quoi que ce soit sur mon compte ?

– Parfois, j'ai si mal que j'ai peur de voir ma tête éclater. Pourtant, c'est au plus fort de ce mal que tout s'arrête. Plus rien ne me touche, plus rien ne m'affecte, comme si je n'avais plus de sentiment. Je me sens alors devenir toute froide, au-dedans comme au-dehors.

– J'ai toujours voulu vous raconter l'histoire du grand amour de mon mari. Ça s'est passé deux ans avant notre mariage. L'histoire d'Élodie. Sa cousine, la très belle Élodie. Vous entendez ? Même son nom, quand on le prononce, sonne à la manière d'une mélodie. Comment se battre contre une Élodie-Mélodie qui entre au Carmel et laisse une déchirure dans le cœur de l'homme qu'on aime ? Comment peut-on être assez naïve pour croire qu'on mettra tant de baume sur ce cœur qu'il en oubliera jusqu'à son souvenir ? Et comment survit-on au fait que tous les soirs ces deux êtres se rejoignent par la prière ? La même prière exactement, à la même heure. Comment survit-on au fait que son mari inscrive sa peine, jour après jour, dans un carnet de cuir rouge ? Qu'il inscrive son désespoir de n'avoir pas même la consolation d'un descendant. Comment fait-on pour garder le goût de vivre, quand cet homme y indique peut-être son infidélité ?

L'étrange son qu'émettait le crissement de leurs bottes sur la neige agaça Zélia. Un moineau siffla sur une branche tandis qu'au loin les rumeurs de la ville se répercutaient en murmures étouffés.

– J'ai froid, Zélia. Je voudrais rentrer.

Cléophas arriva très tôt le dimanche. Adélaïde lui manquait et il s'inquiétait pour elle, considérant qu'elle n'était plus en âge d'élever une famille. Il arriva très tôt parce qu'il avait l'intention de parler à Florence, de lui indiquer clairement qu'il ramenait sa femme pour de bon et qu'il était grand temps pour elle de se reprendre en main. Il arriva très tôt mais ne trouva pourtant pas Arthur à la maison.

– Le pauvre homme a le teint jaune, les traits tirés. Je lui ai conseillé de prendre la journée pour se changer les idées. Ça fait un an que ça dure, Cléophas, tu te rends compte ? Depuis un an, Arthur n'a jamais eu un moment de répit pour lui !

– Tu as bien fait, ma belle Adélaïde. De toute façon, je veux parler avec Florence aujourd'hui même. L'absence d'Arthur me permettra d'attendre le moment propice.

Adélaïde se doutait de ce que Cléophas voulait dire à Florence et elle jugea que le moment était venu pour sa fille d'entendre un autre son de cloche que le sien. Elle décida donc de ne pas intervenir. Après le dîner, elle habilla les enfants et partit en promenade avec eux, laissant ainsi toute latitude à son mari pour faire revenir leur fille à la raison.

La joue appuyée contre la vitre d'une fenêtre de la cuisine, Florence fixait sans les voir deux moineaux se disputant un croûton gelé. «Florence fixe le néant», se disait Cléophas en l'observant. Il pensa qu'il était difficile, pour un homme de la terre, de rejoindre sa fille dans le néant. Il voulut adresser une prière à saint Joseph, son saint préféré, un homme aux mains caleuses qui avait dû trimer dur pour gagner le pain quotidien de Marie et de Jésus, mais Florence ne lui en laissa pas le loisir.

– C'est pour vous permettre de me parler que maman a fait maison nette ?

– C'est en plein ça, ma fille.

«Ne pas me laisser devancer par elle, se dit Cléophas, jouer cartes sur table, jouer dur et franc.»

– J'ai l'intention de ramener ta mère à la maison pour de bon. Je te demande de la convaincre que tu peux te passer d'elle. Sinon, tu la connais, elle va vouloir revenir au bout de quelques jours. Ta mère a passé l'âge d'élever une famille et je me fais du souci pour elle. J'ai peur qu'elle tombe malade à travailler trop fort et à s'arracher le cœur à force de te voir dépérir. Ta mère aussi a connu son lot de chagrin en perdant des enfants. Quatre en tout, dont trois d'un seul coup! Pourtant, ça l'a pas empêché de s'occuper de ceux qui restaient. Ni de vous, ni de moi! Je l'ai souvent trouvée en pleurs. C'était pas grave, parce qu'elle acceptait mes bras pour pleurer et ça me permettait de pleurer avec elle. Pas des gros sanglots comme elle, non, mais des larmes qui me faisaient du bien.

Cléophas avait une boule dans la gorge qui l'empêchait de continuer.

– Vous avez bien fait de me parler. Je suis reconnaissante d'avoir un père et une mère aussi généreux. Je vais vous le prouver en faisant une femme de moi. Craignez pas, je vais me reprendre en main, le temps de le dire!

Sur-le-champ, pleine de bonne volonté, Florence démontra à son père qu'elle pouvait reprendre les guides et s'activa à préparer un gâteau.

– Un gâteau au chocolat! Votre préféré!

Cléophas ne demandait pas mieux que d'y croire. Il s'installa confortablement au salon, l'âme en paix, et s'offrit un roupillon.

⚜

Arthur s'était dirigé vers l'église dès sa sortie de la maison. S'il allait entendre la messe avant toute chose, se disait-il, il pourrait ensuite profiter pleinement de sa journée de liberté. Il passa pourtant devant l'église sans s'arrêter et poursuivit sa route en se disant cette fois que la matinée était trop belle pour s'enfermer tout de suite. Il assisterait à la dernière messe, décida-t-il en respirant à grandes goulées, comme si on l'avait privé d'air depuis des lustres.

Il allait d'un bon pas, sans se soucier de la direction qu'il prenait, heureux de marcher sans but, juste pour le plaisir de marcher. Il se retrouva rue Saint-Jacques en riant de lui-même, se comparant à un vieux cheval qui aurait fait un long trajet sans guide mais qui, trop habitué d'emprunter le même chemin tous les jours, n'aurait pas eu l'idée d'en changer. Cependant, il ne prit pas la direction du magasin, bifurqua vers la rue Saint-Pierre et se retrouva, cinq minutes plus tard, face à la demeure de Charlotte. Il se demanda cette fois s'il n'avait pas su, dès son premier moment de liberté, qu'il y viendrait. Il monta les marches qui conduisaient au deuxième étage sans plus se questionner. Il allait enfin parler à quelqu'un, soulever le couvercle de la marmite avant que tout éclate, se disait-il, sans compter que les conseils de Charlotte lui seraient précieux et lui donneraient le courage de patienter encore.

Charlotte lui ouvrit sans paraître surprise le moins du monde. Arthur aima la transformation de son salon et apprécia le whisky qu'elle lui offrit malgré l'heure précoce. Un fumet de rôti de porc embaumait l'appartement et il se plut à imaginer que des patates jaunes, cuites à même le bouillon, l'accompagneraient. Ils parlèrent de tout et de rien, tenant le même genre de conversation qu'ils avaient eue quelques jours auparavant, puis passèrent à table. Arthur savoura chaque bouchée et, à l'encontre de ses habitudes, se laissa resservir une assiettée imposante, dans laquelle dominaient les patates bien dorées.

– Si on passait au salon, Arthur ? Pour prendre le thé et prendre le temps de se raconter des histoires moins drôles ?

Arthur ne demandait pas mieux et déballa son sac d'un coup. Les mots sortaient d'abord pêle-mêle, sans queue ni tête pour l'entendement de Charlotte. Elle le laissa tout de même parler sans l'interrompre et lui donna la chance de se vider le cœur. Petit à petit, Arthur organisa mieux sa pensée, mit le doigt sur sa peine immense et pleura. Il pleura d'abord la mort des jumeaux, comme s'il venait tout juste de les perdre, exprima ensuite sa rancœur contre Florence et pleura à nouveau sur l'isolement dans lequel elle le maintenait.

– Comme si j'étais devenu un meuble ou un objet quelconque, rien de plus !

Arthur pleurait de rage, de désespoir. Charlotte, se souvenant du soir où il l'avait consolée, le prit dans ses bras, caressa tendrement l'épaisse chevelure noire et lui murmura des paroles réconfortantes. Tout en pleurant, Arthur respirait l'odeur femelle qui se dégageait du cou de Charlotte. Ses pleurs cessèrent, sa respiration se fit de plus en plus haletante, et le rythme cardiaque de Charlotte augmenta à mesure que des mains habiles la palpaient. Ils se dévêtirent à la hâte, en gémissant, avides de se toucher, de retrouver le contact d'une peau chaude, palpitante.

Ils se prirent et se reprirent sans compter, affamés, insatiables, passant de l'amour tendre à la passion débridée, puis s'endormirent exténués. Au bout d'une heure, Arthur s'éveilla en sursaut. En ouvrant les yeux, Charlotte le trouva assis à ses côtés, tout habillé, l'air infiniment triste.

– Je n'avais pas le droit de te faire ça, ma douce Charlotte. Je n'avais pas le droit et pourtant je l'ai fait. Je l'ai fait!

– Qui te parle de droit ou d'offense, Arthur? Ces choses-là arrivent et ne s'expliquent pas. Je t'en prie, ne gâche pas un tel moment par une culpabilité inutile. Nous avons uni nos deux solitudes, le temps d'un bel après-midi de janvier, voilà tout!

Sur le chemin du retour, Arthur se culpabilisa et se déculpabilisa à plusieurs reprises. Il aimait Florence par-dessus tout et soudainement, au contact de l'air vif et piquant de la fin du jour, il ne comprenait plus sa faiblesse. Il enragea en pensant à la confession qui l'attendait, infidélité grave et manquement à la messe dominicale, et se dit que pour un homme qui ne trouvait pas facilement de péchés dont s'accuser, il s'était bien repris! Le souffle coupé, il pensa tout à coup au regard de Florence posé sur lui et eut peur qu'elle lise la vérité sur son visage, avant même qu'il enlève son manteau. Puis, froidement, il se rappela que Florence ne posait jamais plus sur lui ses yeux autrefois lumineux.

En longeant le parc, où des ombres dansaient sous les réverbères, disparaissant par magie à mesure qu'un souffle de vent soulevait la neige en spirales, Arthur retrouva son calme et une audace nouvelle s'empara de lui. «Ces fameuses actions en Bourse, à propos desquelles j'hésitais, je les achète demain. Advienne que pourra! lança-t-il tout haut. Si tout marche comme je l'espère, nous serons riches et Florence choisira elle-même notre grande maison.» Arrivé chez lui, il monta les marches deux par deux, tout ragaillardi.

～✦✿✧✦～

Il n'y avait pas âme qui vive pour se souvenir d'un mois de février aussi détestable. Peu de neige, un froid de loup constant et une humidité à ronger les os. Le mois le plus court passa cette année-là pour le plus long, tant et si bien qu'Arthur prit quelques fois le tramway pour se rendre à son travail. Comme il se l'était promis, il avait acheté les actions convoitées et espérait à présent un revirement important dans les mois à venir.

Florence avait repris seule la charge de sa famille et parvenait à s'occuper convenablement de l'ordinaire et des enfants. Malgré cette nette amélioration, Arthur savait qu'un long chemin d'acceptation lui restait à parcourir. Une partie d'elle-même se refusait encore à la vie et la douce Zélia ne se sentait plus la force de l'aider à remonter la pente, car elle-même se laissait tranquillement glisser dans la désespérance. Elle languissait de longues heures dans son boudoir, un livre ouvert ou un tricot inachevé sur les genoux, la tête dans les nuages.

À la fin de ce mois interminable, Charlotte Labonté pensa que le ciel lui tombait sur la tête. Après avoir nié tous les symptômes, le médecin lui confirma son état et elle dut se rendre à l'évidence qu'elle était bel et bien enceinte. Toutes les questions du monde, y compris les: «Pourquoi maintenant? pourquoi à mon âge? dans ma condition?» y passèrent. Les prières pour qu'un miracle survienne et la délivre enfin de ce cauchemar ne changèrent pas non plus sa triste réalité. Elle se donna jusqu'à la fin du mois de mars pour réfléchir et espérer, contre toute attente, la libération que lui apporterait une fausse couche.

Mars fit son entrée dans le calendrier par une tempête spectaculaire, réanimant la ville et les êtres qui la peuplaient. La Bourse de Montréal en ressentit les effets et Arthur en profita plus que bien d'autres. Il avait vu juste et ses calculs le trompèrent sur un seul point: il venait de faire fortune! «La chance sourit aux audacieux» devint son leitmotiv. Il sollicita une rencontre spéciale auprès de M. Richard, qui le reçut dans son bureau du troisième, une heure plus tard.

— Vous avez l'air bien mystérieux, Arthur, et quelque peu fébrile. Que se passe-t-il?

Arthur lui raconta sa chance inouïe, lui parla de la grande maison qu'il rêvait d'acheter pour Florence et lui demanda conseil sur des placements à faire, sans mentionner le montant de sa fortune.

— Si je sais lire entre les lignes, j'imagine que vous êtes maintenant en mesure de réaliser plus d'un rêve. L'établissement Max Beauvais pourrait-il, par hasard, vous intéresser?

— C'est à voir, répondit Arthur sur le ton de celui qui veut bien se pencher sur la question, sans se jeter pour autant tête baissée dans l'affaire.

— Ma femme m'inquiète, Arthur. Je me sens trop jeune encore pour abandonner mon entreprise, et pourtant il me semble qu'un changement radical lui ferait le plus grand bien. C'est à tout le moins l'avis de son médecin. Donnez-moi un peu de temps pour réfléchir à tout cela avant d'entreprendre quelque démarche que ce soit. Vous voulez bien?

Arthur allait quitter le bureau, plus que satisfait de la tournure des événements, quand M. Richard le rappela. Devant l'air déconfit de son patron, Arthur se rassit. M. Richard sortit les cigares et le porto, peu pressé, semblait-il, de parler.

— Je sais que vous venez de passer une année très difficile. Ma femme ne me parle guère de ces choses-là mais certains signes ne trompent pas et je crois que votre femme n'est pas encore tout à fait remise de la perte des jumeaux. Je me trompe?

— C'est malheureusement exact, monsieur Richard.

— Voyez-vous, Arthur, il arrive parfois dans la vie qu'on soit obligé de demander l'aide des autres. Quand on n'y est pas habitué, cela devient un exercice très difficile. Ce que j'essaie de vous dire, Arthur, c'est que j'ai besoin de votre aide.

– Vous pouvez tout me demander, monsieur Richard. Tout! Je serai l'homme le plus heureux du monde, si je peux vous aider en quoi que ce soit.

M. Richard ressentit la sincérité d'Arthur et en fut profondément touché. Il remplit les verres de nouveau et but le sien d'un trait.

– En fait, c'est de l'aide de votre femme dont j'ai besoin. Cependant, je me vois mal la lui demander moi-même. Je vous prie donc de me servir d'intermédiaire, mon cher Arthur.

– Qu'attendez-vous de Florence?

– Je crois savoir que ma femme s'est beaucoup occupée d'elle depuis un an. Je ne sais pas ce qui s'est passé mais elles ne se voient plus guère, me semble-t-il, et mon épouse, sans me l'avouer, en est très affectée. Croyez-vous que Florence, même si elle n'est pas remise complètement de son malheur, pourrait à son tour s'occuper de son amie?

Arthur en eut le souffle coupé. Il n'avait rien vu! Lui qui se croyait si perspicace! À son tour il avala son verre d'un trait. M. Richard avait dit les choses finement, mais le reproche était tangible et Arthur éprouva pour la première fois de sa vie un énorme malaise quant à la conduite de sa femme.

– Me permettez-vous de lui transmettre vos paroles avec exactitude? Elles contiennent la juste dose de reproches nécessaire à une saine réaction.

– Je m'excuse de ces reproches voilés, Arthur, mais si vous croyez qu'ils la feront réagir, je ne demande pas mieux. Je m'excuse de vous mettre dans cet embarras.

– Je vous en prie, ne vous excusez pas. Au contraire, en voulant aider votre femme, peut-être allez-vous grandement aider la mienne du même coup.

Les deux hommes se quittèrent maladroitement, peu habitués à ce genre de situation délicate entre eux.

La réaction du couple ne se fit pas attendre. Arthur mit plus d'argent à la disposition de sa femme, afin qu'elle utilise les services d'une aide ménagère qui pourrait la libérer quelques heures par jour, et, de son côté, elle s'engagea à tout mettre en œuvre pour aider Zélia.

La désapprobation muette de son mari à propos de sa conduite inqualifiable envers Zélia fut un véritable choc pour Florence. Ce pouvait-il qu'elle en soit venue à ce degré d'indifférence, pour ne pas avoir réalisé à quel point son amie se portait mal? N'y avait-il que sa peine pour meubler sa vie? Florence s'effraya. Le soir même, elle demanda à Arthur s'il voulait bien reprendre avec elle leur Notre Père quotidien.

– M'agenouiller sur mon orgueil me fera le plus grand bien, dit-elle, en alliant le geste à la parole.

Arthur reprit confiance en sa femme et lui raconta sa bonne fortune. Leur grande maison n'était plus un rêve, ils pouvaient se l'offrir. De plus, l'avenir d'Arthur se dessinait plus clairement et laissait entrevoir une belle réussite. Florence, qui prenait grand soin depuis un an d'éviter les contacts physiques avec son mari et se couchait sur le bord du lit au risque de se retrouver par terre en pleine nuit, se rapprocha sensiblement, ce soir-là, juste assez pour frôler le corps d'Arthur.

– Tu m'aimes encore? demanda-t-elle faiblement.

– Je t'aime encore et je t'aimerai toujours.

Florence posa alors un geste inattendu. Elle prit la main de son mari et la dirigea sur ses seins, puis sur son sexe. Abasourdi, Arthur mit un certain temps avant de réagir, mais l'effet de surprise passé, il se laissa porter par son désir et la caressa amoureusement. Florence ne répondait pas à ses caresses, il s'en rendit vite compte et abandonna. Elle absorba difficilement ce second choc. «Moi qui croyais avoir fait de grands pas, se dit-elle, je suis loin de la coupe aux lèvres!» Ils s'endormirent loin l'un de l'autre, sans un mot.

⚜

M. Richard s'agenouilla au pied de son lit et récita rapidement sa prière quotidienne et son chapelet. Les coudes appuyés sur le matelas, les mains supportant la tête, il employa toute la puissance de son esprit à se concentrer vers un but unique. «Élodie, mon bel amour, du fond de ton monastère de la Visitation sur l'Hudson à New York, entends-moi! Je m'inquiète pour ma femme. Je la sens plus lointaine que jamais auparavant. Son beau sourire est plus triste à chaque jour, ses gestes plus lents, comme si toute la tristesse du monde l'habitait, la ralentissait. Prie pour elle. Prie pour nous. Je t'ai gardé mon amour intact, sans combattre mon rival. Se bat-on contre Dieu? J'ai au contraire tenté de m'en faire un allié, de bien Le servir malgré la blessure de mes vingt ans, lorsqu'Il t'avait ravie à moi. Tout cela est bien loin maintenant. Au fil des ans, j'ai appris à aimer ma compagne d'un amour très tendre. Sa présence douce et rassurante a tranquillement transformé ma vie en havre de paix. Je ne peux pas supporter de la voir se languir ainsi, continuer de l'observer en silence, tandis qu'elle s'éteint de l'intérieur. Aide-moi à trouver les mots pour l'empêcher de sombrer dans la mélancolie, les mots justes, ceux qui font renaître l'espoir et réapparaître les beaux sourires un peu tristes.»

M. Richard fit son signe de croix et se releva. Il enfila sa robe de chambre et se dirigea vers le boudoir de sa femme. Absorbé par son désir de l'aider en trouvant les mots justes, il fit ce qu'il n'avait jamais fait jusque-là: il entra dans le boudoir sans frapper.

Zélia pleurait. Son bras droit pendait le long du fauteuil et sa main retenait le carnet de cuir rouge. Pris au dépourvu par ce qu'il voyait, M. Richard la souleva du fauteuil, s'assit à sa place en la retenant serrée contre lui, la laissa pleurer tout son saoul sans rien demander. Il ne l'avait jamais tenue ainsi, les gestes tendres et les caresses étant réservés à l'intimité de la chambre à coucher, avait-il cru jusqu'à ce jour. Cette audace lui permit de parler plus librement, de retirer une couche de pudeur.

– Nous voilà au pied du mur, ma douce Zélia, là où tout se joue, là où tout se dit.

Zélia se remit à pleurer et son mari pensa que les mots l'effrayaient, alors que lui, tout à coup, ne les craignaient plus.

– Je n'ai pas rêvé? Tu as bien dit ma douce Zélia? Tu m'as enfin nommée?

M. Richard mit un moment à comprendre. N'employait-il jamais son prénom? Et sa femme en souffrait? Il pensa que la nuit serait longue mais que le jeu en valait la chandelle.

– Dans mon cœur, je te nomme toujours ainsi. Si je ne le dis pas tout haut, ma douce Zélia, il faut me pardonner et mettre cette faute sur le compte d'une certaine timidité à m'exprimer. Tout cela va changer et bien d'autres choses encore. Il faut me parler, tout me dire, tout m'expliquer. M'expliquer, par exemple, la présence de mon carnet de pensées entre tes mains.

– Je ne pèse pas trop lourd sur tes genoux?

– Un petit oiseau sans plume ne pèserait pas plus lourd. Je vais le remplumer, moi, ce petit oiseau. Je vais le faire chanter de nouveau, s'il consent à se confier.

Zélia allait de surprises en surprises. Son mari n'avait pas l'habitude de gestes et de paroles aussi tendres. Elle s'abandonna entièrement, lui avoua son indiscrétion à propos des nombreux carnets qu'elle avait lus, année après année, sauf au cours des trois ou quatre dernières. Elle parla de tout, de son désespoir d'y lire son amour constant pour Élodie, de sa tristesse de ne pas lui avoir donné au moins un enfant. Elle avoua sa crainte qu'il soit allé voir ailleurs, auprès d'une femme plus fertile et ajouta dans la balance sa jalousie pour les prières du soir qu'il partageait avec Élodie, ses rendez-vous d'amour, en quelque sorte, avec une femme qui ne vieillissait pas à ses yeux, qui gardait son visage de jeune fille, tandis que l'usure du temps agissait sur elle et la brisait.

M. Richard passa un long moment à tenter de démêler les fils de l'écheveau compliqué dans lequel il s'était lui-même empêtré. Il mit de l'ordre dans ses pensées puis dans celles de Zélia. Le «pas faute d'avoir essayé» ne révélait aucune infidélité, s'appliquant plutôt à lui qui se croyait responsable de la stérilité de leur couple. Quant à son amour constant pour Élodie, il avoua avoir poursuivi une chimère, avoir écrit ses pensées par habitude plus que par conviction réelle. C'est alors qu'il prit le carnet des mains de Zélia,

172

le déchira, peinant sur la couverture plus rigide du cuir, jusqu'à ce qu'il ne reste rien que des morceaux épars autour du fauteuil.

– Plus de carnet! Plus de prières du soir! Plus rien pour nous séparer! À moins que tu me caches autre chose?

– Il me reste une certaine tristesse mais, contre celle-là, tu ne peux rien.

– Florence?

Zélia le regarda, étonnée. Sans en avoir l'air, il voyait tout.

– Ton amie te reviendra. Tu ne l'as pas perdue, c'est elle qui s'est perdue en cours de route. Elle reviendra.

Zélia, quant à elle, pensa qu'elle revenait de loin. Étourdie par ce bonheur soudain, elle blottit sa tête dans le cou de son mari, se fit plus petite encore dans ses bras, ferma les yeux pour mieux sentir les battements du cœur de son homme.

– Toi-même, Zélia, quand emploieras-tu mon prénom? demanda soudainement M. Richard, comme s'il sortait d'une réflexion profonde.

– Auguste! Mon bel Auguste à moi!

Il y avait encore un fond de tristesse dans le sourire de Zélia, mais une flamme nouvelle dans ses yeux, pensa Auguste Richard.

À l'encontre de M. Bernier, son prédécesseur, Arthur avait refusé de prendre un adjoint. Sa capacité de travail était énorme et il préférait agir seul, même s'il devait pour cela allonger ses heures. Il lui arrivait souvent d'apporter du travail à la maison ou d'arriver au magasin deux heures avant l'ouverture. Charlotte, qui le savait, se tenait à la porte du magasin depuis sept heures, ce matin-là. Elle ne pouvait plus attendre jusqu'à la fin du mois pour parler à Arthur. Elle ne dormait plus, ne mangeait plus et son angoisse était telle qu'il lui fallait se confier maintenant pour que s'arrête enfin le calvaire.

Arthur arriva à sept heures trente et trouva Charlotte transie de froid. Elle bredouillait des excuses incompréhensibles et tremblait de la tête aux pieds. Il la conduisit à la salle commune, où il fit du thé pour la réchauffer. Elle but autant pour se calmer que pour se donner le temps de reprendre courage. Arthur ne disait rien mais posait sur elle un regard interrogateur, ce qui décida Charlotte à parler.

– Il n'y a pas cinquante-six manières d'annoncer une telle chose. J'en connais une seule. C'est parfois une bonne nouvelle, en général c'est une bonne nouvelle, parfois, ça dépend des circonstances, c'est une mauvaise nouvelle.

– Si tu continues comme ça, ma pauvre Charlotte, tu vas finir par les trouver tes cinquante-six manières d'annoncer ta nouvelle!

– Je suis enceinte, Arthur.

Charlotte ne le vit pas blêmir, car elle fixait la pointe de ses bottes. Elle concentra toute son attention sur elles, uniquement, et réalisa qu'un des lacets commençait à s'effilocher. Elle se dit qu'il lui faudrait penser à arrêter chez le cordonnier pour s'en procurer une paire ou deux, penser aussi à consulter le vieil Antoine Racicot à propos de ses célèbres remèdes sauvages, afin qu'elle retrouve le sommeil et l'appétit. Le silence régnait dans la salle commune du troisième étage et Charlotte attendait, le nez toujours pointé vers ses bottes. À cause de l'attente, sans doute, deux mots lui revenaient, «toujours attendre», qu'elle relia finalement à un poème. Où donc avait-elle lu ce poème et de qui était-il? Afin de ne pas s'enliser dans le silence, elle s'appliqua à chercher. «Nelligan!», se souvint-elle, un poème paru dans le *Journal de Françoise* deux ans plus tôt et qui s'intitulait *Mon âme*. Elle le savait par cœur. Pourtant, rien ne revenait du poème, que ces mots, «toujours attendre». «Mon âme, mon âme, ça commence ainsi», se dit-elle. Puis, dans un éclair, les mots se placèrent. «Mon âme a la candeur d'une chose étoilée, d'une neige de février...» Arthur bougea, Charlotte sursauta.

– Quelle heure est-il, Arthur?

– Huit heures.

Le silence de nouveau s'installa entre eux.

À dix heures du matin, Florence avait déjà déniché la perle rare. Elle s'engageait à lui donner deux jours complets par semaine pour certains travaux ménagers et la garde des enfants. À dix heures trente, elle sonnait à la porte de Zélia et M. Richard lui-même vint lui ouvrir, le manteau sur le dos, prêt à partir. Elle sentit la rougeur de la honte envahir son visage, mais avant qu'elle puisse prononcer une seule parole, M. Richard la prit par les épaules.

– Ma femme est dans son boudoir. Allez vite la rejoindre. Elle sera tellement heureuse de votre visite. Merci, Florence, merci d'être venue si rapidement.

Une fois de plus, avant qu'elle ne trouve des mots d'excuses, M. Richard disparut. Elle frappa à la porte du boudoir et une Zélia resplendissante lui ouvrit. Le changement était radical.

– Zélia! Qu'est-ce qui vous arrive? Vous avez l'air d'une petite fille espiègle.

– Chère Florence, je suis si heureuse de vous voir.

– Et moi si honteuse de vous avoir négligée. Vous allez voir comme je vais bien m'occuper de vous, maintenant. Dites-moi vite ce qui vous arrive.

– Tout comme le malheur, le bonheur s'explique difficilement. Ils ont pourtant une chose en commun: ils vous sautent dessus sans crier gare!

Florence voulut tout savoir, depuis la promenade le long du parc, où elle n'avait rien écouté, jusqu'à ce bonheur récent. Zélia n'avait jamais tant parlé et ses joues rosissaient, ses yeux s'animaient. Florence la trouva très belle, tandis qu'elle écoutait attentivement, prenant garde de ne pas s'évader dans son monde intérieur. C'était au tour de Zélia d'être entendue, elle lui devait bien cela.

– J'ai également d'autres nouvelles à vous apprendre. Une bonne et une mauvaise.

– Commencez par la mauvaise, j'ai l'habitude, dit Florence sans vouloir faire d'ironie.

– Nous allons bientôt nous quitter, ma chère Florence. Mon mari et moi avons décidé de nous exiler vers la Floride. Certes, il y a de bons côtés, dans cette décision, mais vous allez me manquer terriblement.

– Zélia! Est-ce que je dois perdre tous les êtres qui me sont chers?

– Nous perdre de vue ne signifie pas nous perdre de cœur. L'écriture sera notre lien. Mais oublions tout cela pour le moment, voulez-vous? La bonne nouvelle, c'est que mon mari fait présentement une offre très raisonnable au vôtre pour l'achat du magasin.

– Et une autre bonne nouvelle, c'est que nous pouvons aussi acheter notre maison. J'ai encore bien du chemin à faire avant de retrouver tout mon équilibre, mais avec ce rêve qui se réalisera enfin, j'aurai peut-être le sentiment d'une nouvelle vie? Peut-être que j'arriverai même à croire que j'ai rêvé l'autre? Celle d'avant...

– Si nous allions magasiner, Florence? Dépenser un peu d'argent? Faisons-nous accroire, pendant quelques heures, que nous ne sommes pas si raisonnables que ça!

– Pour un homme à qui tout réussit, tu m'as l'air plutôt caduque.

Arthur ne répondit pas à Florence et pensa rageusement que si elle s'était aperçue plus tôt de son existence, il ne serait pas aujourd'hui dans un tel pétrin. Comme il n'était pas dans ses habitudes de rejeter ses erreurs sur les épaules d'autrui, il se ressaisit rapidement en se disant qu'il était ignoble et qu'il allait tout perdre par sa faute, par sa faute uniquement. Aucune situation de sa vie ne pouvait se rapprocher de celle qu'il vivait présentement. Ni de près, ni de loin. Plus rien ne fonctionnait normalement dans son cerveau, comme si un épais brouillard bloquait l'émission de pensées cohérentes. «Je suis à cent lieues d'une solution, pensa-t-il, quand je devrais déjà l'avoir trouvée.»

Florence l'observait à la dérobée. Elle remarqua les deux plis creux qui lui barraient le front en partant des sourcils, puis les tempes qui avaient légèrement grisonné. Elle replaça quelques bibelots, plus tout à fait à leur emplacement habituel à la suite du nettoyage de sa nouvelle engagée, s'installa aux côtés d'Arthur et attendit qu'il parle à sa convenance. Elle était fière de sa journée. Le magasinage lui avait changé les idées et, sous les conseils de Zélia, elle s'était acheté une robe, un chapeau, des gants et un joli sac à main. Elle n'avait pas mis les pieds dans un magasin depuis plus d'un an et s'était retrouvée devant un chocolat chaud et une pointe de tarte, un peu étourdie mais contente d'elle-même. Elle avait ensuite insisté pour poursuivre et c'est ainsi que, à l'heure du coucher, les enfants avaient eu droit à une surprise chacun. Leur joie la chavirait encore et lui faisait réaliser l'éloignement dans lequel elle les avait tenus.

Quatre journaux étaient empilés sur le fauteuil d'en face, qu'Arthur n'avait pas encore ouverts. Elle se leva, en prit un et vint se rasseoir. Arthur ne parlait toujours pas.

– Tu me caches quelque chose, dit Florence en dépliant *La Presse*.

Cette phrase eut sur lui l'effet d'une douche froide.

– Excuse-moi, Florence. J'avais la tête ailleurs. Je pensais aux transformations du magasin que j'envisage et je pensais aussi aux maisons à visiter. Réserve-toi une journée de la semaine prochaine à cet effet.

Arthur se leva à son tour pour prendre un journal et se plongea dans la lecture de *The Gazette* sans plus attendre. Les lettres dansaient sous ses yeux mais peu lui importait, puisque les pages grandes ouvertes l'isolaient du regard scrutateur de sa femme.

≈≈≈≈≈

Adélaïde avait bourré sa pipe mais la tenait sans l'allumer, l'air songeur. Cléophas craqua une allumette de bois et la lui tendit.

– Pensais-tu à tes vieux péchés, ma femme?

– J'ai assez des nouveaux sans déterrer les autres, crains pas! Je pensais seulement que le mois de mars n'en finit pas de finir. Quand on pense que dans certains pays c'est l'été à l'année longue!

– Dans ton mois de mars, qui n'en finissait pas de finir, y'avait pas un des enfants qui traînait par là?

– Mon vieux snoreau, va! Pas moyen de faire des cachotteries avec toi... C'est dur la vie, tu trouves pas? Voir souffrir nos enfants, pas pouvoir prendre leurs peines sur nos épaules pour les décharger, pour souffrir à leur place...

– Habille-toi! On va faire un tour en ville!

Comme convenu, Florence et Arthur avaient visité quelques maisons durant la semaine mais aucune n'avait retenu leur attention. M. Richard avait mis son cheval et son attelage à leur disposition pour le dimanche et s'était même offert à garder les enfants avec sa femme.

– Quand tes parents sont venus l'autre jour, ton père parlait des belles maisons de Cartierville. On pourrait aller y jeter un coup d'œil?

Florence accepta, heureuse de ce beau moment de liberté, de cette journée splendide où le soleil avait tassé tous les nuages, découvrant un horizon pur et bleu. Des demeures magnifiques se succédaient, longeant la rivière des Prairies qu'on apercevait parfois de la route. Au bout d'un certain temps, un écriteau indiquant une maison à vendre éveilla leur curiosité, parce qu'on ne voyait pas la maison. Ils empruntèrent l'allée y menant et la découvrirent dans un tournant, cachée sous les arbres. Personne ne répondit et ils durent se contenter de regarder à travers les fenêtres. Ils auraient voulu en faire le tour mais l'épaisseur de la neige ne le permettait pas. Isolés, loin des regards indiscrets, ils jouèrent aux propriétaires, se promenant sur la galerie avec des airs importants. Il y avait si longtemps qu'Arthur avait entendu le beau rire en cascades de Florence qu'il en rajoutait, la saluait bien bas, à la manière des chevaliers, relevait la tête dignement, la projetait vers l'arrière et en perdait son chapeau. Florence riait et le cœur d'Arthur se brisait. Après quelques autres pitreries, incapable de se contrôler, il appuya sa tête contre le mur de la maison et se mit à pleurer.

– Je savais bien que tu me cachais quelque chose. Parle-moi! Dis-moi ce qui te tracasse tant! Tu peux tout me dire, Arthur, tout! Le pire est derrière moi.

Arthur hochait la tête et pleurait.

– Si tu continues comme ça, je vais finir par imaginer le pire. Cet argent, tu l'as gagné honnêtement ? T'as tué personne ? Non ? Alors ! Qu'est-ce que tu peux avoir à cacher de si grave ?

– C'est tellement grave, Florence, que ça dépasse même ton imagination. Je t'ai trompée. Une fois, une seule fois. Le malheur, c'est que cette femme-là est maintenant enceinte.

– Le malheur, Arthur, c'est de penser que tu as été capable de toucher une autre femme que moi.

– Ça faisait au-dessus d'un an que je ne pouvais plus toucher à ma propre femme ! C'est pas une excuse ! C'est une explication ! Peux-tu comprendre ça ? Pas m'excuser, juste essayer de me comprendre ? Peux-tu comprendre que l'abstinence forcée m'a rendu fou ? Une fois ! Une seule fois !

– C'est dommage, j'aimais bien cette maison...

Charlotte s'apprêtait à sortir. Elle avait finalement pensé à s'acheter de nouveaux lacets et les enfilait patiemment dans les trous quand un œillet de la botte céda. C'était là des gestes simples, bien anodins, qui s'inscrivaient pourtant dans sa mémoire pour de bon et qui ressurgiraient tout au long de sa vie, à chaque fois qu'elle aurait à changer une paire de lacets. Elle était attendue chez une cousine pour le souper et hésitait à recoudre l'œillet immédiatement. Trois petits coups secs, frappés à la porte, la sortirent de son hésitation. Elle ne connaissait pas la femme élégante qui se tenait bien droite derrière les rideaux aux fenêtres de la porte. Elle ouvrit, un peu intriguée.

– Mademoiselle Charlotte Labonté ?

– Oui, madame. Puis-je vous aider ?

– C'est plutôt moi qui peux vous aider, mademoiselle. Mon nom est Florence Grand-Maison. Puis-je entrer ?

Le sang de Charlotte ne fit qu'un tour dans ses veines. Pour un instant, il lui sembla qu'il affluait vers ses talons, la vidant de toute vie. Elle pensa à Arthur et le détesta avec sauvagerie, comme jamais elle ne se serait cru capable de haïr. «Lâche! Lâche! se dit-elle. M'envoyer sa femme!»

– Entrez. Venez vous asseoir.

– Pas la peine de m'asseoir, mademoiselle, je serai brève. Nous avons un problème et nous allons le régler en gens civilisés. À partir de maintenant, à chaque début de mois, une somme sera versée dans votre compte en banque. Je me chargerai moi-même de le faire et je peux vous assurer que je n'y manquerai pas. À une condition cependant: vous ne devez jamais tenter d'entrer en contact avec mon mari. C'est bien clair?

Charlotte acquiesça sans regarder Florence. Elle n'allait plus la regarder, se promit-elle, n'allait plus affronter son regard impitoyable. Elle allait vivre cette humiliation jusqu'au bout, allait également supporter le «mademoiselle» insultant, mais n'allait plus la regarder une seule fois. C'était la seule dignité à sa disposition.

– Je vous donne deux semaines pour trouver un nouveau secrétaire et l'entraîner parfaitement au moindre rouage de ses fonctions. J'ai bien dit un secrétaire et non pas une secrétaire. Deux semaines! Après ce délai, si vous tentiez d'entrer en contact avec mon mari ou avec moi, ou si jamais vous dévoiliez le nom du père de l'enfant, les versements cesseraient immédiatement. J'espère que vous m'avez bien comprise.

Florence n'attendit pas de réponse et sortit.

⁕

Auguste Richard avait demandé un bon prix pour son magasin, mais un prix qu'il jugeait raisonnable, car il aurait demandé beaucoup plus à un parfait étranger. Arthur qui lui devait tout n'avait pas marchandé et avait accepté l'offre d'achat sur-le-champ. La conclusion de l'affaire s'effectua tout aussi promptement et, au mois d'avril 1906, à l'âge de trente et un ans, il était l'homme le plus déchiré de la ville de Montréal: fier de son ascension et de sa réussite sociale, malheureux comme les pierres de son échec matrimonial.

De son côté, Florence ne décolérait plus. Elle entreprit le grand ménage et frotta le moindre recoin du logement avec un acharnement redoutable. Pas un brin de poussière ne pouvait sub-sister à l'assaut de son torchon, car aucun effort ne parvenait à la fatiguer, à ralentir ses ardeurs de nettoyage effréné. Elle lavait, rinçait, cirait sans relâche, sans parvenir au bout de sa rage.

Elle venait de vider les tiroirs de sa coiffeuse. Ce meuble, pas plus qu'un autre, ne pouvait échapper à sa vigilance et après un astiquage en règle, elle remit tout en place. Une lettre était tombée, la dernière lettre reçue d'Hortense au mois de janvier. Elle la relut, puis la rangea avec les autres. Certains mots de la lettre lui trot-taient dans la tête. «Tu peux tout me demander, n'importe quel service.» Sans le chercher, elle juxtaposa ces mots à d'autres, ré-cemment prononcés par elle. «Tu peux tout me dire, Arthur. Tout!» C'est ainsi que l'idée se forma, à cause d'une lettre tombée, à cause de mots qu'elle imbriqua les uns aux autres. C'en était fini du grand ménage. Florence avait décidé de se battre.

--》》▓▓《《--

Le train filait vers Québec à travers la campagne blanche et lisse, recouverte d'une croûte épaisse, fendillée ici et là sous l'effet d'une température plus clémente. Florence pensa à une immense meringue qui craque de partout en sortant du four, et elle sourit. Village après village, la campagne restait belle malgré la désolation des premiers jours d'avril. Une masse incroyable de neige subsis-tait et elle ferma les yeux un instant pour imaginer une autre saison. Les champs reverdirent alors, les arbres dénudés se couvrirent de feuilles luisantes, et elle sourit de nouveau en ouvrant les yeux sur un décor de carte de Noël.

Arthur la vit sourire à deux reprises, mais garda le silence. Il se laissait ballotter au gré des secousses du wagon, sans savoir ce qui l'attendait au bout du trajet. Ce voyage à Québec désiré par Florence, les enfants reconduits chez Hortense, les réservations, les préparatifs l'avaient étourdi. Ce retour en arrière, au Château Fron-tenac, tour à tour le tourmentait et l'emplissait d'espoir. Toutes les hypothèses s'ouvraient à lui et il en jouait comme d'un ballon qu'on lance dans les airs et qu'on rattrape, jusqu'à la lassitude. À bout de suppositions nouvelles à explorer, il s'assoupit.

Sur la banquette d'en face, Florence vit la tête s'abandonner, les traits se détendre à mesure que les épaules s'affaissaient. Elle admira le beau visage de l'homme qu'elle aimait, les tempes légèrement grisonnantes, l'épaisse chevelure noire dans laquelle elle ne glissait jamais plus la main et se demanda comment on pouvait parvenir à pardonner l'impardonnable. Elle se dit que loin des êtres et des lieux connus, elle pourrait mieux réfléchir. Elle voulait cependant le faire auprès de lui et peut-être même avec lui.

Depuis plus d'un an, pas une fibre de son corps n'avait été épargnée de la souffrance. Cette infidélité, ce nouveau choc, la goutte d'eau qui fait tout déborder, l'avait à son insu complètement sortie de sa léthargie. Florence ne faisait plus semblant.

En arrivant à leur suite, car Arthur avait réservé une suite pour tenter de l'éblouir, Florence commença par suspendre leurs vêtements et ranger leurs effets. Elle fit ensuite sa toilette et revêtit sa robe neuve qu'Arthur n'avait pas encore vue. Cette année de douleur lui avait rendu sa taille de jeune fille et, dans sa robe gris perle, elle en avait presque les allures. Elle ouvrit sa trousse à bijoux et pensa alors à Zélia. Cette chère Zélia, se dit-elle, qui avait attendu qu'elle demande d'elle-même sa poche à souvenirs, abandonnée chez elle depuis la nuit du drame. Le soulagement qu'elle avait éprouvé en ne voyant pas la poche, que la sage Zélia avait eu l'idée de faire disparaître, et la joie, entremêlée de culpabilité, de retrouver ses bijoux, ses beaux objets. Elle enfila sa bague, accrocha les aigues-marines à ses oreilles, puis, lentement, se leva et fit face à Arthur. Il en eut le souffle coupé et se dit que, dût-il vivre jusqu'à cent ans, il mourrait en emportant cette vision de beauté parfaite.

La table retenue au restaurant du Château se trouvait en plein centre de l'immense salle à manger. Sa femme à son bras, Arthur vit les regards des hommes posés sur elle. Il en éprouva une fierté incommensurable, car il savait qu'il escortait une reine et qu'on l'enviait. Il eut peur aussi. Florence lui offrait-elle un souper d'adieu flamboyant? D'autres avant elle avaient quitté leur mari, à commencer par Louisa. Certes elle était revenue, mais Louisa n'était pas Florence. Si Florence partait, elle ne reviendrait jamais. De cela, il était certain.

Le repas fut excellent et Florence porta la discussion sur l'achat du magasin, des transformations à venir et laissa parler Arthur tout son saoul. Elle vida le contenu de deux verres de vin, alors qu'elle n'en buvait habituellement jamais plus d'un, ce qui dérouta Arthur et mit un frein à son désir d'un digestif ou deux après le repas. Ils quittèrent la grande salle à manger comme ils y étaient entrés, laissant sur leur passage des bouches bées et des regards envieux.

– Il m'est arrivé une drôle de chose, l'autre jour, dit Florence en entrant dans la suite.

Arthur n'osait pas poser de questions. Il avait l'impression de marcher sur des œufs et ne voulait rien briser. Il la suivit jusqu'à la chambre, se contentant d'écouter.

– Je venais de relire la dernière lettre d'Hortense, une lettre dans laquelle elle offrait de m'aider. «Tu peux tout me demander», disait-elle. Va donc savoir pourquoi, ça m'a fait penser à ce que je t'avais moi-même dit, quelques jours avant. «Tu peux tout me dire», tu te souviens? Ce sont les mots que j'ai dit, juste avant que tu me dises tout, justement. Enfin, pour en revenir à mon histoire, j'ai répété deux mots, demander et dire, dire et demander.

Arthur ne voyait vraiment pas où Florence voulait en venir avec son histoire, mais ne le laissa pas paraître.

– Toujours est-il que d'un coup une grande partie de ma colère est tombée, et c'est à partir de ça que j'ai décidé qu'un voyage nous ferait du bien. Que l'éloignement me permettrait de réfléchir par la même occasion. Tout à l'heure, durant le souper, les deux mots me sont revenus. Demander et dire. J'ai finalement compris pourquoi on est ici, Arthur. C'est pour se demander et se dire des choses importantes.

Florence se dirigea vers la coiffeuse, ajusta les plis de sa robe et vérifia sa coiffure.

– De nous deux, poursuivit-elle en se retournant vivement, c'est toi qui éprouves le moins de difficultés à parler. Moi, je pense qu'on pourrait me comparer à une huître cachée au fond de sa coquille. Ce soir, Arthur, même si je t'en veux comme c'est pas possible, je voudrais que tu m'aides à parler.

– Tu veux qu'on arrive à tout se demander, à tout se dire? C'est bien ça?

– C'est bien ça.

Florence quitta la coiffeuse et vint s'installer au petit salon. Arthur la suivit. Il savait à présent qu'ils allaient être deux à tenir les guides et qu'il y avait du danger à pratiquer un tel exercice. Malgré sa faute, il savait également que Florence ne pourrait pas aimer un homme qui quémanderait, pas même son pardon. Il choisit de la provoquer dès le départ, misant quitte ou double tel un joueur qui n'a plus un sou en poche. «Plus rien à perdre, se dit-il, et tout à gagner.»

– Ce soir, tu m'as fait du charme comme jamais auparavant. Pourquoi?

– Je t'ai fait du charme? Moi?

– Oui. Pourquoi?

À cause de sa pruderie, Arthur savait qu'il la mettait dans un grand embarras. Il pensa avoir bien joué ses premières cartes en la déstabilisant.

– J'ai toujours pensé qu'une femme ne devait pas se rabaisser à user de ses charmes. Pourtant, je l'ai fait. Je dois bien admettre que je l'ai fait mais je ne sais pas pourquoi.

– Tu m'as vraiment charmé et j'ai aimé que tu le fasses, que tu me provoques.

– Est-ce que Charlotte Labonté t'a charmé?

«Bien pris qui croyait prendre, se dit Arthur. Droit au but, tout de suite en partant!»

– Tu permets que je commande du thé? Ou du porto, peut-être?

– Du thé et du porto. Des petits biscuits aussi, s'entendit dire Florence qui ne comprenait pas cette faim soudaine, après un si copieux repas.

Arthur commanda et vint se rasseoir.

– Tu n'as pas oublié ma question?

Arthur alluma sa pipe, non pas pour se donner du temps, mais pour se calmer. Puis il se mit à parler avec lenteur.

– Charlotte Labonté m'a écouté au moment où je me sentais seul et abandonné. Au moment où je n'en pouvais plus d'être exclu de ta douleur et de ta vie.

– Si je comprends bien, c'est de ma faute si tu m'as trompée ?

– Non. Je suis le seul responsable de mes actes. Tout ce que je veux dire, c'est que les circonstances ont fait que je te trompe.

– Alors, je suis responsable des circonstances ? demanda Florence en se relevant.

– ... Responsable de m'avoir exclu, peut-être.

Tout en faisant quelques pas, Florence repensa aux paroles de son père quand il disait que sa mère acceptait ses bras pour pleurer et que ça lui permettait de pleurer avec elle.

– Tu as raison, je t'ai exclu, dit-elle en se retournant vers Arthur. Je reviendrai là-dessus, mais auparavant, j'aimerais bien que tu me répondes. Est-ce que Charlotte Labonté t'a charmé ? J'ai beau tourner et retourner la question, j'arrive mal à comprendre comment on peut se retrouver au lit avec une femme aussi simplement que ça, juste parce qu'elle a écouté. Vous aviez de l'amitié l'un pour l'autre ?

– Je suppose.

On frappa à la porte et Arthur s'empressa d'aller répondre. Il revint avec un cabaret qu'il déposa sur une table basse du petit salon.

– Tu ne peux pas supposer, Arthur. C'est une réponse qui appelle un oui ou un non. Rien d'autre.

– Alors, c'est oui.

– Ça faisait longtemps ?

– Depuis que j'étais entré au magasin. Je pense qu'elle me prenait un peu en pitié.

– Un grand fend l'vent n'attire jamais la pitié, Arthur. Il attire, un point c'est tout.

Arthur servit deux tasses de thé et en tendit une à Florence qui avait préféré rester debout.

– En général, il faut se lever de bonne heure pour te clouer le bec. Est-ce que j'ai touché un point sensible ?

Arthur haussa les épaules.

– Bon ! Si je comprends bien...

– Si je comprends bien ! Si je comprends bien ! Qu'est-ce que tu comprends, Florence ?

– Il faut se lever encore plus tôt pour te faire sortir de tes gonds. Charlotte Labonté et toi, ça fait combien d'années que ça dure, votre histoire ?

– C'est une histoire qui a duré un an ou deux et qui s'est terminée à la minute exacte où j'ai posé les yeux sur toi, le soir de l'épluchette de blé d'Inde. J'y suis retourné une seule fois, au mois de janvier, une fois de trop. Je le jure sur la tête des jumeaux !

– Laisse les jumeaux reposer en paix, Arthur Grand-Maison ! Viens pas les mêler à tes histoires de lit !

Florence se dirigea rageusement vers la fenêtre et commença à tirer nerveusement sur les cordons à glands qui retenaient les tentures. Arthur était déjà derrière elle, les yeux exorbités.

– Que tu le veuilles ou non, les jumeaux sont entre nous depuis leur mort ! Ils ne sont pas dans mes histoires de lit, comme tu dis, ils sont dans notre propre lit ! bien installés entre nous deux !

– Comment peux-tu oser dire une chose aussi abominable ? cria presque Florence en tirant sur le cordon dont un gland lui resta dans la main et qu'elle lança à bout de bras.

– Parce qu'on n'est pas venu ici pour se conter fleurette, Florence Beauchamp ! Tout se demander ! Tout se dire ! Tu pensais peut-être que ça marchait à sens unique, ces questions-là ?

Florence se rendit à la chambre, enleva ses bijoux et défit ses cheveux avec rage. De nouveau, Arthur était derrière elle.

– Tu trouves ça normal, toi, qu'une femme n'arrive pas à pleurer la mort des deux êtres qu'elle aime le plus au monde ? Qu'on ne puisse jamais en parler ensemble, comme s'ils n'avaient jamais existé ? Tu trouves ça normal ?

– Est-ce que c'est normal de perdre des enfants qui viennent à peine d'arriver au monde ?

186

– Non, Florence, ce n'est pas normal et ça fait souffrir de façon anormale. Pourtant, cette peine-là il faut la sortir. Si seulement tu m'avais permis de t'approcher, on aurait pu pleurer ensemble, se consoler, se supporter.

Florence se laissa tomber sur le lit.

– Quand j'ai dit que j'allais revenir sur ma part de responsabilité, c'est là où je voulais en venir. Je n'ai pas décidé de t'exclure, Arthur. Je n'ai pas décidé ça! Je n'étais plus là! Comprends-tu ça? Je n'étais nulle part! Non! Ce n'est pas ça. C'est pire que ça! J'étais là, dans la souffrance, en plein milieu. Ça prenait toute la place! Ça m'isolait des autres sans que moi je décide quoi que ce soit, sans que je puisse me débattre ou crier au secours. C'est la souffrance qui m'a exclue de la vie!

Florence s'était relevée d'un bond et faisait à présent les cent pas entre la chambre et le petit salon. Une boule énorme lui montait à la gorge et l'étouffait. Arthur tendit alors les bras vers elle, secoué de sanglots. Elle s'y jeta, s'y accrocha telle une rescapée qui vient d'échapper à la noyade.

– Ça fait mal, Arthur! Ça fait mal! J'ai peur! J'ai peur de pleurer!

– Ils sont morts, Florence. Il faut les pleurer. Il faut pleurer nos deux petits anges. Il faut pleurer Marie-Ange et Aimé, dit-il en la soulevant pour la déposer sur le lit.

Et Florence pleura. Elle pleura durant des heures. Arthur pleura également, mais pas aussi longtemps qu'elle, car il avait déjà pleuré dans les bras de Charlotte. Il pleura sur cela aussi. L'aube se leva sur eux, les trouva enlacés, tout habillés, sur le grand lit.

Arthur fit couler un bain pour Florence et commanda un petit-déjeuner copieux, en pensant qu'ils devaient prendre des forces. Tout n'avait pas été demandé et bien des choses restaient à dire. Florence sortit de la salle de bains en peignoir.

– J'ai pensé qu'on pourrait dormir encore un peu, après avoir mangé.

C'est ce qu'ils firent, serrés l'un contre l'autre. Florence s'éveilla la première et plongea sa main en douceur dans la belle chevelure épaisse. Arthur ouvrit les yeux sous la caresse.

– À propos de Charlotte Labonté, tu veux savoir ce que je n'arrive pas à supporter?

Arthur pensa qu'il n'était pas sorti du bois.

– Qu'est-ce que tu n'arrives pas à supporter?

– La comparaison.

– La comparaison? Pourtant, tu l'as vue. Tu sais bien, Florence, qu'il n'y a pas de comparaison possible. C'est comme le jour et la nuit!

– Justement! C'est de cette comparaison-là dont je parle. Oui, je l'ai vue et je peux dire, sans fausse modestie, que je suis plus belle qu'elle. Plus belle mais pas faite pour la nuit, comme elle. Je ne sais pas comment dire ces choses-là, Arthur, ça me gêne.

Arthur repoussa une mèche des cheveux de Florence qui pendait sur son visage et releva son menton.

– Essaie de les dire, surtout si ça te gêne. Tu veux que je t'aide?

– Oui.

– Tu ne supportes pas la comparaison, parce que toi tu éprouves des difficultés et tu as ressenti, en la voyant, qu'elle ne devait pas avoir de problème de ce côté-là?

– Oui.

– Tu n'as jamais voulu qu'on parle de ces choses-là, comme tu dis. J'ai pourtant essayé de te questionner.

– Je sais!

– Cette fois, tu veux vraiment que j'essaie?

– S'il le faut.

– Non. Si tu le veux.

– Est-ce que j'ai vraiment le choix? Je t'aime, Arthur. Je t'en veux, mais je t'aime et je voudrais aimer ça, crois-moi!

– Tu voudrais aimer ça, mais! Il y a des choses que tu aimes, pourtant. Tu aimes les baisers, les caresses, mais tu n'aimes pas le reste. À chaque fois, c'est la même réaction. Ton corps se raidit, se refuse. Pourquoi? Tu penses que c'est mal? Si Dieu n'avait pas voulu que l'homme et la femme se rejoignent, tu crois qu'Il les aurait créés ainsi ? Qu'est-ce qui se passe dans ta tête au moment où je pénètre en toi ? Réponds-moi franchement.

Florence baissa les yeux avant de répondre.

– Une forme de dégoût, de gêne, de honte.

– Ça te fait penser à quoi ?

– À rien. Seulement que j'ai hâte que ça finisse.

– Il doit bien y avoir des images dans ta tête ?

– Tu poses trop de questions ! Tu veux tout savoir ! C'est trop difficile !

Arthur se releva brusquement dans le lit et prit Florence par les épaules, sans ménagement.

– Tu as dit toi-même qu'on devait tout demander et tout dire. Notre bonheur en dépend, Florence. Pour te dire la vérité, je n'aime pas pénétrer une planche de bois, alors, difficile ou pas, qu'est-ce que tu vois dans ta tête ? Est-ce que quelqu'un t'a malmenée dans ta jeunesse ? Il paraît que ces choses-là arrivent, parfois.

– Arthur ! Où vas-tu chercher des histoires pareilles ?

– Qu'est-ce que tu vois dans ta tête ?

– ...

– Bon ! Tu veux savoir une chose ? On reste au lit, on ne sort plus de là ! À moins que tu te décides à parler ! On va moisir ici s'il le faut, mais on ne sort pas avant que tu aies parlé !

Florence se mit à rire, incapable de se contrôler. Arthur gardait les lèvres pincées, l'air sévère. Elle le chatouilla et l'entraîna dans son rire. Elle pensait ne plus jamais parvenir à s'arrêter de rire mais le fit brusquement.

– Je vois mon père et ma mère.

– Comment ça, tu vois ton père et ta mère ?

– Dans l'étable, en train de le faire.

Il y eut un long silence. Arthur ne trouvait pas de mots. Il avait beau chercher, rien ne venait.

– Tu vois bien que c'est grave. Tu n'arrives même pas à prononcer un seul mot !

– Mais non, ce n'est pas grave ! C'est la surprise. Au fond, c'est presque drôle.

– Drôle? Tu trouves ça drôle?

– Qu'est-ce que je peux te dire? Tu étais une petite fille, lorsque c'est arrivé?

– C'était durant l'été du mariage d'Hortense.

– Florence! Tu devais bien être au courant, pourtant. Une fille de la campagne sait tout cela très jeune. Tu as peut-être pensé que tes parents étaient trop vieux pour ça? Tu les vois à chaque fois?

– Non. Ce n'est jamais arrivé. C'est à force de t'entendre répéter la question que ça m'est revenu.

– Quand même, Florence, on dira ce qu'on voudra, tu ne trouves pas que ça faisait bien du monde dans notre lit? Surtout que ton père et ta mère ne sont pas les personnes les plus minces qu'on connaisse! Ouche! Ouche! Dehors les beaux-parents!

Arthur faisait mine de balayer le lit et Florence riait d'un beau rire franc. Elle vint se blottir tout contre Arthur.

– Je t'en veux encore, Arthur, mais je t'aime. Serre-moi fort.

– Tu as raison de m'en vouloir encore, mais tu as tout autant raison de m'aimer! Si tu savais à quel point tu m'as manqué!

– J'ai l'impression de revenir d'un long voyage.

– Maintenant que tu es revenue, tu veux qu'on réapprenne à s'aimer?

Florence fit signe que oui en rougissant.

⁂

À six heures, le magasin Max Beauvais fermait ses portes et tous les employés montaient au troisième. C'était la fin d'une semaine mouvementée et le début d'une ère nouvelle au sein de l'entreprise. Arthur avait retenu les services d'un traiteur, pour souligner avec éclat le départ de M. Auguste Richard et de Mme Charlotte Labonté, et la réception se tenait dans la salle commune, car il s'agissait d'un repas.

À la demande d'Arthur, M. Richard avait accepté de rester auprès de lui pour un moment, afin de l'initier à ses nouvelles fonctions et pour le remplacer durant son séjour à Québec. De son côté, Charlotte avait entraîné un nouveau secrétaire qui possédait toutes les qualités requises pour lui succéder.

À la fin du repas, Arthur prononça une allocution en l'honneur de M. Richard qui se vit offrir une montre en or et un compte ouvert à vie chez Max Beauvais. Ce cadeau le toucha particulièrement. Par ce geste, Arthur lui disait qu'il était ici chez lui, et pour le reste de ses jours. Mme Labonté reçut les remerciements d'usage et un montant d'argent correspondant à ses années de service.

Vint finalement le moment tant attendu des nominations. Personne ne tenait plus en place, quand Arthur toussota pour rétablir le silence.

– La nomination au poste de gérant m'a causé de nombreux maux de tête. Plusieurs d'entre vous me semblent qualifiés pour l'emploi, mais un seul pouvant l'obtenir, les déceptions risquaient d'être nombreuses. J'ai donc opté pour une solution qui offre à chacun la possibilité d'y accéder. Vous avez une semaine pour m'apporter votre candidature. Chaque candidat devra m'indiquer la raison pour laquelle mon choix devrait se porter sur lui. De plus, il m'expliquera sa vision de l'avenir au sein de l'entreprise, par des suggestions, des projets. Il va sans dire que le candidat idéal aura des idées et une vision qui s'accorde à la mienne. Il saura me surprendre, aussi, m'apporter des éléments nouveaux et enrichissants. Messieurs, bonne chance et que le meilleur gagne !

Une seule personne fut blessée, M. Saint-Onge qui, par son ancienneté, croyait obtenir le poste. Pour les autres, tous les espoirs étaient permis. Le jeune Alfred Poulin sut dès cet instant que les cannes et les parapluies seraient bientôt choses du passé. Il avait des idées à revendre et allait impressionner M. Grand-Maison, il en était convaincu. C'était en tout point ce qu'espérait Arthur qui ne pouvait pas lui offrir ce poste sans passer par ce subterfuge astucieux, vu son entrée trop récente au magasin.

Charlotte quitta la salle et Arthur profita du brouhaha pour la suivre. En l'apercevant, elle sortit de sa manche un bout de papier et le lui tendit.

191

– Les informations sur mon compte en banque.

Arthur sortit à son tour une enveloppe.

– Un montant additionnel qui ne rachète rien et qui exprime bien maladroitement mon désarroi.

Charlotte n'avait pas levé une seule fois les yeux vers lui. Elle prit l'enveloppe tendue et tourna les talons sans un mot.

⁓⁓⁙⁘⁙⁓⁓

C'est au mois de mai que Florence et Arthur dénichèrent enfin la maison de leur rêve à Ahuntsic, sur la pointe nord de Montréal, une municipalité adjacente à Cartierville et longeant également la rivière des Prairies. Une longue allée y menait, bordée de peupliers. Les lilas embaumaient l'air que Florence respirait à pleins poumons.

– Elle est encore plus belle que dans mes rêves. Tu crois qu'on pourra se l'offrir?

– En tout cas, j'ai l'intention de marchander. Retiens ton sourire, Florence, et trouve quelques critiques pertinentes à faire à propos de l'intérieur de la maison.

Après la visite de la maison, des dépendances et du terrain, ils demandèrent à descendre seuls au bord de la rivière pour discuter de certains points. Florence tremblait légèrement et Arthur pensa qu'elle avait froid.

– Je n'ai pas froid, je suis trop excitée! Comment voulais-tu que je critique quoi que ce soit? De la cave au grenier, elle est parfaite!

– Elle est à toi, ma reine, quel qu'en soit le prix.

– Elle est à nous, Arthur. À nous!

– Tu as vu? Même en donnant une chambre à chaque enfant, il en reste encore tout plein!

Florence admira la rivière qui charriait les derniers bois morts du printemps. Le soleil la faisait chatoyer de bleu sombre et de bleu pervenche, ici et là, tandis que les gouttelettes à la surface des remous captaient des éclats de lumière qui jaillissaient en gerbes translucides. Enfin libérée des glaces étouffantes, la rivière chantait d'une voix sourde sa complainte de reproches voilés, encore étonnée de se mouvoir à son gré.

— Tu ne crains pas la rivière, pour les enfants? demanda Arthur d'un ton détaché, comme s'il eût simplement demandé l'heure.

— Les enfants ne descendront jamais ici sans surveillance, crois-moi! Pas même Charles qui se croit tout permis.

Arthur sourit, rassuré. Florence avait la poigne solide avec les enfants. Quand elle disait oui, c'était oui. Si elle disait non, cependant, bien fol qui se risquait à lui désobéir.

— À propos des chambres libres, Arthur, je pense bien que l'une d'elles sera occupée en janvier prochain.

⁓⁓✦✿✦⁓⁓

Zélia était fin prête pour recevoir ses invités. Comme toujours, la table de la salle à manger était somptueuse et comptait, ce midi-là, neuf couverts. La famille Grand-Maison, ainsi que le père et la mère de Florence, venaient faire leurs adieux aux Richard et elle avait tenu à donner des allures de fête à leur départ.

Charles monta le premier, au pas de course, et se jeta dans les bras de sa marraine. Elle le garda serré très fort sur son cœur, jusqu'à l'arrivée des autres. Adélaïde monta la dernière, les bras chargés de fleurs.

— Du blanc, du mauve et du violet, dit-elle en tendant l'énorme bouquet de lilas, le souffle un peu court. C'est pour vous dire, à ma façon, toute mon appréciation.

Zélia sut lire entre les lignes la tendresse d'Adélaïde à son égard et l'embrassa chaleureusement. Ses belles joues rondes avaient le moelleux du pain frais et Zélia pensa, à cet instant précis, que même son odeur de tabac lui manquerait, elle qui pourtant ne la prisait guère.

Tout au long du repas, Florence surveillait du coin de l'œil la bonne tenue de sa progéniture. Le petit Gérard, du haut de ses trois ans, remportait la palme et elle se promit de le vanter auprès de son frère et de sa sœur. Les occasions de le faire étaient rares et elle n'allait pas rater celle-ci.

À l'heure du thé, au salon, il y eut des surprises pour chacun. Des mouchoirs brodés, des cravates, des jouets et une autre surprise, plus grande encore, pour Florence et Arthur.

– Mes chers amis, dit Auguste Richard en s'adressant au jeune couple, tandis que Zélia espérait que sa timidité ne le rende pas trop pompeux, nous aimerions, Zélia et moi, participer à votre grand rêve, qui sera bientôt réalité, c'est-à-dire, dès que vous passerez devant le notaire pour l'acquisition de votre maison. Nous pensons que cette belle et grande demeure nécessite un mobilier digne de ses magnifiques pièces aérées.

«Mon pauvre Auguste, pensa Zélia, quel style ampoulé il prend pour dire des choses aussi simples.»

– Sans fausse modestie, nous croyons posséder de fort beaux meubles et nous vous demandons, en signe de profonde amitié, de bien vouloir les accepter. Ils ne conviendraient pas à notre maison en Floride et sont trop chers à nos souvenirs pour être vendus. C'est notre participation à votre grand rêve. Je vous demande également, mon cher Arthur, d'accepter mon cheval et son attelage.

Florence et Arthur hochaient la tête, incrédules. Cléophas, en homme de la terre habitué à peser le prix de tout produit, tentait de compter mentalement la valeur d'un tel présent. Adélaïde était heureuse pour Florence, tout simplement. Cette dernière se pencha alors vers Arthur et lui dit quelques mots à l'oreille. Arthur acquiesça et se leva.

– Nous sommes trop surpris et trop heureux pour trouver facilement les mots de remerciement qui conviendraient. Vous ne pouviez pas nous faire de plus beaux cadeaux, non seulement parce que les meubles sont magnifiques, mais surtout parce que vous nous laissez une part de vous-mêmes.

Arthur serra ensuite la main de M. Richard et embrassa Zélia. Florence se leva à son tour, un peu rougissante.

– Je n'aurais pas pu vous remercier aussi bien qu'Arthur, il a la parole plus facile que moi, mais je peux vous assurer que nous sommes honorés et très touchés par votre geste. Pour vous remercier, je demande à Arthur de vous associer à notre nouveau bonheur.

Arthur vint la rejoindre en souriant. Trop prude pour l'annoncer elle-même, pensa-t-il, mais assez habile pour trouver le moyen qu'on le sache. Il l'entoura d'un bras protecteur.

– La famille Grand-Maison va s'agrandir. Nous attendons la venue de la cigogne pour le mois de janvier.

De façon très inattendue, M. Richard prit Florence dans ses bras, les yeux pleins de larmes, et la garda contre lui quelques instants en lui tapotant le dos. Le souvenir des jumeaux le hantait parfois, subitement, et l'horreur revenait alors, intacte, comme s'il venait tout juste d'ouvrir la couverture après que Zélia eût déposé les deux petits corps sur le lit, découvrant ainsi leurs visages bleuis.

La fête se termina dans la joie, les hommes au salon à jouir tranquillement d'un bon cigare et d'un digestif, les femmes à papoter librement dans le boudoir de Zélia, tandis que les enfants jouaient à cache-cache à travers la maison.

***

– Comme ça, Louisa, tu pourrais vraiment m'aider pour ma robe ?

– Chose promise, chose due, Émérentienne. Tu vas être *swell*, crains pas !

– J'ai tellement hâte. D'après madame Beauchamp, il paraît que leur maison est cent fois plus belle que celle du notaire Grolo.

– Moi aussi, j'ai bien hâte. Une grande fête avec les deux familles réunies, ça va faire du monde à messe !

– Madame Beauchamp dit aussi qu'on reconnaîtra pas Florence. Il semble qu'elle est complètement remise.

– En tous les cas, leur voyage à Québec a porté fruit. Est-ce que ça paraît déjà ?

– J'ai pas osé le demander, mais ma belle-mère a dit qu'elle s'est remplumée. Faut dire qu'elle avait beaucoup maigri depuis la mort des jumeaux.

– Pauvre Florence. On pourrait croire qu'elle est gâtée par la vie, à juger les extérieurs, mais rien pourra compenser sa douleur. C'est ce que j'expliquais à Malvina qui avait l'air de l'envier.

– Celle-là! Tu es bien généreuse de t'en occuper.

– Si je le fais, c'est pour Mathieu et les enfants. Par respect pour la mémoire de M. et Mme Grand-Maison, aussi. La famille, Émérentienne, c'est sacré.

– Ma grande foi du bon Dieu, l'orage va nous tomber dessus d'une minute à l'autre! Achèves-tu ton rang, Louisa?

– J'ai presque fini. À jacasser comme des pies, on n'a pas vu le temps changer.

Elles s'activèrent donc pour planter le reste des bulbes de glaïeuls, avant que l'orage n'éclate. C'est Émérentienne qui en avait apporté à Louisa, parce que sa belle-mère lui en avait beaucoup trop donné et parce que chaque occasion de faire un petit plaisir à l'autre les motivait tour à tour.

– Pas question que tu partes avant l'orage! ordonna Louisa.

– Pas de danger! J'ai bien trop peur du tonnerre et des éclairs!

Elles entrèrent dans la maison, juste au moment où le premier coup retentissait, suivi d'une pluie à tout inonder. Émérentienne aida Louisa à fermer les fenêtres et à éponger les planchers mouillés. Elles s'installèrent ensuite aux fenêtres de la cuisine, pour guetter le retour des hommes. Elles ne parlaient pas et priaient silencieusement pour qu'ils rentrent sains et saufs. Plus d'un disparaissait ainsi aux travaux des champs, sous l'orage. Émérentienne s'en voulut d'être loin de chez elle à s'inquiéter pour les siens. À leur grand soulagement, l'orage ne dura pas.

– Les hommes ne sont pas revenus? demanda Malvina en entrant en coup de vent. J'ai un mauvais pressentiment.

– Tu dis ça à chaque fois, Malvina. Et puis, tu vois bien que l'orage est fini. Pour l'amour du ciel, calme-toi un peu!

Louisa avait à peine terminé sa phrase que Malvina poussait un cri. Les hommes revenaient, sans qu'on puisse les reconnaître de si loin, mais l'un d'eux, cependant, était porté par les autres. Les trois femmes s'élancèrent à travers les champs. Tout en courant,

Émérentienne se disait que si la foudre avait frappé ici, sa famille était sûrement épargnée. La vue de Louisa s'embrouillait sous les larmes et elle ne cessait d'invoquer tous les saints du ciel à sa rescousse. Malvina, quant à elle, promettait une neuvaine à la Sainte Vierge, si son mari était vivant. Elle venait de reconnaître Raoul et ses deux fils, ainsi que son propre aîné. Elle savait qu'on transportait le corps inerte de Mathieu mais elle feignait de se tromper. Elle arriva auprès des hommes la première, incapable de regarder. Elle tenait la tête bien droite, fixant l'horizon.

– Dites-moi que c'est pas lui ou dites-moi seulement qu'il est pas mort !

– Viarge ! ma femme, as-tu perdu la tête ? C'est pas parce que j'ai la jambe ouverte qu'il faut déjà m'enterrer !

Louisa et Émérentienne riaient aux larmes et les hommes qui n'avaient pas compris leur peur les regardaient, muets d'étonnement.

– Espèce d'innocent ! s'écria Malvina. T'aurais pas pu penser à envoyer un des gars pour nous avertir ! Comme ça, je serais pas morte de peur en pensant que t'avais été foudroyé ! Viarge que t'as pas de tête !

Malvina tourna les talons, tandis que les rires fusaient. On riait d'abord à cause du gros mot employé, ce qui n'était pas dans ses habitudes, et on rit ensuite de la voir s'enliser dans la boue, Mathieu plus que les autres encore, malgré la souffrance causée par sa blessure.

– T'es belle quand t'es en démon, dit-il en arrivant à sa hauteur.

– Que le diable t'emporte, Mathieu Grand-Maison ! T'es trop innocent !

– Vous avez reçu de la belle visite, hier ! dit le docteur Dagenais à Arthur.

Voisins immédiats, les deux hommes s'étaient instantanément liés d'amitié. Tous les soirs, après le souper, alors que leurs épouses étaient occupées, ils en profitaient pour faire une longue promenade. Ils éprouvaient un profond respect l'un pour l'autre, mais discutaient ferme sur la politique dont ils ne partageaient pas les mêmes points de vue, ni au fédéral, ni au provincial, pas même au municipal.

– De la belle visite, oui. Nos deux familles ont bien aimé leur journée et nous aussi. J'espère que le bruit ne vous a pas causé de désagrément?

– Pensez-vous! s'exclama le docteur, tout en se remémorant les jérémiades de sa femme. Ça tire du grand comme s'ils sortaient de la cuisse de Jupiter et c'est à peine arrivés, qu'on les entend à des milles à la ronde! Beau voisinage.

– Je perds un de mes employés, dit Arthur, l'air préoccupé. Mauvaise santé, semble-t-il. C'est toujours regrettable de perdre les services d'un homme fiable.

– Un homme fiable, dites-vous? Pour quel genre d'emploi?

– Homme à tout faire et conducteur.

– J'ai l'homme qu'il vous faut, monsieur Grand-Maison. Un immigrant russe, arrivé depuis peu avec sa jeune épouse. Un beau parler français, des manières impeccables et débrouillard comme pas un. Figurez-vous qu'il a repeint mon bureau de consultation qui en avait grand besoin, en échange d'une visite médicale à la famille russe qui les héberge. Vous devriez le rencontrer, il est surprenant.

Arthur accepta sur-le-champ, parce que le temps pressait. Une heure après sa promenade, il le vit arriver au bout de l'allée, la tête haute et les épaules rejetées vers l'arrière, digne comme un prince malgré l'usure des vêtements, par ailleurs très propres. Ils s'installèrent sur la galerie et Arthur posa de nombreuses questions. L'homme répondait poliment, sans jamais se dévoiler pour autant. Il demandait un emploi mais ne quémandait pas. Il offrait ses services et connaissait sa valeur, sans paraître pédant. Il plut à Arthur qui aimait une certaine forme d'audace bien contenue.

L'homme avait des idées et le docteur Dagenais avait raison, il était surprenant. Il proposa de transformer la dépendance juxtaposée à la maison, sur la droite, en petit logement pour sa femme et lui. En échange, il offrait les services ménagers de sa femme pour l'entretien de la maison et le soin des enfants. Jusque-là, Arthur n'avait pas songé à proposer une aide à plein temps à sa femme. En réfléchissant à l'entretien considérable qu'exigeait leur nouvelle demeure, en plus des trois enfants et de la grossesse de Florence, il convint que l'idée était excellente.

Il lui fit visiter les dépendances à l'arrière et il eut la surprise d'apprendre que le cheval pouvait facilement être logé dans l'une, tandis que l'autre pouvait servir d'atelier de réparations, travail où il excellait. Arthur, qui ne valait rien dans ce domaine, n'hésita plus. L'homme mit une semaine à transformer la première dépendance en un petit deux-pièces confortable, puis sa femme et lui entrèrent dans leurs nouvelles fonctions.

Sans le savoir, Igor et Tatiana Rostopchine, âgés respectivement de vingt-deux et dix-neuf ans, entraient au service de la famille Grand-Maison pour le reste de leurs jours et n'allaient jamais le regretter.

La petite Jeanne observait sa mère et s'inquiétait de la voir songeuse. Florence s'en aperçut et lui sourit.

– Va jouer, Jeanne. Je dois me concentrer pour écrire une lettre à tante Zélia.

L'enfant repartit, satisfaite de cette explication. L'angoisse s'estompa et elle courut rejoindre son frère, le cœur léger.

Florence ne savait plus par où commencer sa lettre. Il y avait tant de choses à raconter à son amie. Elle se dit qu'il fallait d'abord parler de cette pièce magnifique, contiguë à sa chambre, transformée en boudoir avec à peu près la même disposition des meubles que dans son propre boudoir de la rue Querbes. Ce solarium, où le soleil entrait par trois pans de fenêtres, où les plantes grossissaient à vue d'œil et d'où l'on voyait la rivière se transformer selon les heures du jour, était devenu son îlot de paix. Il fallait lui dire aussi qu'elle pouvait se retirer dans cette pièce, au milieu de ses meubles, pour y ressentir sa présence quand elle lui manquait trop. Elle entendit alors trois petits coups discrets et se retourna.

– Madame préfère-t-elle manger maintenant ou attendre encore un peu?

– J'irai plus tard, mais, s'il vous plaît, faites manger les enfants maintenant.

– Bien, madame.

«Comment décrire à Zélia cette petite Russe de dix-neuf ans, qui en paraît quinze tout au plus? se demanda-t-elle. Décrire pour commencer ses jolies tresses brunes, relevées sur la tête en couronne, ses robes colorées, ses tabliers brodés. Parler de son accent chantant, de son français impeccable qui me force constamment à surveiller le mien. Lui dire qu'en l'espace de quelques mois, je ne saurais plus me passer d'elle, parce qu'elle est parfaite en tout, tant aux travaux ménagers, de couture, que de cuisine où elle excelle et nous fait découvrir des plats savoureux, semblables aux nôtres mais plus consistants. Lui parler d'Igor, son mari, de ses allures de prince qui sait pourtant relever les manches et s'employer aux tâches les plus compliquées, sans perdre ses airs dignes un seul instant.»

Florence n'avait pas encore commencé sa lettre. Elle s'appliquait à mettre de l'ordre dans ses idées et se rendit ainsi compte de la nouvelle vie dans laquelle Arthur et elle s'étaient engagés. «Lui parler de cette vie de bonheur, se dit-elle, quand la douleur s'installe enfin dans un repli du cœur et refait surface par à-coups inconstants et vous laisse respirer librement durant de longs moments. Parler de l'épanouissement des enfants, du changement progressif du petit Gérard au contact de Tatiana.»

Florence entendit de nouveau les trois petits coups discrets et sourit en apercevant le plateau fumant que portait Tatiana. Elle mangea donc au solarium, face à la rivière argentée, aux arbres rouges et jaunes, et pensa soudainement qu'elle avait payé trop cher ce bien-être. Elle secoua vite la tête pour chasser les idées moroses et repoussa le plateau. «Demander à Tatiana de ne pas servir des assiettées si abondantes», se dit-elle en se levant. Elle traversa la pièce et, dans sa chambre, s'arrêta devant sa coiffeuse, la coiffeuse de Zélia, en fait, puisque la sienne faisait dorénavant partie d'une des chambres d'invités. «Dire à Zélia que j'ai ressorti tous mes trésors et les ai remis en place, la photo des jumeaux en moins.»

Elle fit quelques pas et ouvrit l'immense garde-robe, où les enfants aimaient jouer à cache-cache, parce qu'une autre porte donnait accès à un corridor menant à l'escalier. Elle sortit le tabouret, hésita un moment avant de monter, puis se décida et tendit le bras vers la troisième tablette du haut, ressortit le cadre d'argent caché sous une pile de couvertures et revint au solarium. «Dire à Zélia que je remets la photo de mes petits anges en place, que je les retrouve toujours aussi beaux, que je laisse couler mes larmes sans tenter de les retenir.»

Florence prit alors sa plume et inscrivit, à l'en-tête du papier, *Ahuntsic, le 30 octobre 1906*. Puis, un peu plus bas, sur la gauche, *Ma très chère Zélia*.

– Maman! Maman! La madame sorcière est choquée! Charles est caché pis la madame sorcière va nous attraper pis moi j'ai rien fait!

– Qu'est-ce qu'il a encore fait, ton frère? demanda Florence en se dirigeant rapidement vers l'extérieur.

– Il a tout défait les gros tas de feuilles que la madame sorcière elle avait ramassés.

– Mme Dagenais, Jeanne. C'est pas une sorcière.

– Oui, c'est une sorcière, pis moi je veux pas goûter à son balai parce que j'ai juste défait les gros tas un peu.

Charles, à son grand désespoir, se souviendrait longtemps de cet après-midi d'octobre, passé à ramasser les feuilles et à former de gros tas parfaits, sous l'œil vigilant de sa mère qui se tenait bien droite, de l'autre côté de la haie de lilas.

VI

Pour se détendre, le soir, Tatiana peignait des icônes sur des panneaux de bois qu'Igor lui préparait avec le plus grand soin. Leur condition matérielle s'était considérablement améliorée depuis quelques années, depuis le moment où Tatiana avait commencé à recevoir des gages, en plus du logement fourni. Une partie de ce nouveau revenu avait d'abord été mis de côté pour les études d'un éventuel héritier puis, les années passant et laissant Tatiana stérile, le couple avait pris l'habitude d'offrir un copieux repas aux amis russes, toujours chez l'un d'entre eux pour ne pas offenser leurs patrons par l'abus de vodka de certains, toujours le dimanche, seul jour de congé de la semaine. Ils se permettaient également quelques sorties, ils achetaient des livres et aidaient les plus démunis de leur communauté.

Issus de la petite noblesse, ils n'avaient jamais connu d'inquiétudes jusqu'au jour où leurs familles furent mêlées à un scandale d'ordre financier. C'est alors qu'on s'était empressé de les marier et de les envoyer au loin, juste avant la déchéance complète. En arrivant au pays, ils comprirent rapidement qu'ils devaient se mettre au service d'une famille aisée s'ils voulaient survivre. À l'encontre de bon nombre de Russes, ils s'étaient vite acclimatés à leur nouveau statut social. Ils avaient puisé en eux des ressources jusque-là ignorées. Ils rendaient grâce à Dieu tous les jours pour la bonté de leurs parents qui avaient permis leur départ vers un monde meilleur, d'autant plus qu'ils avaient échappé aux horreurs de la révolution de 1917, survenue l'année précédente.

Ce soir-là, Tatiana reproduisait de mémoire une Vierge de Vladimir, autrefois admirée dans son pays, et tout en peinant sur un détail de la robe, elle pensait à toutes les prières offertes en vain à cette Vierge de tendresse pour obtenir la faveur d'enfanter. À son insu, ses pensées se dirigèrent machinalement vers Irène et le détail de la robe s'effectua plus aisément.

Elle connaissait tout d'Irène, depuis sa naissance à laquelle elle avait assisté, jusqu'à ses moindres désirs et souffrances. Depuis onze ans, Tatiana aimait Irène d'un amour maternel et l'enfant le lui rendait parfaitement. Ses premiers mots avaient été prononcés en russe, à la surprise générale, et elle le parlait depuis, comme si elle fût née en Russie. Tatiana avait longtemps craint une certaine jalousie de la part de Florence mais avait finalement compris, le jour où cette dernière lui avait raconté la mort de ses jumeaux, qu'une profonde blessure mettait un frein à ses élans naturels, lui donnant l'apparence trompeuse d'une certaine froideur.

Quand Simone vint au monde, trois ans après Irène, Tatiana s'en occupa de son mieux mais le cœur n'y était pas, car sa petite protégée l'habitait trop entièrement. En pensant à Simone, elle déposa son pinceau. Comment expliquer que cette fillette soit si peu choyée par la nature ? se demanda-t-elle une fois de plus. Elle reprit son pinceau, le trempa dans le vermillon et laissa errer ses pensées sur Antoine, le dernier-né, auquel Igor s'était particulièrement attaché. L'enfant le suivait régulièrement à l'atelier et, du haut de ses six ans, il pouvait non seulement nommer les outils et en expliquer la fonction, mais il commençait même à les manier assez habilement.

Peu après cette naissance et suite à l'opération de sa patronne, Tatiana avait éprouvé un immense soulagement en apprenant que la famille ne s'agrandirait plus. Ses tâches déjà lourdes s'en trouvaient ainsi limitées. Intuitivement, elle comprit qu'il en allait de même pour la plupart des femmes dont les grossesses successives ne prenaient fin qu'à la ménopause. Si l'opération, par ailleurs pénible, était le prix à payer, elles s'en accommodaient sans plainte.

La vie d'Igor et de Tatiana s'écoulait donc paisiblement au service de la famille Grand-Maison envers laquelle ils se sentaient infiniment reconnaissants. Tatiana ajouta une dernière touche de rouge, plus sombre, et rinça son pinceau. Un jour, se disait-elle, elle peindrait pour sa petite Irène une icône plus belle que toutes les autres.

– D'où provient ce doux sourire qui illumine le visage de ma tsarina jolie?

Tatiana leva sur Igor ses grands yeux taillés en amande.

– Je pensais à la Vierge de tendresse qui nous a donné, à chacun, un enfant à chérir. Je faisais la paix avec elle, je crois bien.

***

Pour la famille Grand-Maison, la messe dominicale était autant affaire de piété que de joyeusetés. Un savant mélange, dosé selon les moqueries de Florence. Qu'il s'agisse d'un chapeau posé de travers, d'un servant de messe trop zélé ou de la voix de fausset du chantre attitré, tout la portait à tourner les travers des autres en dérision. Pas un dimanche ne se passait sans qu'elle se penche vers l'un ou l'autre de ses enfants, chacun se disputant à tour de rôle une place à ses côtés, pour placer une remarque qu'on se transmettait de bouche à oreille.

Au retour de la messe, ce dimanche-là, Florence riait encore aux larmes au souvenir de la femme du docteur Dagenais qui s'était accrochée aux basques de son mari, en se relevant de la balustrade, passant près de le renverser et créant ainsi une commotion autour de la sainte table. Tout en s'activant aux préparatifs du repas, aidée de ses filles, elle en rajoutait et donnait à la situation un aspect plus comique que la réalité même.

– Si vous continuez comme ça, maman, monsieur le curé va finir par nous interdire l'entrée de l'église, dit Jeanne sur un ton où pointait un léger reproche.

– On dira ce qu'on voudra de nous, ma fille, mais une chose est certaine, personne ne pourra nous accuser d'être sérieux comme un pape !

Irène achevait de piler les pommes de terre, Simone égouttait les petits pois verts et toutes deux souriaient, tandis que Florence s'épongeait les yeux du revers de son tablier. Les filles aimaient le rire de leur mère, celui des dimanches en particulier, où elles la sentaient légère et joyeuse.

– J'ai une grande nouvelle à vous apprendre, dit Jeanne au bout d'un moment, alors que sa mère avait repris son sérieux et vérifiait le rôti au four.

– Tout le monde à table ! lança Florence à la volée, ignorant les dernières paroles de Jeanne. Allons, aidez-moi à servir la soupe !

À ce cri de ralliement, Arthur se leva le premier, suivi de Charles et de Gérard qui abandonna son livre à regret. Antoine courut se laver les mains et eut tout juste le temps de s'installer à la grande table de la salle à manger avant que les bols fumants arrivent. Tandis que se récitait le bénédicité, Florence jetait un regard inquisiteur sur la tenue de sa progéniture. Satisfaite, elle sourit à son mari qui se rassoyait à l'autre bout de la table.

Arthur se délectait de ce moment de la semaine où toute la famille se trouvait réunie dans la joie. Pour rien au monde il n'aurait toléré une dispute durant le repas, pas plus qu'il ne se serait permis une réprimande. Un seul regard suffisait d'ailleurs à rétablir l'ordre, si besoin était. À part Charles, qui ne craignait ni Dieu ni diable et ne dédaignait pas engager de grands débats avec son père, on savait se tenir à table.

Jeanne attendait le moment propice pour annoncer sa grande nouvelle. Florence venait de déposer le rôti devant Arthur qui aiguisait son couteau avec ostentation, un rituel du dimanche auquel participaient les enfants par leur admiration silencieuse. Comme si trancher un rôti prévalait sur sa préparation, pensait moqueusement Florence en observant Arthur. Jeanne voulut saisir cet instant de silence mais Charles la devança.

— Je me suis inscrit aux Hautes Études commerciales et j'ai
été accepté, déclara-t-il avec emphase.

Le sourire et les félicitations d'Arthur et de Florence en disaient long sur la fierté qu'ils éprouvaient. Jeanne pensa que sa
nouvelle paraîtrait à présent un peu terne. Elle offrit cette déception
à Dieu pour la rémission des péchés du monde et mangea en silence.

— J'ai pensé qu'une hausse de salaire substantielle s'imposait,
dit Charles, sûr de lui et de l'effet qu'exerçait sur son père un
langage raffiné.

Dès l'âge de quatorze ans, les fils Grand-Maison travaillaient
au magasin durant l'été et devaient apprendre à gérer l'argent gagné pour leurs dépenses personnelles l'année durant. Gérard y arrivait aisément, tandis que Charles usait de son charme auprès de
sa mère pour combler les trous des derniers mois scolaires.

— Substantielle? releva Arthur avec amusement. Tu n'y vas
pas avec le dos de la cuiller, mon fils.

— Ce genre d'études commande plus de dépenses, répondit
Charles, et je suis prêt à travailler doublement si vous le désirez.

— Nous en reparlerons en privé, dit Arthur, mettant ainsi fin à
la discussion.

— Si Charles obtient une augmentation, il serait normal que
Gérard en obtienne également une, il me semble.

— Quand j'aurai besoin de ton aide, Irène, je te tiendrai au
courant, dit Gérard hautainement.

Irène baissa les yeux dans son assiette et se demanda pourquoi, une fois de plus, elle essayait d'épauler ce frère qui n'avait
besoin de personne. Tout comme sa sœur Jeanne, elle ne prononça
plus un mot. En déposant le gâteau et les tartes au centre de la table,
Florence remarqua la tristesse de Jeanne.

— Jeanne aussi a une grande nouvelle à nous apprendre et j'ai
bien hâte de l'entendre.

Il n'en fallut pas plus pour éclairer de nouveau les yeux de
Jeanne vers qui tous les visages se tournèrent.

— J'ai décidé d'entrer en religion.

Émérentienne arriva en nage chez Louisa. Avec les années, elle s'essoufflait plus rapidement et maudissait son embonpoint qui la forçait à ralentir le pas.

– Juste à penser qu'il me faudra remonter la grande côte, j'en ai le souffle coupé d'avance, dit-elle en entrant.

– A-t-on idée, aussi, de sortir par une chaleur pareille! Viens t'asseoir dans la cuisine d'été, c'est plus frais.

Émérentienne se laissa choir sur la première chaise et s'épongea le front avec le bas de sa jupe. Louisa lui apporta un verre d'eau fraîche.

– Ma grande foi du bon Dieu, Émérentienne, tu vas pas t'évanouir? Tiens! Bois lentement.

Au bout de quelques instants, Louisa se calma en voyant les joues de son amie reprendre une couleur normale. Elle réalisa soudainement qu'elle ne pourrait pas se passer d'elle, que leur attachement mutuel valait toutes les fortunes de la terre.

– Toi et moi, on n'est plus de la première jeunesse. Tu vas me promettre de prendre soin de toi. Je ne veux plus jamais te voir arriver ici par une chaleur pareille! Tu m'entends?

Émérentienne hocha la tête en souriant. Les reproches véhéments de Louisa parlaient d'eux-mêmes et mettaient du baume sur son cœur. Personne, chez elle, ne remarquait ses essoufflements, sa fatigue grandissante, pensait-elle. Ferdinand l'observait pourtant, l'angoisse au fond du ventre, mais il gardait pour lui ses inquiétudes.

– Devine qui vient d'arriver chez mes beaux-parents? demanda-t-elle après avoir constaté que les battements de son cœur reprenaient une cadence normale.

– Florence?

Heureuse de susciter la curiosité de Louisa, Émérentienne aurait voulu la faire languir mais elle n'y arriva pas.

– Émile! Le fils prodige des Beauchamp! Et j'étais là au moment même où il est entré.

208

– Émile ? Après toutes ces années sans donner signe de vie ? Ta belle-mère s'est pas évanouie ?

– La pauvre. Tu peux pas imaginer sa réaction. D'abord, faut dire qu'il a plus tous ses morceaux.

– Émile a jamais eu de tête sur les épaules, dis-moi pas qu'il l'a complètement perdue ? demanda Louisa en tirant sur les plis de sa jupe nerveusement, les vieilles rancunes refaisant surface malgré la réparation de l'offense par Cléophas, suite à l'extorsion de son fils.

– Il a perdu une jambe ! Une vraie pitié de le voir arriver sur une jambe de bois, Louisa, t'as pas idée !

– T'es pas sérieuse ? Et Mme Beauchamp ?

– Crois-le ou non, elle l'a regardé dans les yeux, dans les yeux seulement, comme si elle voulait pas regarder plus bas. Elle savait qu'il avait une jambe de bois, elle était à la fenêtre du salon quand il est arrivé et elle avait crié : «Cléophas ! Un autre quêteux qui arrive ! Sur une jambe de bois, en plus !»

– Non !

– Vrai comme tu es là !

– Et après ?

– Après l'avoir regardé dans les yeux sans rien dire, elle a tourné les talons et s'est enfermée dans sa chambre.

– Non ! Et M. Beauchamp ?

– Je saurais pas te dire, ma fille, parce que j'ai pas demandé mon reste, tu peux me croire ! On aurait pu couper l'air avec un couteau, tellement c'était lourd. Si t'as jamais vu partir quelqu'un comme un fusil pas de plaque, t'aurais dû me voir !

– Hé ben ! ma vieille, pour une nouvelle, c'est toute une nouvelle.

Le parfum troublant des lis et la moiteur étouffante de la serre alourdissaient peu à peu les gestes de Rose-Aimée. Tant bien que mal, elle continuait de repiquer de jeunes plants de pavot et les pots de grès s'alignaient moins rapidement, car elle commençait à cogner des clous. Non loin d'elle, Hortense arrosait copieusement les cageots de bois, emplis à ras bords de pensées, d'impatientes, d'œillets de poète, de pétunias et de gueules-de-loup. En tirant d'un coup sec sur son boyau d'arrosage, elle accrocha un seau qui émit un son grincheux en tombant au sol. Rose-Aimée sursauta.

– Vous avez l'air fatiguée, Rose-Aimée, vous devriez vous reposer un peu.

– C'est l'odeur des lis qui m'endort. Ça va passer. Mais toi, ma belle Hortense, tu as l'air contrariée.

Malgré elle, Hortense jeta un coup d'œil à l'autre bout de la serre et Rose-Aimée suivit son regard. Assis côte à côte, Jeanne et Omer préparaient des paquets de bulbes par douzaine. Un rayon de soleil traversait les vitres et les inondait de sa lumière, créant une sorte de halo autour d'eux. Leurs rires étouffés ajoutaient au tableau une touche d'irréel.

– Comme c'est beau de les voir, soupira Rose-Aimée. C'est toujours bien pas ces deux là qui te mettent dans un état pareil ? demanda-t-elle sur un ton incrédule.

Hortense feignit de ne pas entendre, tandis qu'elle enroulait le boyau. Rose-Aimée descendit de son tabouret et s'avança vers elle.

– Qu'est-ce que tu dirais d'accompagner ta vieille belle-mère, si elle t'offrait une limonade bien fraîche ?

Les deux femmes remontèrent lentement vers la maison, Hortense accordant son pas sur celui de Rose-Aimée, en se disant qu'il valait mieux lui confier ses soucis puisque, de toute façon, elle était toujours de bon conseil.

– C'est bien sûr que Jeanne serait le parti idéal pour Omer. Elle est parfaite ! dit Hortense en retenant la porte pour sa belle-mère. Pourtant, si vous saviez comme je suis inquiète.

Rose-Aimée jugea bon de ne pas poser de questions et s'affaira à préparer la limonade, laissant Hortense tournailler autour de la table. Tout en pressant les citrons, elle se creusait la tête pour comprendre ce qui tracassait sa bru.

– J'avais promis le secret à Florence mais c'était sans prévoir ce qui allait se passer.

– Assieds-toi, ma fille, tu me donnes le tournis, dit Rose-Aimée en tendant un verre de limonade alléchant.

Hortense but une première gorgée en fermant les yeux et Rose-Aimée sourit en voyant son air de contentement.

– Sucrée juste à point, comme je l'aime ... C'est pas pour rien que Florence m'a confié Jeanne pour l'été. C'est pour lui changer les idées.

– Et tu penses que ça va la contrarier d'apprendre que sa fille est amoureuse de ton gars ? C'était pourtant à prévoir. Ces deux là sont comme larrons en foire depuis leur tendre enfance.

– Je pense qu'elle en serait très heureuse, au contraire. Seulement, le cœur de Jeanne est déjà pris et j'ai pas envie de voir souffrir mon Omer.

– Son cœur est déjà pris, dis-tu ? Par un mauvais parti ?

– Jeanne veut entrer en religion. Vous pensez que mon fils est de taille à se battre contre Dieu ?

– Mon Dieu ! Mon Dieu ! s'exclama Rose-Aimée. Ma pauvre enfant, je comprends maintenant ton inquiétude. Pourtant, tu as vu comme les yeux de Jeanne brillent quand elle regarde Omer ?

– Les yeux de Jeanne brillent tout le temps, il faut pas se leurrer.

– Quant à ça, c'est bien vrai, dit Rose-Aimée en se relevant. Les yeux de son père et de sa grand-mère tout crachés. Tu veux un autre verre de limonade ?

Hortense avait rejoint sa belle-mère et l'aidait à couper les citrons.

– Qu'est-ce que vous feriez à ma place ?

– Rien, ma belle Hortense, rien. La vie va se charger de décider de ce qui doit se passer, sans que tu puisses intervenir. Jeanne peut devenir ta bru, tout comme elle peut devenir religieuse. C'est l'un ou l'autre et c'est ici qu'elle va découvrir si elle a véritablement la vocation.

– Et Omer dans tout ça ?

– Si Omer doit souffrir, tu pourras rien faire pour lui enlever sa souffrance et ça, ma pauvre enfant, ça fait plus mal que tout le reste.

– Tard en leur demeure
»Filaient la laine trois sœurs.

»Si j'étais femme de roi,
»Dit tout haut l'une des trois,
»Pour le monde entier, moi seule,
»Tisserais de beaux linceuls.

»Si j'étais reine, ma foi,
»Dit la seconde des trois,
»J'offrirais un grand festin
»À tous les braves chrétiens.

»Si j'étais tsarine, moi,
»Dit la plus jeune des trois,
»Pour le tsar donnerais jour
»À un fils plein de bravoure.

Florence souriait en écoutant la voix chaude d'Irène qui empruntait les accents mélodieux de Tatiana. Cloué au lit par une rougeole, Antoine écoutait sa sœur avec de grands yeux émerveillés. Florence les quitta en se disant que la compagnie de Pouchkine ne devait pas être monnaie courante dans les foyers canadiens-français. Elle retourna au solarium et reprit la lettre commencée un peu plus tôt.

Vous me posez parfois, chère Zélia, des questions étonnantes. Vous vous livrez plus facilement que moi, ne l'oubliez pas! Quand même, je veux bien essayer de répondre à votre demande concernant «mon sentiment profond face à la vie». Comment vous dire ces choses-là? Si on observe ma propre vie de l'extérieur, on la juge idéale et c'est l'exacte vérité, surtout si on la compare à d'autres. Pourquoi cette souffrance intérieure, alors?

N'allez pas croire que je suis une femme aigrie, loin de là!
J'aime rire, me moquer, j'aime à m'occuper des plantes, des oi-
seaux, j'aime mes tâches quotidiennes (qui sont nombreuses, mal-
gré l'aide inestimable de Tatiana), j'aime la vie que je mène et,
par-dessus tout, j'aime Arthur et mes enfants. En somme, à l'âge
de trente-six ans, je suis une femme comblée. Pourquoi ce vide
intérieur, alors ?

Je me laisse parfois emporter par le chant d'un oiseau, par le
tumulte de la rivière ou par le jeu de la lumière, en fin de journée,
quand les ombres donnent au paysage un contour différent. Pour-
tant, au son le plus aigu de l'oiseau, au bruit sourd des eaux ou à
l'observation de l'écorce d'un arbre s'éclairant sous la caresse
d'un rayon de soleil, un souvenir douloureux survient immanqua-
blement. C'est celui d'un sourire, de rires légers, de petits poings
fermés ou celui d'une main tendue et le souvenir, toujours, me
ramène vers les jumeaux et m'empêche d'apprécier pleinement la
vie.

J'ai beau la cacher, la blessure n'en demeure pas moins
réelle. Pas aussi vive avec le temps, Dieu merci! mais constam-
ment présente. Elle met un frein à tous les plaisirs, même les plus
simples, à tous les élans, même les plus essentiels, mes élans ma-
ternels. Étrangement, je me sens plus à l'aise avec Arthur qu'avec
les enfants. Il y a des jours où je voudrais les prendre dans mes
bras, les bercer, leur parler, du premier au dernier, y compris les
plus vieux. Rien ne se passe pourtant, rien ne se dit. Je vois tout de
leurs peines et de leurs joies, mais je demeure à distance, sur la
retenue. Gérard et Simone sont les plus à plaindre...

À ce point de la lettre, Florence la relut. Étonnée de s'être
livrée de manière si impudique, elle la déchira.

─⫸⫷─

La grange des Beauchamp nécessitait des réparations majeu-
res. Émile les entreprit et chacun put constater que sa jambe estro-
piée le ralentissait mais ne l'empêchait aucunement de travailler.
Ferdinand avait confié à Émérentienne qu'il n'y croyait pas, que ça

n'allait pas durer, ce à quoi elle avait rétorqué: «Certaines personnes ont besoin de descendre jusqu'au fond du puits pour apprendre à se tenir debout, même sur une jambe de bois.»

À table, un midi, alors que Mathilde et Adélaïde servaient les hommes, Émile annonça qu'il fallait refaire entièrement la toiture de la grange. Il essayait de se figurer comment y arriver seul, mais ses frères décidèrent de l'aider et on organisa la journée suivante en conséquence. Cléophas monterait aux champs pour superviser le travail des fils de Ferdinand, même s'il s'agissait de solides gaillards dans la vingtaine, tandis qu'on viendrait à bout de la toiture à trois. Le fait de réaliser qu'on avait besoin de lui redonna de l'appétit à Cléophas qui n'allait plus aux champs depuis deux ans. Adélaïde perçut son sourire de contentement et n'osa pas s'opposer à sa décision.

Les trois frères se retrouvèrent donc unis par le travail comme au temps de leur jeunesse, à la seule différence que, cette fois, Émile semblait avoir du cœur au ventre. Il avait beaucoup à faire pour regagner la confiance des autres, il le savait, et ne s'offusquait pas de la froideur de son entourage. Seul le mutisme de sa mère le blessait au plus profond de son être, tout en aiguillonnant son désir de réhabilitation.

Malgré l'odeur nauséabonde du goudron et la sueur qui leur dégoulinait dans les yeux sous l'effet d'un soleil de plomb, les trois hommes y allaient bon train. Quand Mathilde vint leur offrir d'épaisses tartines de mélasse, elle n'eut pas à les prier de descendre.

— Votre mère dit que c'est une folie de travailler sur un toit par une chaleur pareille. En fait, elle vous défend d'y remonter avant quatre heures, c'est compris? Sinon, vous serez privés de dessert au souper!

Les trois hommes souriaient et Mathilde les quitta en priant qu'ils fassent la paix pour que la famille retrouve enfin sa sérénité. Repus, et sur l'ordre de leur mère, ils s'allongèrent à l'ombre des pommiers. Maurice parla le premier.

— Ta jambe, c'est au poker que tu l'as perdue?

— Le plus gros bluff de ma vie! dit Émile en riant.

— Pis ton acharnement au travail, ça aussi c'est du bluff? demanda sèchement Ferdinand.

Un chien aboya au loin, rompant le silence qui s'éternisait.

— Le commandement qui parle d'honorer son père et sa mère, Émile, vaudrait mieux pour ta jambe valide de t'en rappeler. C'est pas un conseil, c'est une menace!

Comme s'il venait tout simplement d'annoncer un changement de température, Ferdinand se releva, étira ses membres pour leur redonner de la souplesse et remonta sur le toit, laissant les deux autres abasourdis. Maurice éprouva un mélange de honte et de pitié pour Émile et lui tendit la main pour l'aider à se relever, sans pouvoir poser les yeux sur lui.

Vers cinq heures, alors qu'ils avaient presque terminé, le fils aîné de Ferdinand se pointa sur le toit de la grange sans qu'aucun des trois hommes l'entende venir.

— Torrieu que tu m'as fait peur! cria Ferdinand en retenant le seau de goudron qu'il avait accroché en sursautant.

— Coudonc, mon neveu, t'as ben l'air en peine. Dis-moi pas que ton père et moi on vous manque à ce point-là? demanda Maurice qui aimait étriver les jeunes.

— Pépère Beauchamp est mort.

***

Ce furent de belles funérailles. Toute la parenté, les amis et une grande partie des habitants du village se trouvèrent réunis pour pleurer la mort de Cléophas et festoyer ensuite en son honneur.

Arthur et les enfants s'étaient installés chez Raoul et Louisa tandis que Florence ne quittait plus sa mère d'un pas. Elle la couvait, telle une poule son poussin, et Adélaïde levait parfois sur elle un regard si déchirant que Florence retrouvait sa propre douleur. Elle l'utilisait alors au service de sa mère, heureuse de pouvoir se dépenser pour elle à son tour et d'engourdir ainsi ce nouveau deuil.

Rose-Aimée exceptée, la famille se retrouva entre elle au milieu de l'après-midi et Adélaïde voulut parler seule à seule avec son amie. Elle l'entraîna dans sa chambre et, une fois la porte refermée, elle pointa son lit de la tête.

– Si je continue à dormir là, toute seule, à passer mes nuits à le chercher ou à me coller sur du vide, va falloir m'enfermer!

– Veux-tu t'installer chez nous? Tu pourrais y rester aussi longtemps que tu le voudrais et même pour de bon, si ça te chante.

– Ce que je voudrais, Rose-Aimée, c'est m'installer chez Florence et Arthur. Comme ça, en changeant de décor et de routine, j'arriverais peut-être à supporter l'absence de mon Cléophas. Seulement...

– Seulement quoi? Qu'est-ce qui t'en empêche?

– Si tu savais comme ça me gêne de leur demander ça. T'as pas idée! Sans parler que j'ai peur d'être un fardeau pour eux. Dis-moi ce que t'en penses. Honnêtement!

– Je pense que l'affaire est réglée.

– Comment ça, l'affaire est réglée?

– Florence et Arthur m'ont chargée de te questionner à ce sujet-là, voir si t'aurais pas envie d'aller vivre avec eux. Florence osait pas t'en parler elle-même, pour pas que tu te sentes obligée.

Adélaïde fondit en larmes. Rose-Aimée s'approcha.

– Viens que je te serre dans mes bras. Sens-tu aussi les bras de la vieille Zoé qui est avec nous? On pleure avec toi, ensemble comme trois vieilles amies inséparables.

– Zoé a jamais été vieille, elle!

– Aujourd'hui, juste pour pas qu'on l'envie, elle a les cheveux tout blancs, pis le visage tout plissé.

– Vieille folle, va!

– Bon!

Jeanne et Omer levèrent la tête en même temps. Louis employait ce mot à tout propos mais, à cette heure-ci, cela signifiait qu'il remontait à la maison.

– Gardez-vous un peu de travail pour demain, les jeunes.

216

Louis parlait peu. Quand il le faisait, à cause de sa voix un peu étouffée, on tendait l'oreille pour bien entendre. Cette pointe d'ironie surprit Omer et il pensa que son père était plus perspicace qu'il ne l'aurait cru ou, alors, et cette idée à elle seule le fit rougir, c'est que ses sentiments se lisaient sur son visage. Il pensa aussi qu'il était grand temps de se déclarer, août tirant à sa fin, et qu'il devait profiter de ce moment d'intimité avec Jeanne avant qu'elle ne retourne chez elle.

– Les journées raccourcissent et c'est plus frisquet. Tu as froid?

– À peine.

Omer décrocha une vieille veste de laine suspendue à un clou et la déposa sur les épaules de Jeanne. Il aurait voulu parler, là, debout derrière elle, les mains sur ses épaules, mais les mots ne sortaient pas. Son cœur battait dans ses tempes à un rythme fou quand il se réinstalla à ses côtés.

– Je t'aime, Jeanne. Quand bien même j'essayerais de trouver des grandes phrases bien tournées, ça reviendrait juste à dire que je t'aime et que je t'aimerai toute ma vie.

Jeanne ne répondait pas et fixait l'énorme pot de grès empli de terre. Elle venait d'y creuser un puits en plein centre et ses mains restaient plantées là, figées, à moitié recouvertes de terre. Omer les découvrit avec douceur, du bout des doigts, puis les sortit de la terre, comme il en aurait fait d'une plante délicate, et les porta à ses lèvres. Les larmes roulaient sur les joues de Jeanne et Omer les essuya du revers de la main, créant un sillon de terre qui barrait la route aux larmes.

– J'ai le cœur tout à l'envers, Omer.

– Moi aussi, Jeanne.

– Pas pour les mêmes raisons que moi.

Sans comprendre, Omer eut peur. Une peur bleue, froide, qui faisait mal au ventre. Il tira les deux tabourets rangés sous la table de travail et aida Jeanne à y grimper. Ses mains tremblaient légèrement et, en s'asseyant à son tour, il les garda sous le tabouret.

– Ton cœur est déjà pris?

– Si je réponds oui, tu comprendras mal. De toute façon, si je veux être honnête avec toi, je devrais répondre que mon cœur était complètement pris avant d'arriver ici et que maintenant je suis toute chavirée.

La peur d'Omer se dilua et une lueur d'espoir se dessina au fond de ses yeux.

– C'est pas ce que tu crois, Omer. Avant d'arriver ici, je voulais entrer en religion. Il n'y avait aucun doute dans mon esprit, aucun ! En annonçant ma décision à mes parents, j'ai pensé qu'ils seraient heureux pour moi. Mon père l'a été, je crois. Pour ma mère, c'est tout le contraire qui s'est produit.

Omer ne disait rien, trop tourmenté par la peur qui se relogeait dans son ventre. De son côté, Jeanne revoyait le visage de sa mère se fermer, se durcir. Sa mère redevenait un bloc de glace, comme au temps de son enfance, comme chaque fois que les émotions trop fortes l'envahissaient.

– Ce dimanche-là j'ai pleuré toute la nuit, la tête dans mon oreiller, pour que personne ne puisse m'entendre. Le lendemain, ma mère m'a annoncé que je passerais l'été chez vous et qu'on reparlerait de ma vocation à mon retour, pas avant.

Les larmes de Jeanne coulaient de nouveau. Omer n'osait plus tendre la main pour les essuyer.

– Pas un doute en arrivant ici, pas un seul ! dit-elle rageusement.

– Et maintenant ?

– C'est comme je t'ai dit, Omer. Maintenant, j'ai le cœur tout à l'envers.

– C'est pas écrit dans le ciel, que tu sois obligée de devenir une bonne sœur. Il paraît que toutes les femmes ont eu cette envie-là, au moins une fois dans leur vie. J'ai déjà entendu ma mère et ma grand-mère en parler.

– Cette envie-là, comme tu dis, je l'ai toujours eue au fond de mon cœur. Depuis que je suis toute petite, je pense que ma mission est de soulager la peine des autres.

– Et maintenant, si tu as le cœur tout à l'envers, c'est parce que je suis entré dedans?

Jeanne sourit à Omer. Comment lui expliquer qu'il était entré dans son cœur mais qu'il y était à l'étroit, l'Autre occupant trop d'espace? Par ailleurs, comment s'expliquer à elle-même ses élans soudains vers Omer, ceux du corps y compris?

– C'est une bataille en-dedans de toi?

– Oui, c'est exactement ça.

Si on devait courber l'échine devant Dieu, pensa Omer, il n'était pas dit ni écrit qu'on ne pouvait pas se battre avant. Il n'avait rien d'une poule mouillée et se sentait au contraire plus d'affinités avec le coq qui ne laisse personne empiéter sur son territoire.

– Pour faire un choix éclairé, tu dois pouvoir comparer. L'amour de Dieu fait appel aux sentiments les plus nobles. C'est pareil pour un homme et une femme, sauf que ça fait aussi appel aux sens. Si tu me laisses t'embrasser, tu seras plus en mesure de juger. À moins que tu craignes trop pour ta vocation...

Jeanne restait muette. Omer comprit que la minute de vérité pouvait se jouer d'un instant à l'autre, au milieu de la serre où se déroulait une grande partie de sa vie, dans l'odeur de la terre et des fleurs.

– Je ne parle pas d'un petit bec de sœur, Jeanne. Je parle d'un vrai baiser.

Jeanne lui prit la main et ils descendirent de leur tabouret en même temps. De sa main libre, Omer caressa la joue de Jeanne, repoussa une mèche de cheveux, puis dessina du bout de son index le contour de sa bouche. Jeanne frissonna. Omer prit alors son visage entre ses deux mains, descendit lentement la tête vers ses lèvres et attendit, là, au bord de la bouche offerte, jusqu'à l'irrépressible mouvement de Jeanne qui les unit enfin. Les mains d'Omer glissèrent sur le cou et les épaules de Jeanne, puis sur son dos. Il l'enserra alors, une main sur les omoplates, l'autre au creux des reins, et sa langue pénétra en douceur dans la bouche de Jeanne.

C'est alors qu'elle perdit connaissance.

Alfred Poulin monta au troisième étage d'un pas décidé. Il devait en avoir le cœur net. Il croisa Igor qui sortait du grand bureau.

– Le patron est seul, Igor?

– Seul, monsieur Poulin, et de fort bonne humeur.

Alfred rajusta sa cravate et se lissa les cheveux avant de frapper à la porte.

– Entrez!

Arthur venait de faire un bon coup à la Bourse et avait, en effet, une mine resplendissante. Alfred Poulin se dit que c'était de bon augure pour son entretien.

– Venez vous asseoir, mon cher Alfred. Je vous offre un scotch. À moins que vous désiriez autre chose? Igor vient de faire le plein et ce n'est pas le choix qui manque! Un cognac, peut-être?

– Un bon scotch, monsieur Grand-Maison.

Arthur souriait en pensant à ses jeunes années où il s'était mis au scotch, tout comme M. Richard.

– Vous m'avez devancé, mon cher. Je voulais absolument avoir un entretien avec vous à propos de mes fils et de leur rendement durant l'été. C'est un bilan positif?

– Extrêmement positif, monsieur Grand-Maison, et c'est à cet effet que je suis monté vous voir.

Arthur fronça les sourcils tout en gardant son sourire, ce qui déstabilisait souvent ses vis-à-vis. Alfred avait appris à ne plus se laisser impressionner par cette tactique et l'employait lui-même au désavantage des employés.

– Je vous écoute.

– Comme vous me l'aviez demandé, je les ai bien observés. Ils ont mûri depuis l'an passé. Vous savez, ils ont beau être complètement différents l'un de l'autre, ils se complètent à merveille. Charles a un tempérament fougueux, il ose, il fonce et il a un charme irrésistible auprès des clients, particulièrement auprès des clientes qui accompagnent leurs époux si je peux me permettre, ce qui fait en général doubler les ventes.

– Pas trop entreprenant, j'espère?

– Les clients n'y voient que du feu.

– Et Gérard?

– C'est celui qui observe, à qui rien n'échappe et dont le jugement est absolument sûr. Plus tard, ils pourraient former une équipe dynamique. C'est à ce sujet que je voulais vous parler.

– Allez-y.

– À cause d'eux, je crains pour mon avenir, monsieur Grand-Maison. Je vous le dis aussi simplement que je le pense.

– Je ne suis pas homme à me départir de mes employés, mon cher, surtout pas des meilleurs et des plus dévoués.

– Pourtant, nous serons à l'étroit dans quelques années s'ils décident tous deux de travailler pour vous. C'est pourquoi j'ai pensé à une solution possible.

– Vous m'intéressez, continuez.

– Vous avez eu vent des rumeurs concernant la manufacture de Saint-Hyacinthe?

– Des rumeurs, justement. J'ai dîné avec le président la semaine dernière, et nous n'avons pas à nous inquiéter de l'approvisionnement, je peux vous l'assurer.

– De toute façon, Saint-Hyacinthe ou une autre manufacture...

– Acheter une manufacture?

Arthur fit quelques pas vers la grande armoire et revint avec la bouteille de scotch. Il emplit les deux verres de nouveau.

– C'est une idée qui mérite réflexion, dit-il après avoir vidé son verre d'une traite.

***

Florence déposa sa plume et tendit l'oreille. Pas un bruit, pas un son ne lui parvenait. Septembre avait ramené le calme au sein de la maison et elle s'y habituait difficilement. Elle reprit sa plume et continua sa lettre.

Je perds ma fille, ma belle grande Jeanne, bâtie pour mettre au monde une dizaine d'enfants, faite pour l'amour, avec ses im-

menses yeux noirs qui brillent sans cesse, vous traversent le cœur et vous chavirent. Je la perds en la blessant, incapable de partager sa joie.

Mon plan n'a pas marché, Zélia. Vous aussi, pourtant, vous y avez cru. «J'entre en religion, m'a-t-elle dit en revenant de chez Hortense, et c'est un choix éclairé. J'ai dû choisir entre Dieu et Omer. Dieu a gagné, en m'envoyant un signe qui m'a terrassée.» Elle n'a pas voulu en dire plus. Il semble que le pauvre Omer soit en bien mauvais état et je pense que ma chère amie Hortense me tient personnellement responsable du chagrin d'amour de son fils. Elle a raison, dans une certaine mesure, mais qu'est-ce que je pouvais faire d'autre? Et n'était-il pas de mon devoir de le faire? Dieu sait peut-être mieux que moi ce dont ma fille a besoin? C'est, en tout cas, ce que prétend ma mère.

Elle va beaucoup mieux, soit dit en passant. Elle s'occupe toute la journée et c'est un plaisir de la voir choisir ses tâches: elle fait uniquement ce qu'elle aime! Enfin! Tatiana et moi, nous nous efforçons de lui épargner la moindre fatigue et nous rions sous cape quand nous devons insister pour lui soustraire un torchon des mains. C'est devenu un jeu entre nous. Vous devriez la voir repartir, toute fière d'avoir offert son aide et plus fière encore d'aller s'occuper à autre chose de plus intéressant. Elle a pris Simone sous sa protection et gare à celui ou celle qui voudrait l'étriver! Elle a entrepris de lui enseigner les travaux d'aiguille et, ma foi, la petite réussit assez bien.

– Qu'est-ce que j'ai fait au bon Dieu pour mériter une femme aussi belle?

– Arthur! Déjà de retour?

– J'ai pensé que la journée était trop belle pour la passer loin de toi. Si on descendait à la rivière?

– Qu'est-ce que j'ai fait, moi, pour mériter un homme si aimant?

– Toi? Tu n'as rien fait! Tu as eu la chance de venir au monde avec les plus beaux yeux bleus qui soient. C'est tout!

– Merci pour le reste, Arthur Grand-Maison!

– Tu m'as bien compris? dit Ferdinand en agitant son doigt sous le nez de sa femme.

– Ma pauvre Émérentienne, dit Louisa qui arrivait au même moment, qu'est-ce que t'as encore fait à ton mari, ma vlimeuse?

– T'arrives à point, toi. À deux, on va peut-être lui faire entendre raison? J'ai pas souvent mis mon pied à terre, mais pour une fois je viens de lui donner un ordre.

– Bon! Bon! J'ai compris et c'est promis. Va voir à tes choux, à c't'heure!

Ferdinand se pencha sur Émérentienne, déposa un baiser sur sa joue et lui glissa quelques mots à l'oreille avant de disparaître.

– Les gros mamours! Qu'est-ce qui se passe? demanda moqueusement Louisa.

Émérentienne suivait son homme des yeux.

– Le sourire fendu jusqu'aux oreilles! Pour l'amour du ciel, qu'est-ce qui t'a dit de si beau, ton mari?

– Qui m'aimait trop pour me perdre.

– Cré Ferdinand! Comme si c'était possible de perdre son Émérentienne!

– Si je travaille trop fort. Pour le déménagement, entre autres. Pas question de me voir lever le petit doigt, qu'il dit. Tout le monde va mettre la main à la pâte, sauf moi! J'ai l'air de quoi?

– D'une femme qui a travaillé fort toute sa vie, qui s'essouffle à présent trop facilement, pis qui doit profiter des gros bras forts des hommes de la maison. Si t'avais eu une fille, aussi!

– C'est pas faute d'avoir essayé! Dix garçons! N'empêche que t'es chanceuse d'avoir autant de filles que de gars.

– Beau dommage que je suis chanceuse! Même si on se serre la ceinture à chaque fois qu'on doit en marier une.

– L'argent, soupira Émérentienne en débarrassant la table.

Louisa vint l'aider.

– Écoute, Émérentienne, l'argent de l'héritage va permettre à chacun de vivre plus à l'aise. Tu vas quand même pas t'en plaindre? Pour ce qui est de la maison paternelle, c'est normal qu'elle revienne à Ferdinand et tu dois pas t'en faire pour Maurice et Mathilde. Ces deux là seront heureux ici. D'ailleurs, ils seraient heureux n'importe où, tu le sais bien.

– Ferdinand dit qu'on pouvait pas refuser parce que ça reviendra ensuite à notre aîné.

– Imagine un peu comme tu vas être bien dans la belle maison des Beauchamp. Arrête de t'inquiéter pour les autres. C'est pour quand, le déménagement?

– Après la dernière récolte.

En allant secouer la nappe à l'extérieur, Louisa aperçut Émile qui avait l'air d'inspecter l'arrière de la maison. Elle entra précipitamment.

– Qu'est-ce qui fait ici, celui-là?

– Qui ça?

– Le diable en personne! Émile Beauchamp, alias jambe de bois!

– Il doit être en train de prendre des mesures pour la rallonge. Figure-toi donc qu'il a proposé à Maurice et Mathilde de rajouter un bas-côté à la maison et qu'il va l'habiter.

– Dieu soit loué! s'exclama Louisa. J'avais tellement peur que t'en hérites en même temps que la maison, que j'osais rien demander.

– Ferdinand peut pas le sentir. Ça risquait pas de nous arriver. Tu sais, Louisa, un homme qui a perdu la confiance de tout le monde, y compris celle de sa mère, c'est un homme bien à plaindre.

– Madame Beauchamp lui parle toujours pas?

– Non.

Émérentienne lavait la vaisselle, Louisa l'essuyait. Comme elle était très vive, elle attendait les morceaux avec impatience, surtout qu'Émérentienne avait l'esprit ailleurs et ne la fournissait plus.

– Donne-moi ta place. Je préfère laver.

Émérentienne échangea son torchon contre le linge à vaisselle, sans trop s'en rendre compte.

– Après la lecture du testament, quand chacun a pu constater que monsieur Beauchamp avait déduit la part d'héritage d'Émile de tout ce qu'il leur avait coûté, madame Beauchamp a dit : «Cléophas a bien fait les choses, comme toujours.» Émile savait que ça s'adressait à lui, parce qu'il a baissé la tête. Quand elle est partie avec Florence et Arthur, juste comme elle passait la porte, Émile lui a dit : «Je vous demande pardon pour tout le mal que je vous ai fait, maman». Crois-le ou non, elle s'est même pas retournée.

– Peux-tu la blâmer?

– Au contraire, je pense que c'est la meilleure façon pour lui de retrouver sa dignité, parce que son seul but, maintenant, c'est de prouver à sa mère qu'il a vraiment changé. Seulement, c'est trop triste de voir la souffrance de ces deux là. Celle de ma belle-mère qui doit se marcher sur le cœur pour pas adresser la parole à son fils, pis celle d'Émile qui doit se sentir comme un moins que rien.

– De nous deux, c'est toi la meilleure, Émérentienne.

– Pourtant, c'est de toi que j'ai appris le pardon. C'est bien pour dire comme on se connaît mal soi-même!

***

C'était l'heure des corneilles, comme Florence se plaisait à le dire. L'été des Indiens durait depuis quatre jours et sa douce chaleur permettait qu'on se berce sur la galerie sans prendre froid. Florence avait tout de même pris soin d'envelopper sa mère dans un châle de laine et toutes deux écoutaient avec amusement le croassement des gros oiseaux noirs.

– Les feuilles des peupliers sont déjà toutes jaunies, dit Adélaïde. D'ici un jour ou deux, le beau temps va nous quitter et l'hiver va nous tomber dessus plus vite qu'on le croit.

– D'après *l'Almanach du peuple*, on aurait une première bordée de neige avant la fin d'octobre, cette année.

– C'est aussi ce que prétendait ton père avant même la fin de l'été et il s'est rarement trompé dans ses prévisions.

– Je vous trouve bien courageuse, maman...

– Ma pauvre enfant! Est-ce qu'on a vraiment le choix?

Les corneilles s'égosillaient à fendre l'âme, se posaient sur les branches des peupliers longeant la longue allée, se taisaient un moment, puis dans une envolée commune repartaient vers les érables des Dagenais. On entendait alors la femme du médecin frapper dans ses mains pour les chasser. En moins de deux, elles revenaient.

– Tu aimes vraiment entendre criailler ces oiseaux de malheur? demanda Adélaïde qui avait déjà son compte.

– J'aime leur entêtement à narguer madame Dagenais. Celle-là! Encore aujourd'hui, les enfants l'appellent la sorcière. Vous dire tous les mauvais tours qu'ils lui ont joués et tous les embarras que ça m'a causés! Une vraie gribouille qui a toujours défendu à ses enfants de jouer avec les miens.

– La vieille Arthémise avait coutume de dire: «Femme aigrie, femme mal servie». Faut dire que le docteur doit pas être trop porté à remplir son devoir, avec un agrès pareil!

Les deux femmes riaient et Florence retrouvait, avec plus de bonheur qu'autrefois, le franc-parler des gens de la campagne.

– J'ai finalement décidé de ce que j'allais faire de mon héritage, dit Florence en prenant sa mère au dépourvu.

– Sens-toi surtout pas obligée de m'en parler, ma fille.

– Je suis tellement heureuse de vous avoir auprès de moi, maman, que j'ai envie de vous faire partager mes bons coups.

– Chère Florence, va! Raconte-moi tes bons coups, j'écoute.

– Tout au long de sa vie, papa a acheté des terrains et, sans se le dire, on pensait que c'était devenu une lubie. Pourtant, au cours des dernières années, c'est en revendant ces mêmes terrains qu'il a fait le plus gros de son argent.

Adélaïde approuvait de la tête, sans dire un mot. Elle n'aimait pas se mêler des questions d'argent, surtout pas celui des autres. Elle avait quand même hâte de savoir où sa fille voulait en venir.

– Sur bon nombre de ces terrains, on a déjà construit. À Montréal, on construit beaucoup de maisons à logements multiples et pendant ce temps-là les vieilles maisons se vendent pour des bouchées de pain. Si je peux seulement trouver un homme de confiance, assez habile de ses mains pour transformer des taudis en logements confortables, je me lance en affaires!

– Est-ce qu'on t'a parlé des rénovations d'Émile? demanda Adélaïde sur un ton qu'elle souhaitait le plus détaché possible.

~~~~~~

– J'ai remarqué que monsieur Grand-Maison et le docteur Dagenais allaient souvent te rendre visite à l'atelier, avant d'entreprendre leur marche. Est-ce que par hasard ils commencent à prendre goût à la vodka?

Le rire sonore d'Igor éclata, en constatant que son haleine l'avait trahi.

– Monsieur Grand-Maison préfère le scotch et le docteur Dagenais ne boit que du cognac.

– Et il y a tout cela dans l'atelier?

– Tout cela, ma tsarina. Mon patron est un homme rusé qui me charge de bien garnir l'armoire de son bureau et une petite cache dans l'atelier, pour les soirées fraîches, dit-il. Je dois veiller personnellement à ce que les trois bouteilles de la cache ne se vident en aucun cas.

– Et vous discutez de quoi, au juste, en prenant un ou deux fortifiants?

– De la politique et des femmes.

– Des femmes?

– Enfin, c'est plutôt le docteur Dagenais qui en parle. Si tu veux mon avis, je crois qu'il trouve des compensations en dehors de son foyer.

– Igor!

– Da! Da! Ces choses-là existent, mon petit oiseau.

~~~~~~

Hortense allait sombrer dans le sommeil quand elle entendit une porte se refermer. Elle quitta le lit précautionneusement afin de ne pas réveiller Louis, revêtit sa robe de chambre et sortit sur la pointe des pieds.

En pleine noirceur, figé au milieu de la cuisine, Omer avait l'air d'une statue de sel. Hortense s'approcha, avança une main vers l'épaule de son fils et la retira aussitôt, en pensant qu'il était trop à fleur de peau pour supporter le moindre geste de tendresse. Pourtant, elle aurait tout donné pour le prendre dans ses bras, le bercer contre sa poitrine et s'approprier son immense chagrin.

– Comme j'arrivais pas à dormir, j'ai pensé qu'une bonne tasse de lait chaud me ferait du bien. Tu en veux ?

– Je sais que vous êtes là pour moi, maman. Je sais. Faut pas vous inquiéter, j'arriverai à m'en sortir. Faut seulement me donner du temps. Beaucoup de temps.

Omer monta à sa chambre sans un mot de plus. Hortense resta seule, le cœur en charpie. Elle n'avait pas envie de lait chaud, elle n'avait pas envie de dormir, elle voulait que cesse la souffrance de son fils. Rien d'autre. Dans le bahut, cachée sous une pile de nappes, elle reprit la lettre de Florence, reçue la veille, et relut le deuxième paragraphe.

Si tout est de ma faute, comme tu me l'as écrit, je te demande humblement pardon. Si l'inverse s'était produit, je t'en voudrais peut-être aussi. Pourtant, c'est notre rêve à toutes les deux qui s'est envolé en fumée. Est-ce que tu n'aurais pas tenté l'impossible, dans ma situation ? Et honnêtement, est-ce que tu n'as pas partagé le risque avec moi en acceptant de recevoir Jeanne chez toi ? Je ne t'avais rien caché et tu étais libre de refuser.

Libre ! Libre ! marmonna Hortense en déchirant la lettre. Comme si j'avais eu le choix, Florence Beauchamp ! Tu m'as pas suppliée, pis c'est juste ! Que le diable vous emporte, toi pis ta sainte nitouche de fille !

Dans son couvent des sœurs de Sainte-Croix et des Sept Douleurs, Jeanne, la novice, s'éveilla en sursaut. Elle était en nage. Elle s'agenouilla au pied de son lit et se recueillit.

«Seigneur, je suis entrée en religion pour soulager la douleur d'autrui. Pourquoi avez-Vous permis que je la provoque? Je Vous en supplie, mon Dieu, veillez sur Omer qui souffre au point de m'éveiller en pleine nuit. Je Vous ai choisi entre tous, n'est-ce pas suffisant pour que Vous lui accordiez la paix? Vous pourriez peut-être lui donner la chance de rencontrer une jeune femme qui lui donnera de beaux enfants?»

À cette idée, le souvenir du baiser d'Omer se fit brûlant sur la bouche de Jeanne. Elle se releva, se dirigea vers sa table de toilette, versa toute l'eau du pot dans la bassine et y plongea la tête. Puis, sans même s'assécher, elle revint s'agenouiller.

«Comme je Vous le disais, mon Dieu, je Vous ai choisi et cela devrait suffire à votre bonheur. Aidez Omer! Au nom du Père et du Fils et du Saint-Esprit. Amen.»

Jeanne sauta dans son lit, releva frileusement ses couvertures et se rendormit aussitôt.

VII

À bout de ressources, Raoul enfila ses bottes et son manteau, jeta un dernier regard vers sa femme, puis partit en maugréant entre ses dents et traversa de peine et de misère chez son frère.

– Ferme la porte, viarge! cria Mathieu du fond de la cuisine. Tu vas nous faire geler tout rond!

La neige tombait depuis l'aube, drue à plisser les yeux pour voir plus loin que le bout de son nez. En entrant, Raoul avait amené avec lui une rafale qui refroidissait toute la maison. Malvina serra son châle autour de ses épaules.

– Enlève ta bougrine et viens te réchauffer, dit Mathieu en rajoutant une bûche dans le poêle.

Malvina servit trois tasses de thé, tout en observant Raoul du coin de l'œil.

– T'as ben l'air caduque, à matin.

– J'aurais besoin de ton aide, Malvina. Depuis hier soir que Louisa est en train de se vider le corps de toutes ses larmes. C'est moi qui serais mort qu'elle pourrait pas pleurer autant. J'en mettrais ma main au feu!

– Faut la comprendre, dit Malvina en s'habillant à la hâte, ces deux femmes-là s'aimaient comme des sœurs jumelles.

– En tout les cas, c'est pas une raison pour vouloir braver la tempête. Des plans pour mourir en chemin!

La neige et le froid s'engouffrèrent de nouveau dans la cuisine, quand Malvina ouvrit la porte pour sortir. On ne voyait ni ciel ni terre, la maison d'en face encore moins. Malvina luttait face contre le vent et avançait péniblement. Une rafale l'atteignit de plein fouet et elle se mit à pleurer. «Tu vas pas te mettre à jalouser une morte, à c't'heure!, se dit-elle rageusement. Fais-toi plutôt aller les méninges pour trouver les bons mots de réconfort, si tu veux que Louisa rejette son amitié sur toi!» Forte de cet espoir, Malvina entra, se déshabilla et fit signe aux filles de la laisser seule avec leur mère. Elle fit réchauffer du lait et en tendit une tasse à Louisa.

– Ma mère prétendait que le lait chaud pouvait soigner les blessures du cœur. Peut-être pas les guérir, mais au moins les soulager un peu.

Malvina avait parlé d'une voix si douce que les pleurs de Louisa redoublèrent. Pourvu que la tempête cesse, pensa Malvina, et que les gens de la ville puissent venir.

– Tempête ou pas, Louisa, toi et moi on va se rendre chez les Beauchamp. C'est pas ton mari ou le mien qui vont nous en empêcher, prends ma parole! Ça prendra le temps qui faudra, on va y arriver!

Louisa leva sur Malvina de grands yeux reconnaissants et retrouva du coup son courage.

– Y sera pas dit qu'Émérentienne va être exposée sans que je me trouve à ses côtés!

※

C'est ainsi que les débuts de l'année 1922 laissèrent Ferdinand complètement démuni, suite à la mort de sa femme, et que Louisa, plus malheureuse que les pierres, mesura l'étendue de sa perte.

À cause de la tempête, Adélaïde, Arthur, Florence et les enfants ne purent assister aux funérailles. Ils arrivèrent deux jours plus tard et une nouvelle messe fut chantée à l'intention d'Émérentienne. D'autres prières furent récitées devant le charnier, à l'entrée du cimetière, où l'on gardait le cercueil jusqu'au dégel de la terre.

Le vie reprit ensuite son cours normal, pour Ferdinand, ses dix fils et Louisa exceptés. Émérentienne avait vécu pour les autres et son absence laissait à présent une ombre immense.

– Je rêve d'un piano, Tati. Un piano bien à moi, qui me permettrait de pratiquer plusieurs heures par jour.

– Il faut le demander, ma douce. C'est tout comme ce gâteau : si je ne le prépare pas, personne ne pourra en manger. Passe-moi les œufs, veux-tu ? Si tu ne demandes rien, comment espères-tu l'obtenir, ce piano ?

Irène passa les œufs à Tatiana en secouant la tête.

– Je n'oserai jamais. D'ailleurs, ma mère refusera. À quoi bon le demander, alors ?

– Qui te parle de faire cette demande à ta mère ? Passe-moi le lait, veux-tu ? Il faut le demander à ton père. Il ne sait pas refuser.

– À mon père ? Tati ! Ma mère croirait que j'ai voulu lui passer par-dessus la tête et ce serait pire encore !

– Là ! Tu as bien graissé le moule ? Va vérifier la chaleur du four, maintenant. Cette religieuse, qui t'enseigne le piano, elle t'aime toujours autant ?

– La température est parfaite. Sœur Berthe m'aime toujours autant, mais qu'elle m'aime ou pas, je ne vois pas où ça peut nous mener.

– À ton piano, peut-être ?

Tatiana déposa le gâteau au centre du four et referma la porte en douceur. Irène léchait déjà la spatule avec laquelle elle avait raclé le fond du bol. Tout en débarrassant la table, Tatiana l'observait en souriant. Irène était si jolie ! À quinze ans, elle en paraissait presque dix-huit et d'ici peu, pensa Tatiana, elle ferait battre bien des cœurs.

– J'attends une explication, ma Tati.

Arthur avait donné rendez-vous à Charles à la salle à manger du Ritz Carlton, dans le but bien arrêté de l'impressionner. Il commanda ce qu'il y avait de plus dispendieux au menu, le bœuf *Wellington*, et une bouteille de *Pommard*, sous les conseils du sommelier. Charles comprit que son père le courtisait et il en fut flatté.

– Dès que tu porteras officiellement le titre de comptable agréé, je suppose que les offres d'emploi ne tarderont pas à t'arriver?

– C'est déjà fait!

– Ah oui?

Charles pensa qu'il venait de gagner un point. Son père se croyait en avance et s'apercevait qu'il était au contraire le dernier à faire une offre.

– On se fait beaucoup courtiser, vous savez. Avant même les examens. De grands patrons nous invitent à des cocktails, à dîner dans de grands restaurants...

– Ah bon?

Le sommelier vint remplir leurs verres.

– Délicieux, ce *Pommard*, dit Charles qui entendait profiter de la situation en se moquant gentiment. À vrai dire, un des meilleurs traitements reçus jusqu'ici. Si le ramage se rapporte au plumage...

– Faudrait quand même pas me croire aussi bête que le corbeau, dit narquoisement Arthur.

Ils allaient maintenant jouer cartes sur table, pensa Charles et il se demanda ce que pouvait bien lui réserver son père. Il avait pour lui une admiration sans borne. Pour un homme parti de la campagne avec trois fois rien en poche, il s'était remarquablement débrouillé ce qui, pensait-il, dénotait une intelligence au-dessus de la moyenne.

Les assiettes étaient presque vides et Arthur n'avait toujours pas découvert son jeu. Charles reconnut la petite lueur espiègle au fond des yeux de son père et c'est lui qui, déstabilisé, fournit la première donne.

– Deux offres retiennent mon attention. J'ai encore un peu de temps pour y réfléchir.

Arthur commanda le dessert, comme si rien d'autre ne comptait. Il savoura lentement sa mousse au chocolat et Charles, exaspéré d'attendre, finit par abattre son jeu au complet.

– Évidemment, travailler dans l'entreprise familiale pourrait également m'intéresser. Reste à voir ce que vous pouvez m'offrir.

Cette fois Arthur s'esclaffa et Charles comprit la force de son père. On ne pouvait pas montrer à un vieux singe à faire la grimace. Il s'était cru le plus fort et avait pourtant découvert son jeu, avant même la plus petite offre. Il pensa que c'était là une première vraie leçon de vie et se promit de ne pas l'oublier.

– Un bon digestif et nous irons ensuite visiter une manufacture de vêtements. Une manufacture à vendre, soit dit en passant.

La bouche entrouverte, Charles regardait son père, éberlué. Il l'avait possédé depuis le début et il s'était fait avoir comme un enfant d'école.

– Vous êtes très fort, reconnut-il en souriant.

Arthur alluma un cigare, fier de lui et de l'admiration inscrite dans les yeux de son fils.

– Excellent dîner, mon fils. J'ai bien peur que ça te coûte toute une beurrée !

<hr>

Rose-Aimée se tenait à la fenêtre de la cuisine et regardait tomber la neige, tandis qu'Hortense achevait son repassage.

– Tu parles d'un pays de misère ! On pense que l'hiver est fini, que la neige va commencer à fondre, mais non ! Encore une autre bordée qui nous tombe dessus !

– Vous êtes-vous levée du pied gauche à matin, Rose-Aimée ? C'est pourtant pas dans vos habitudes de maugréer comme ça !

– Quand t'auras mon âge, ma fille, pis que toutes les articulations de ton corps se mettront à craquer, tu verras si la fin de mars te jouera pas sur les nerfs !

Hortense était trop fine mouche pour s'y laisser prendre. Rose-Aimée traînait sa petite misère depuis quelques jours et elle allait bien finir par dire ce qu'elle avait sur le cœur, pensa-t-elle.

– L'avant-midi passe trop vite. J'aurai jamais le temps de finir mon repassage et de faire une bagatelle avant le dîner !

Rose-Aimée fit la sourde oreille et n'offrit pas son aide. Hortense commençait à s'inquiéter, quand elle relia l'état d'esprit de sa belle-mère à la dernière lettre d'Adélaïde, reçue trois jours plus tôt.

– Vous devriez inviter madame Beauchamp à venir passer une semaine avec vous. J'ai l'impression qu'elle vous manque.

– On est trop vieilles pour marcher sur des œufs pis se tourner la langue sept fois dans la bouche avant de parler, au cas où on prononcerait le nom de Florence devant toi! Mieux vaut remettre ça à la semaine des quatre jeudis.

« Au moins, pensa Hortense, elle a fini par sortir le chat du sac. » Elle fit un faux pli dans la manche qu'elle venait d'entreprendre et la mouilla trop copieusement. Elle mit la chemise de côté et en prit une autre.

– Quand on pense qu'elle aurait pu m'aider à broder ma belle nappe. Avec ma vue qui baisse, j'arriverai jamais à l'offrir à Omer à temps, pis son mariage arrive à grands pas!

– Quand vous avez une idée en tête, Rose-Aimée, vous l'avez pas dans les pieds, c'est le moins qu'on puisse dire!

Toujours à la fenêtre, Rose-Aimée semblait entièrement absorbée dans la contemplation du paysage. Le dos tourné à Hortense, elle retenait tant bien que mal son sourire.

– Si vous pensez que je vous entends pas venir avec vos gros sabots, détrompez-vous! Ça fait belle lurette que j'ai pardonné à Florence. Seulement, j'ai mis trop de temps entre nous deux et j'ai peur qu'elle veuille plus entendre parler de moi.

Rose-Aimée abandonna son poste d'observation et vint trouver sa belle-fille.

– Elle pense exactement la même chose. Tu vois comme vous êtes faites pour vous entendre! Laisse-moi finir ton repassage et va nous préparer une bonne bagatelle!

Hortense lui céda sa place avec plaisir, car de toutes les tâches ménagères, le repassage l'ennuyait à mourir. Elle sortit les restes du gâteau de la veille et entreprit de faire son blanc-manger.

– Finalement, ma belle Hortense, je pense que je devrais suivre ton conseil et inviter Adélaïde.

Irène attendait anxieusement l'arrivée de son père. Suivant les conseils de Tatiana, elle s'était réfugiée dans sa chambre dès son retour de l'école, afin que sa nervosité n'éveille pas les soupçons de sa mère. Elle ne descendrait pas avant le souper, remettrait l'enveloppe à son père juste avant le dessert, une enveloppe que la sœur Berthe avait personnellement adressée à M. Arthur Grand-Maison. «S'il fallait que ma supérieure apprenne que je me prête à une entourloupette de la sorte, lui avait dit la religieuse, je serais dans de bien mauvais draps!»

Le moment tant attendu, et tout aussi redouté, arriva enfin. Irène tendit l'enveloppe à son père au moment convenu.

– C'est de sœur Berthe, mon professeur de piano. J'espère qu'elle ne contient pas de mauvaises nouvelles à mon sujet, dit-elle en rougissant.

Florence arrivait avec une théière brûlante à l'instant même où Arthur ouvrait l'enveloppe. Elle emplit la tasse de son mari et vint se rasseoir à l'autre bout de la table, puis se versa une tasse pour elle-même. Irène pensa que le temps s'était arrêté, ou que les gestes de chacun s'effectuaient avec une lenteur anormale. «Cher monsieur, entendit-elle tout à coup dans la bouche de son père. Votre fille Irène est de loin la plus douée de mes élèves. Cependant, le fait de ne pas posséder son propre instrument retarde son évolution. L'étude du piano demande beaucoup d'exercices et les heures qu'elle y consacre ici sont insuffisantes. Je tenais à vous le signaler, car Irène est talentueuse et je la verrais bien, d'ici quelques années, toucher l'orgue d'une église. Peut-être faudrait-il également songer à lui offrir les services d'un professeur plus chevronné que moi. Elle possède des bases solides mais son talent mérite d'être exploité plus à fond.»

Si son père lisait la lettre à haute voix, pensait Irène, c'était bon signe. Non seulement ne savait-il pas refuser aisément, mais, plus que tout, il n'aimait pas perdre la face. Arthur avait terminé la lettre sans qu'elle s'en rende vraiment compte. Il la remettait à présent dans son enveloppe.

– Monsieur Foisy, un bon client à moi, possède une fabrique de pianos à Sainte-Thérèse. Ses entrepôts sont situés ici, à Montréal, rue Saint-Laurent. Toi et moi, Irène, nous irons y faire un tour dès demain.

Arthur vida sa tasse de thé.

– Comme une bonne nouvelle arrive rarement seule, je vous annonce que j'ai fait l'acquisition d'une manufacture de vêtements et, selon les désirs de votre mère, on la nommera «Arthur Grand-Maison et Fils».

Irène perçut l'ébauche d'un sourire sur le visage de Gérard et comprit qu'il entrerait à son tour aux Hautes Études commerciales avec plus d'entrain. Elle-même avait peine à contenir sa joie et se retint de traverser en courant chez Tatiana pour la remercier. Suivie de près par Simone, elle commença à débarrasser la table, tandis que son père et ses frères la quittaient. Sa grand-mère s'était endormie au milieu du brouhaha, la tête penchée sur son épaule, et Florence jetait sur elle un regard tendre qu'elle envia.

Ahuntsic, 5 juillet 1922.

Ma très chère Zélia,

Comme vous me manquez! Si ce n'était de votre santé qui s'est tant améliorée au cours des années passées en Floride, je vous supplierais de revenir. Vous êtes mon amie la plus chère, la plus vraie! Pourquoi vous dire cela maintenant? Sans doute à cause de mes retrouvailles avec Hortense, lors du mariage de son fils Omer. Ce long silence entre nous a dénoué la trame de notre amitié, j'en ai bien peur. Nous avons été heureuses de nous revoir, sans aucun doute, mais le cœur n'y était pas. Pas comme avant. Le silence est le plus mortel des ennemis, car, de toutes les émotions qu'il suscite, l'indifférence est la plus sournoise. Elle s'installe peu à peu et gruge les liens les plus solides. Tout cela est bien triste, ne trouvez-vous pas?

Je parie que vous recevrez sous peu une lettre de Charles. Comment pourrait-il ne pas raconter à sa marraine et confidente

toutes les bonnes choses qui lui arrivent les unes après les autres ?
S'il vous parle d'une certaine Laurence, croyez tout le bien qu'il
vous en dira. Elle est belle, intelligente, cultivée, renseignée et
d'une gentillesse sans pareille. Le genre de bru dont rêvent toutes
les mères !

Pour le voyage, c'est décidé, nous irons ! La lettre de votre
mari a grandement influencé la décision d'Arthur, vous aviez rai-
son ! Passer le temps des Fêtes sous le soleil de la Floride sera
pour nous un dépaysement total. J'ai bien hâte d'admirer le vol des
pélicans qui, très tôt le matin, rasent les eaux de la baie. Cette
image que vous m'avez décrite reste pour moi la plus belle avec
celle de votre palmier tout courbé, sous lequel votre jardinier s'en-
dort parfois, tout aussi vieux et usé que l'arbre lui-même.

Laissez-moi à présent vous parler des nouvelles acquisitions
de la famille Grand-Maison : une manufacture de vêtements pour
Arthur et ses fils, un piano pour Irène et deux maisons de quatre
logements chacune pour moi-même. Oui ! Oui ! J'ai fait le grand
saut avec l'argent de mon héritage et mon frère Émile est en train
de tout rénover. Il travaille à merveille et j'en suis très satisfaite.
Charles vous parlera sans doute mieux que moi de la manufacture
et je lui en laisse le soin. Quant au piano, je vous dirai seulement
qu'il est assorti d'un jeune professeur à la tête de poète, pâle et
chétif (mais très beau), dont Irène doit déjà être follement amou-
reuse, hélas !

Comme vous me manquez !

Florence, votre amie.

--?·꧁❀꧂·--

Igor avait terminé ses livraisons de la journée et revenait vers
le magasin de la rue Saint-Jacques. Il empruntait la rue Saint-
Pierre, quand il dut subitement immobiliser son cheval, à cause
d'un attroupement en face d'un immeuble d'apparence quelconque. Incapable d'avancer ou de reculer, il décida d'aller voir par
lui-même ce qui se passait. Comme la plupart des autres conduc-
teurs, il abandonna cheval et attelage sur place. La foule augmen-

239

tait rapidement et s'agglutinait en masse compacte tout au long de la rue. Grâce à sa haute stature, Igor ne manquait rien du spectacle: des femmes de petite vertu et des hommes d'apparence soignée sortaient de l'immeuble, encadrés de policiers.

«Si c'est pas une honte», dit une femme aux côtés d'Igor. «En pleine journée», dit une autre en s'étirant le cou, ce qui aurait fait sourire Igor s'il n'avait pas reconnu au même moment le docteur Dagenais au milieu des hommes en état d'arrestation. Comme il ne pouvait pas abandonner le cheval en pleine rue bloquée, il s'informa discrètement auprès d'un policier du lieu où ces personnes seraient conduites, puis attendit impatiemment que la foule se disperse.

Arthur se trouvait à son bureau de la mezzanine et Igor y monta au pas de course. Quelques minutes plus tard, Arthur informait Alfred Poulin qu'il s'absentait pour le reste de l'après-midi et il repartit avec Igor.

À peine deux heures après son arrestation, le docteur Dagenais se retrouva sur la rue et sursauta en apercevant Arthur Grand-Maison.

– C'est à vous que je dois cette libération miraculeuse?

– Entre voisins, on peut s'entraider. Montez, docteur. Inutile de vous assurer de la discrétion d'Igor. En revenant de ses livraisons, il a été pris dans un embouteillage, rue Saint-Pierre, et s'est empressé de m'informer de ce qui vous était arrivé.

– Je n'ose pas imaginer les ennuis que je vous ai causés, ni les influences dont vous avez dû jouer. Vous venez de sauver mon honneur, monsieur Grand-Maison, mais je crains d'avoir perdu votre estime à jamais.

– Pour vous lancer la première pierre, mon cher, il me faudrait une auréole. Vous en voyez briller une, au-dessus de ma tête?

Le docteur Dagenais sourit timidement à Arthur puis, subitement, comme si on venait de le soustraire à l'échafaud, il éclata en sanglots. Igor dirigea le cheval vers la rue Saint-Pierre où se trouvait le propre attelage du docteur qui reprenait peu à peu le contrôle de ses émotions.

– Pour me sortir de cet embarras, vous avez sûrement déboursé une somme importante. Je vous dois combien, monsieur Grand-Maison?

– Je vous en prie, docteur, oublions ça. Un de ces jours, j'aurai peut-être besoin de votre aide à mon tour, qui sait? Igor immobilisa le cheval et le docteur, juste avant de descendre, prit les mains d'Arthur entre les siennes.

– Je ne souhaite pas que vous ayez besoin de mon aide un jour, monsieur Grand-Maison, mais je souhaite sincèrement vous remettre au centuple ce que vous avez fait pour moi aujourd'hui.

– À ce soir, docteur, comme d'habitude et comme si de rien n'était, dit Arthur en relevant son chapeau.

❧❀❀❧

Le samedi était jour d'astiquage pour Irène et Simone qui, en aucune circonstance, ne pouvaient y échapper. Irène détestait toutes les tâches ménagères, de la première à la dernière, et elle avait tenté de s'y soustraire plus d'une fois dans sa vie. Quand elle le pouvait, Tatiana venait à sa rescousse, mais Florence avait l'œil et considérait que si Tatiana elle-même, pourtant issue d'une famille noble, avait dû consentir à se salir les mains, une jeune fille aux idées de princesse, le titre en moins, se devait à plus forte raison d'apprendre à manier le balai et le torchon. Irène détestait également entendre ce genre d'ironie dans la bouche de sa mère.

Ce samedi-là, pourtant, elle cirait et polissait avec ardeur. Au salon, son piano reluisait et il ne lui restait plus que l'horloge grand-père à faire briller. À contre-jour, et sous la cire d'abeille qu'Irène lui appliquait, son bois chatoyait, passant de la couleur du miel à celle de l'ambre. Les aiguilles marquaient deux heures et elle se hâta. «Dans une heure, il sera là», pensa-t-elle en frissonnant.

Ses tâches accomplies, Simone avait rejoint sa grand-mère dans sa chambre.

– Ma Simonette! Viens voir un peu ce que ta mémère a fait. Regarde! J'ai repris tes mailles et tu peux à présent continuer ton foulard. Ta mère sera fière de toi.

Comme elle le faisait si souvent dans l'intimité de la chambre, Simone vint s'asseoir aux pieds de sa grand-mère et enfouit sa tête dans les larges jupes de l'aïeule. Elle sentit aussitôt la caresse des vieilles mains dans ses cheveux et ferma les yeux, heureuse.

– C'est bientôt l'heure de la leçon de piano, mon enfant.

– Pourquoi je suis obligée d'être un chaperon ?

– Parce que ce n'est pas convenable de laisser une jeune fille seule en compagnie d'un homme. Comme tu es la jeune sœur d'Irène, c'est toi qui dois servir de chaperon. C'est comme ça !

– Irène va me détester encore plus !

– J'expliquerai à Irène que tu n'as pas le choix et qu'elle n'a pas à t'en vouloir. Tiens ! Apporte ton tricot, ça te donnera une contenance. Après tout, ta mère n'a pas dit que tu devais avoir le nez collé sur eux. Elle a simplement dit que ta présence était requise au salon durant les leçons. Va, à présent. Tu viendras ensuite me raconter comment c'était.

Simone se releva et quitta la chambre, aussi malheureuse que si on l'envoyait à l'abattoir. Irène la regarderait encore de haut, pensa-t-elle, tandis que le professeur la saluerait à peine. Elle allait vite s'installer sur le grand canapé avant même son arrivée, n'allait pas les regarder une seule fois, ni l'un ni l'autre, et allait uniquement se concentrer sur son tricot. Et quand sa mère lui demanderait si tout s'était bien passé, elle répondrait que sa sœur suivait très bien les leçons du professeur. Comme si elle connaissait quelque chose à la musique ! Et comme si sa sœur n'était pas une élève modèle !

Mince jusqu'à la maigreur, la chevelure noire un peu longue, les yeux d'un bleu d'encre, de longues mains aux doigts si effilés qu'ils couvraient plus grand que l'octave, le jeune professeur semblait tout droit sorti d'un livre de conte illustré. Il se nommait Louis-Marie Desrosiers.

– La première leçon m'a permis de vous évaluer et d'établir un programme à votre mesure, dit-il à Irène en se dirigeant vers le piano.

Il salua Simone d'un «mademoiselle» mélodieux. Elle répondit par un «monsieur» poli et se cala dans les coussins en souhaitant qu'on l'oublie pour le reste de la leçon.

– Donc, cet été, nous entreprendrons les préludes et les fugues de Bach. Si vous voulez toucher l'orgue un jour, c'est essentiel. Les études de Chopin seront également à l'honneur et, pour couronner le tout, je vous ferai découvrir Schumann, sa poésie, son lyrisme.

Bien malgré elle, Simone leva les yeux. «Irène comprenait-elle vraiment ce langage?» se demandait-elle, inquiète. Elle les vit s'installer côte à côte et reprit son tricot, tandis que la leçon commençait. «Reprenez! Reprenez!» disait sévèrement le professeur et Simone s'inquiéta de nouveau pour Irène.

Les notes traversaient les murs et parvenaient à la cuisine, où Florence et Tatiana travaillaient sans bruit, prêtant une oreille attentive à la musique. Profitant d'un arrêt, Tatiana s'éclaircit la gorge.

– Dois-je préparer du thé et des biscuits, madame?

– Si j'avais un conseil à vous donner, Tatiana, je dirais qu'il ne faut pas encourager les amours de votre petite protégée. Irène n'est pas faite pour la pauvreté. Quand le moment viendra, il vaudrait mieux qu'elle épouse un homme riche, n'ayons pas peur des mots, un homme qui verra en elle une princesse et la couvrira de bijoux et d'objets précieux. Sinon...

Tatiana était stupéfaite. «Tout cela est vrai, se dit-elle, tellement vrai!»

– Comme vous avez raison, madame. J'ai été sotte de ne pas y penser.

– Vous n'êtes jamais sotte, Tatiana. Irène vous aveugle un peu, c'est tout. Nous prendrons le thé avec le jeune professeur, ma mère, Simone, vous et moi y compris.

Florence essuya le rebord de l'assiette à gâteau, pour en effacer toute trace de crème au chocolat, puis releva la tête. Tatiana reconnut alors le sourire moqueur, celui des bons jours qu'elle affectionnait particulièrement.

– Ne pas encourager Irène, tout en évitant de contrecarrer ses plans. C'est une affaire de nuances, Tatiana, tout comme si vous choisissiez différentes teintes de rouge pour peindre vos icônes.

Au creux de son tablier blanc immaculé, Florence avait recueilli les miettes de la journée et, comme à l'accoutumée, y avait ajouté quelques croûtons bien frais. Tous les soirs après le souper, elle s'installait face à la haie de lilas délimitant leur terrain et celui des Dagenais.

– Petits! Petits! Petits! Petits! Petits! criait-elle sur un ton chantant.

Cinq fois. Jamais plus, jamais moins. Gérard les comptait depuis sa tendre enfance, assis dans les marches du petit escalier, un livre à la main, attendant son moment d'intimité avec sa mère.

À l'appel de Florence, les oiseaux venaient, des moineaux surtout, ainsi que les écureuils gris de tout le voisinage, parfois des noirs, qu'elle préférait aux autres parce que plus rares. Elle plongeait alors la main au fond de son tablier blanc et les nourrissait, un à un, avait cru Gérard dans son enfance. Elle faisait durer le plaisir, leur parlait. Pour la remercier, avait-il cru encore lorsqu'il était tout petit, les oiseaux lui faisaient une couronne mouvante, en survolant sa tête un moment, tandis que les écureuils dansaient une ronde à ses pieds. Une fois le tablier vide, elle le secouait, puis levait la tête vers Gérard.

– Allons-y!

À l'âge de dix-neuf ans, ces deux mots le soulevaient encore et, malgré son calme apparent, il suivait sa mère dans l'allégresse. Ils descendaient à la rivière, s'appuyaient à la barre du treillis métallique, puis admiraient le cours d'eau en silence. Au bout d'un moment, Florence posait une ou deux questions et ils remontaient. Ce soir-là, elle s'attardait, profitant de la brise du bord de l'eau, après une journée trop chaude à son goût.

– Qu'est-ce que tu lis? demanda-t-elle en désignant le livre de Gérard.

– *L'Éloge de la folie.*

– On en fait l'éloge, maintenant ?

– Érasme l'a fait, à sa manière et en son temps.

– Érasme ?

– Un humaniste hollandais, avec qui vous avez de grandes affinités.

– À cause de la folie ? demanda Florence avec le rire dans les yeux.

– Il savait se moquer intelligemment. C'est un art que vous maîtrisez à merveille.

– Tu deviens philosophe, mon fils. Je me disais bien aussi que toutes tes lectures allaient te mener loin !

Ils remontèrent lentement et Gérard, une fois de plus, ne put saisir avec certitude la ligne de démarcation entre le compliment et la moquerie.

***

Les parents de Laurence ressemblaient à ceux de Charles. En faisant connaissance, ils se lièrent tous les quatre d'amitié. Peu importait le prétexte, il servait une nouvelle rencontre, ce dont ne se plaignaient pas leurs enfants. Laurence était l'aînée de cinq frères et elle découvrit en Irène la sœur dont elle avait longtemps rêvée, l'amie, la confidente qu'elle ne pensait plus trouver, parce que trop exigeante, trop entière. Irène parlait de cette amitié nouvelle avec Tatiana depuis un bon moment, quand elle bifurqua soudainement.

– Toute ma vie à marcher dans l'ombre de Gérard, à vouloir m'en faire un ami, à lui prendre ses livres en cachette, à espérer qu'on pourrait en discuter ensemble. Tout ça pour rien ! Des remarques désobligeantes ! Des regards méprisants ! Ça oui ! Jamais je ne pourrai lui pardonner !

– C'est maintenant que tu te révoltes ? Que tu décides de lui en vouloir ? demanda Tatiana, étonnée de son brusque revirement, alors que deux minutes auparavant tu me parlais de ton amour pour le beau Louis-Marie et de ton amitié extraordinaire avec Laurence ?

Irène semblait à présent aussi étonnée que Tatiana. Elle appuya ses coudes sur la table et réfléchit un moment, la tête reposant sur ses mains jointes.

— Tu as raison, c'est bizarre. Faut croire que le bonheur me fait exprimer la souffrance que je gardais au fond de moi. Tu te rends compte, Tati ? Toutes ces années à le suivre comme un chien de poche ! Et le pire, c'est que plus il me méprisait, plus je m'entêtais à lui prouver mon admiration ... Mon amour aussi.

— Je comprends ta souffrance, ma douce. Je l'ai vue tant de fois sur ton beau visage. Pourtant, as-tu quelquefois songé à la sienne ?

— Comme si Gérard était capable de souffrir !

Raoul et Louisa mariaient leur dernière fille à la fin de la semaine. Tous les jours, Malvina trouvait du temps pour venir aider aux préparatifs. Il y avait d'abord eu la robe à confectionner, puis le grand ménage à faire du haut en bas, jusqu'à la mangeaille qui devait soutenir plus de soixante personnes durant deux jours.

— J'y arriverai jamais, Malvina !

— Comment ça ? Y reste encore deux jours et on a presque fini. Qu'est-ce qui t'énerve ?

— Demande plutôt ce qui m'énerve pas, je mettrai moins de temps à te répondre !

— Bon ! La mariée est fin prête, nous autres itou ! La maison reluit jusque dans les moindres recoins ! C'est tellement propre qu'on pourrait manger sur le plancher ! On a fait des cretons, de la tête à fromage, des pâtés, de la soupe, des fèves au lard, des tartes aux pommes, aux bleuets, à la farlouche, au sucre, alouette ! Faut-y en faire à la rhubarbe du diable, un coup parti ? Comme ça, on empoisonne tout le monde pis on se repose !

Louisa riait, à présent détendue.

— En fait, dit sérieusement Malvina, tout ce qui reste à faire, c'est le gâteau pis les grosses pièces de viande. On va faire le gâteau tout de suite. Pour les viandes, je serai ici de bonne heure samedi. Demain, on aura juste à préparer les légumes et prendre un peu de repos pour être fraîches et disposes le lendemain. Ça te va?

Louisa sortait tous les ingrédients pour le gâteau. Qu'aurait-elle fait depuis la mort d'Émérentienne, sans la présence de Malvina, se demandait-elle. Certes, il ne s'agissait pas du même genre d'amitié, mais, avec le temps, il y avait de plus en plus d'échanges profonds et, n'eût été de l'ancienne trahison, Louisa aurait pu aimer Malvina sans réserve. Une question lui brûlait souvent les lèvres, qu'elle retenait. «C'est sûr qu'elle mentirait, se disait-elle à chaque fois que la tentation lui revenait, et la moutarde me monterait au nez comme si ça venait tout juste d'arriver. Et peut-être que je pourrais plus lui adresser la parole, si elle me mentait en pleine face.»

La chaleur de la cuisine devenait insupportable. Une fois le gâteau au four, elles sortirent de la maison.

– En dedans ou en dehors, c'est du pareil au même, dit Malvina en s'éventant avec son tablier.

– Si on allait au ruisseau, derrière chez vous? On pourrait se tremper les pieds?

L'ombre du tremble, le clapotis de l'eau se frayant un passage à travers les roches, cette oasis où Louisa retrouvait son calme, autrefois, avant qu'elle habite la maison paternelle des Grand-Maison, la rafraîchit. Les pieds dans l'eau, les jupes retroussées au-dessus des genoux, les deux femmes retrouvaient leurs rires de petites filles.

– J'ai une question à te poser, Malvina. Seulement, notre amitié dépend de l'honnêteté de ta réponse.

Une cigale se fit entendre et Malvina eut l'impression que son cri strident lui perçait le tympan. Elle porta la main à son oreille, en fermant les yeux. Louisa s'était tue, la cigale aussi. Pourtant, Malvina les entendait encore toutes deux, comme si dans sa tête le craquètement de l'une se mêlait aux paroles de l'autre. Elle ne voulait pas entendre la question de Louisa! Elle préférait cent fois cette cacophonie dans sa tête.

– Toi et Raoul, vous l'avez fait?

Malvina se releva d'un bond, sans prendre la peine de rabaisser sa jupe, et Louisa vit ses cuisses. Elle constata qu'elles étaient plus fermes que les siennes et se demanda si Raoul avait fait la comparaison.

— C'est bien le temps de poser une question pareille, quand le gâteau risque de brûler au four!

Le visage de Louisa n'exprimait aucune émotion. Seules ses jambes s'agitaient dans l'eau.

— Que je réponde oui ou que je réponde non, qu'est-ce que ça change? Au bout du compte, tu croiras bien ce que tu voudras!

— Je croirai ce que je voudrai, si tu réponds non. Pourtant, avant de répondre, dit Louisa en se relevant à son tour et en regardant Malvina droit dans les yeux, dis-toi bien que je saurai la vérité, juste au son de ta voix.

— Si j'avais à répondre oui, tu penses que je serais assez bête pour te blesser inutilement? Parce qu'il faudrait pas oublier que c'est de l'histoire ancienne, tout ça! Pis tu penses que je serais prête à perdre ton amitié? Après tout le temps que ça m'a pris à la gagner?

— C'est pas la sincérité qui met l'amitié en péril. En général, c'est plutôt l'inverse.

— Tu la veux la vérité? Tu vas l'avoir! Sache que...

Louisa regardait Malvina avec une telle intensité que cette dernière s'arrêta net, juste avant de mentir.

— Si je dois perdre ton amitié pour te prouver que je t'aime sincèrement, je vais le faire. Oui, on l'a fait, et j'aurai pas assez de toute une vie pour le regretter.

— Tu penses que le gâteau est brûlé? demanda Louisa au bout d'un moment.

Malvina s'attendait à tout, sauf à cela. Elles coururent jusqu'à la maison. La fille de Louisa sortait le gâteau du four, comme elles entraient.

— Le gâteau est tout racorni, leur dit-elle.

Louisa se mit à rire, Malvina à pleurer.

Le plan d'Irène et de Laurence avait parfaitement réussi: Florence et Arthur avaient accepté de laisser coucher leur fille chez les parents de Laurence. Il était entendu qu'ils la ramèneraient le lendemain en fin d'après-midi. Avec la complicité de Laurence, Irène pourrait ainsi passer quelques heures en compagnie de son beau Louis-Marie, tandis que les deux amies prétendaient se promener au parc LaFontaine.

Elles avaient passé une partie de la nuit à se raconter leurs amours. Irène avait découvert avec étonnement les côtés secrets de son frère Charles, tels les jolis objets qu'il offrait sans cesse à Laurence, dont de ravissantes porcelaines, les mots d'amour bien tournés qu'il savait lui glisser à l'oreille et les touchers osés qu'il se permettait parfois et que Laurence tolérait jusqu'à mi-cuisse.

Pour sa part, Laurence apprit le système de communication mis au point par les jeunes amoureux. À cause de la présence constante de Simone, dont ils se défiaient, ils échangeaient des lettres passionnées à travers leurs cahiers de musique.

Ce dimanche après-midi tant attendu arriva enfin. Ils n'en croyèrent d'abord pas leur chance, en se retrouvant au kiosque du plan d'eau principal, et passèrent les premiers instants à se contempler timidement. Quand Louis-Marie prit la main d'Irène et la porta à ses lèvres, elle se dit que la vraie vie commençait à cet instant même.

Ils parcoururent les allées de promenade, visitèrent les serres et Louis-Marie demanda finalement à se reposer. Il avait le souffle court et le teint blême. Irène crut que l'émotion l'étreignait tout autant qu'elle. Ils trouvèrent un banc, face à un étang qu'ils nommèrent *Visions de rêve*, d'après une fantaisie de Schumann.

— Je vous aime, Irène. Je vous aime! Je vous aime!

— Je vous aime aussi, Louis-Marie.

— Je vous aimerai jusqu'à mon dernier souffle et quand l'heure sera venue pour moi de mourir, j'emporterai votre sourire et la lumière de vos yeux si doux.

— Pourquoi tant de tristesse, Louis-Marie? Qui vous parle de la fin, quand nous sommes au début d'un amour merveilleux?

– Parce que j'entre au sanatorium, Irène. Parce que je vais mourir bientôt. J'étais en rémission et vous étiez mon unique élève. Je ne peux plus continuer, je suis au bout de mes forces.

Irène ne pouvait plus tenir en place. Elle se releva et fit quelques pas, l'air affolé, puis revint s'asseoir.

– Vous ne pouvez pas mourir ! Vous n'avez pas le droit !

– Ma douce, ma fragile, tu devras vivre sans moi, tu devras jouer sans moi.

– Je ne pourrai plus jamais jouer, si tu m'abandonnes ! Jamais !

– Fais-le pour moi. Fais-le pour nous. Fais danser les notes sur ton piano en te souvenant de notre amour.

Laurence s'affola en retrouvant Irène, l'œil hagard et le visage décomposé.

– Reprends-toi Irène ! Si tes parents découvrent la vérité, tu n'auras plus de liberté ! Nous irons le visiter au sanatorium, ton Louis-Marie, et il guérira, tu verras !

***

Louis-Marie Desrosiers ne guérit pas. Il mourut un peu avant la fin du mois de novembre et Florence amena Irène chez le fleuriste, en lui disant de choisir les fleurs qu'elle souhaitait. Irène demanda que l'on compose un bouquet très sobre, tout de blanc, les roses et le ruban, mais en voulut cent trente-deux. Il fallait faire venir les roses de partout mais Irène n'en démordit pas. Malgré la facture exorbitante et la folie du geste, Florence ne dit pas un mot. Son Irène souffrait et elle veillait à ses côtés, quel qu'en soit le prix. Arthur aurait un sourire indulgent en l'apprenant, pensa-t-elle. Il comprendrait la démesure de sa fille, lui dont elle devait si souvent retenir les extravagances.

Igor les attendait à la porte du fleuriste et il les mena ensuite dans un chic salon de thé. Florence n'aimait pas les endroits de ce genre, ne s'y sentant pas à l'aise, mais elle pensa que sa pauvre Irène avait besoin de changements, avant d'affronter le salon funéraire. Elle commanda une variété de petits gâteaux et du chocolat chaud.

– Je pensais que vous refuseriez, pour les roses.

– La souffrance nous mène parfois à des excès. Je peux comprendre ça.

– Vous avez beaucoup souffert, au cours de votre vie?

– J'ai eu mon lot, comme tout le monde, je suppose.

On apporta les gâteaux et les chocolats fumants. Florence en mangea deux, sans qu'Irène tende la main vers un seul.

– Ils sont délicieux. Tu dois y goûter, Irène. Tandis que tu mangeras, je pourrai te raconter ma souffrance à moi. C'est pas que j'aime en parler, au contraire, mais ce sera ma façon de te dire que je comprends ta douleur. Mange, maintenant.

Florence raconta la mort des jumeaux pendant qu'Irène mangeait des gâteaux et pleurait, plus encore à cause des larmes dans les yeux de sa mère, que sur le triste sort de Marie-Ange et d'Aimé. À la fin du goûter, comme elles allaient quitter la table, Florence demanda négligemment:

– Pourquoi cent trente-deux?

– Pour la durée de...

– De votre amour? Oui, cent trente-deux jours, c'est bien court, ma pauvre enfant. Ça valait les roses, va!

⚘

À la fin du mois de décembre, la famille Grand-Maison partit pour la Floride, laissant Charles et Adélaïde derrière eux. À cause des affaires, Charles ne pouvait pas s'absenter en même temps que son père et il écrivit à son parrain et à sa marraine que c'était partie remise. Quant à Adélaïde, elle refusa net de les suivre, prétextant son grand âge, et profita de leur départ pour inviter son amie Rose-Aimée.

Tatiana venait tous les jours, comme à l'accoutumée, mais Adélaïde la renvoyait tôt, lui enjoignant de profiter elle aussi de ce congé de famille. Charles venait souper avec elles et se couchait de bonne heure, exténué de faire la navette entre la manufacture et le magasin. Les deux vieilles amies passaient donc de longues heures ensemble, satisfaites, pour une fois dans leur vie, d'échapper au temps des fêtes en famille. Charles avait pensé les convaincre de le suivre dans la famille de Laurence, mais il se heurta à un refus catégorique de leur part.

La veille du jour de l'An, alors qu'elles se savaient seules pour deux jours consécutifs, elles se disaient à quel point elles appréciaient leur solitude.

– Pour une fois qu'on est fin seules, dit tout à coup Adélaïde, tu penses pas qu'on devrait en profiter pour faire une folie ?

– Quel genre de folie ?

– N'importe laquelle ! Y'a pas une chose dans ta vie que t'aurais voulu faire, pis que t'as jamais osé faire ?

– Tu vas rire mais y'a des jours où j'aimerais rester dans ma robe de chambre, passer toute la journée comme ça, sans m'habiller !

– Ben demain, Rose-Aimée, on s'habille pas ! On passe la journée toutes débringuées !

– Vieille folle, va ! Si quelqu'un arrive ?

– On répond pas !

Rose-Aimée riait tellement qu'elle se tenait le ventre à deux mains.

– Ta folie à toi, c'est quoi ?

– Ça ressemble à la tienne. C'est de pas faire mon lit de la journée, pis d'aller me recoucher tant que ça me chante !

– Un coup parti, on devrait pas faire la vaisselle de la journée !

– T'as ben raison ! Demain, on passe la journée en robe de chambre, les lits pas faits, la vaisselle pas faite, pis la maison tout à la traîne !

– Faut ben arriver sur nos quatre-vingt ans pour virer folles de même !

– Y sera pas dit qu'on va mourir sans faire la paresse au moins une fois, pour sûr !

Adélaïde et Rose-Aimée se couchèrent en riant, s'éveillèrent en riant et se retrouvèrent à la cuisine en robe de chambre, heureuses de briser la routine d'une longue vie. Vers trois heures de l'après-midi, alors que la vaisselle s'empilait dans l'évier, que la table était à peine débarrassée et que le salon se trouvait sens dessus dessous, Charles entra, suivi de Laurence et de toute sa famille. On ne pouvait décemment pas abandonner deux vieilles personnes en ce jour de la nouvelle année, avait déclaré la mère de Laurence, et toute la famille était venue offrir ses meilleurs vœux.

Adélaïde et Rose-Aimée jouaient une partie de bataille dans la salle à manger, quand Charles entra. Elles eurent tout juste le temps de se réfugier dans la chambre de Florence et Arthur. Charles les découvrit, pliées en deux, mortes de rire.

— Excuse-nous auprès de Laurence et de sa famille, essayait de dire Adélaïde. Rose-Aimée et moi...

— Adélaïde et moi, voulut dire à son tour Rose-Aimée, sans y parvenir.

— Vous n'êtes pas malade, grand-mère ?

— Ta grand-mère et moi, Charles, on se porte comme deux vieilles folles en santé. Faut nous laisser, maintenant, parce que, si ça continue...

— Si ça continue, on va faire pipi dans nos culottes !

Charles revint vers Laurence et sa famille en s'excusant.

— Je pense que je vais rester auprès d'elles. On dirait qu'elles sont retombées en enfance.

Tandis que sa grand-mère et son amie essayaient de terminer leur partie de bataille, durant les brefs moments où elles ne riaient pas, Charles lavait la vaisselle et essayait de comprendre ce qui lui échappait.

— Toi et moi, Adélaïde, on sait bien qu'on aura jamais plus la chance de passer d'autres vacances comme ça. Laisse-moi te dire que c'étaient les plus belles de ma vie, pis les plus drôles !

— Réalises-tu, Rose-Aimée, que non seulement on s'est payé une belle folie, mais, qu'en plus, on aura même pas à faire la vaisselle demain ?

Les deux mains dans l'eau de vaisselle, Charles maugréa en les entendant rire de plus belle. «Peut-être que je devrais demander l'avis du docteur Dagenais ?» se demanda-t-il, un peu inquiet.

Florence enlevait une à une ses épingles à cheveux. Lorsqu'elle retira la dernière, sa chevelure tomba jusqu'au milieu de son dos et Arthur, après tant d'années, en éprouva encore du plaisir. Florence perçut son regard amoureux dans le miroir et lui sourit.

– Quand on pense que madame Dagenais, qui a tout de même dix ans de plus que moi, n'a pas un seul cheveu gris, c'est désolant de voir les miens !

– Ça te donne un charme différent. Quant à la chevelure de madame Dagenais, je peux t'assurer que pas un homme n'éprouve le plus petit frisson, même sans cheveux gris, parce que tout le reste vient avec et c'est pas trop réjouissant !

– J'ai mal choisi mon exemple, dit Florence en riant. Les cheveux d'Hortense, tiens !

– Ma Florence en mal de compliments ? C'est nouveau, ça ? Tu sais bien que tu es toujours la plus belle, la plus désirable et que pas une femme au monde n'a tes yeux.

Arthur se tenait derrière elle et posait à présent ses mains sur ses épaules.

– Le bleu vert et l'argent se marient bien, dit-il en approchant une mèche près de ses yeux. Je t'aime tant. Tant ! Tant ! Tant ! dit-il en la soulevant.

À mesure que passaient les années, au creux moelleux du matelas de duvet, ils s'aimaient de plus en plus aisément. Ils avaient appris. Arthur savait dorénavant si Florence avait aimé un peu, beaucoup ou passionnément. Il ne posait plus de questions, c'était la règle, mais se laissait guider par la respiration de sa femme, par les mouvements de son corps qu'elle tendait, qu'elle offrait. Il savait mieux retenir ses propres élans, les mettre en veilleuse et attendre, la plupart du temps, le moment propice pour poser un geste plutôt qu'un autre.

– Même à l'âge de ta mère, je pense que tu me feras encore autant d'effet, dit Arthur tout repu de Florence.

– Parce que tu t'imagines qu'on vivra aussi longtemps qu'elle ?

– J'espère bien!

– Parlant de ma mère, tu sais ce qu'elle demande pour ses quatre-vingt ans? Des cadeaux inutiles! J'ai pensé que c'était beaucoup plus de ton ressort que du mien. Tu as des idées?

– Des idées? Moi? À la tonne, ma Florence toute à moi. À la tonne! Demandez et vous recevrez!

– Tu sais ce que je préfère chez toi, Arthur?

– Mon humilité, je sais.

–᠅᠊᠁᠊᠅–

Au matin du 2 mai 1924, Adélaïde venait à peine d'ouvrir l'œil que Florence et Arthur entraient dans sa chambre, portant chacun un grand cabaret.

– Le petit-déjeuner de madame est servi au lit, ce matin! dit Arthur d'une voix de stentor. Champagne et jus d'orange, pour commencer.

– Veux-tu ma mort avant que tout le monde arrive, Arthur Grand-Maison?

– Le champagne a jamais tué personne, belle-maman. Il faut juste pas en abuser, des fois que les bulles vous monteraient à la tête.

– Ma grande foi du bon Dieu! Vous avez sorti toute l'argenterie juste pour moi? Et des roses, en plus! Des roses roses!

– Bonne fête grand-mère! crièrent alors tous les enfants en chœur, une coupe de champagne et jus d'orange à la main.

La chambre d'Adélaïde était pleine de rires et elle mangea devant eux avec appétit. Le défilé de cadeaux commença ensuite. Antoine s'approcha le premier, les mains derrière le dos.

– Je l'ai fait moi-même, grand-mère, mais Igor m'a aidé un peu, dit-il, en tendant un petit cheval de bois aux allures de percheron.

– Picouille! s'exclama Adélaïde. Regarde, Florence, si on dirait pas notre bon vieux cheval. Ça prend du talent pour sculpter aussi bien. Merci, Antoine. Merci!

Charles avança et lui tendit un paquet superbement emballé.

– J'ose pas l'ouvrir, c'est déjà assez beau comme ça.

Elle l'ouvrit pourtant et découvrit une magnifique porcelaine représentant un vieux couple assis côte à côte. Le vieux monsieur offrait une fleur à la vieille dame. Adélaïde se mit à pleurer.

– C'est mon Cléophas qui est venu me souhaiter bonne fête. Le vieux snoreau! C'est lui qui a guidé tes pas pour me trouver un cadeau pareil. Pour sûr!

Elle l'avait dit sur le même ton que Cléophas et Florence s'essuyait les yeux, aussi émue que sa mère.

– Vous permettez que j'aille au petit coin? demanda tout à coup la jubilaire. À mon âge, on sait plus se retenir!

Durant son absence, on retira sa chaise berçante et on la remplaça par une autre, en cuir capitonné, assortie d'un pouf. À son retour, Adélaïde vint s'y installer. Elle lissa le cuir, émerveillée.

– C'est de vous deux, évidemment?

Arthur et Florence vinrent l'embrasser, puis Simone approcha à son tour.

– Pour vous garder au chaud, dit-elle en tendant un châle.

– Comme tu deviens habile, mon enfant. Enroule-moi dedans, ça va réchauffer mes vieux os et mon vieux cœur tout aussi bien!

Simone l'enroula dans son châle, l'embrassa et lui dit à l'oreille: «Bonne fête mémère». Adélaïde ferma les yeux, heureuse. Les enfants n'avaient pas le droit de l'appeler ainsi, Florence ne le tolérait pas. En cachette, Simone était la seule à le faire. Gérard vint ensuite déposer plusieurs livres sur ses genoux.

– Il n'y a pas si longtemps, grand-mère, vous m'avez envié de lire autant sans me fatiguer les yeux. Vous avez dit que ce passe-temps vous manquait par-dessus tout. Si vous le voulez, je vous ferai la lecture.

– C'est un cadeau très généreux, Gérard. Espérons que tu auras le temps de m'en lire au moins un, avant que je vous fausse compagnie.

– Madame Beauchamp! Une jeunesse comme vous! Vous allez tous nous enterrer!

— Pour ma part, dit Irène, j'ai pensé vous offrir un récital. Dites-moi ce que vous voulez entendre et je le jouerai pour vous, au moment où vous le voudrez.

— Là! Tout de suite! C'est une trop belle fête pour que ça s'arrête.

— Vous avez des préférences? demanda Irène, à cent lieues d'imaginer que sa grand-mère pouvait en avoir.

— Demande-moi pas de nom ou de titre, mes connaissances sont trop limitées, mais tu jouais un morceau que j'aimais beaucoup, très gai, très rapide, comme si tes doigts avaient pas le temps de respirer. Je l'ai pas entendu depuis longtemps!

À la description d'Adélaïde, Irène reconnut aisément la *Fantaisie* de Schumann, dont elle ne jouait plus rien. Pire que tout, c'était *Visions de rêve*. L'étang du parc LaFontaine, les mots d'amour, les yeux d'un bleu d'encre, tout afflua du même coup et l'ébranla.

— Ça ne te rappelle rien? demanda sa grand-mère, l'air déçue.

— Au contraire, grand-mère, ça me rappelle de bien belles choses. Pour vous, je ferai danser les notes de mon piano, dit-elle en quittant la chambre. En souvenir de notre amour, Louis-Marie, soupira-t-elle pour elle-même, en cherchant le cahier de Schumann dans son banc de piano.

* * *

Sous le prétexte des préparatifs du mariage, Laurence avait obtenu qu'Irène s'installe chez elle durant les deux semaines précédant le jour des noces. Florence voyait d'un bon œil leur amitié et ne pensa même pas à s'y objecter, alors que les deux amies s'étaient données un mal fou pour trouver la raison la plus valable.

— Ma mère est parfois déconcertante, disait Irène.

Les deux jeunes filles s'amusaient follement à dessiner des cartons indiquant les places des convives. Chaque nom, calligraphié avec fantaisie, s'enroulait de tiges et de fleurs minuscules. Elles avaient toutes deux de l'habileté pour l'art de l'inutile, le petit rien qui fait toute la différence, se plaisait à dire Laurence.

– Tu ne peux jamais prédire ses réactions, poursuivait Irène. Elle peut me refuser une babiole à deux sous et accepter, sans broncher, que je commande cent trente-deux roses d'un coup. Même chose pour les sorties. Une heure refusée, contre deux semaines acceptées. Essaie de comprendre!

– Zut! Un carton de raté!

– Un sur cent cinquante, c'est pas si mal.

– Pour ton histoire de roses, c'était toute une extravagance! Tu vois, ma mère aurait refusé net ce genre de folie. Par contre, te donner la permission de passer deux semaines chez nous s'explique facilement.

– Vraiment?

– Je sais y faire avec elle!

Irène aimait l'assurance de son amie, l'enviait presque, tout en se disant qu'elle apprendrait à son contact et que, d'ici un an ou deux, elles seraient en tous points pareilles.

– Ta mère est une femme surprenante. Un mélange de glace et de feu.

– De feu?

– Observe-la quand elle pose les yeux sur ton père. Ça se passe très vite, à peine si tu vois une lueur dans le regard, mais c'est là! Je n'ai jamais perçu cette lueur dans les yeux de ma mère.

– Encore deux cartons et j'ai terminé, dit Irène un peu mal à l'aise à l'idée d'un œil impudique posé sur son père, de l'œil de sa mère à plus forte raison.

– Tu te rends compte, Irène? Dans huit jours, je serai de ta famille. Nous serons de vraies belles-sœurs!

– Si on disait des sœurs-belles?

– Beaucoup plus joli, en effet, et plus vrai!

– C'est l'heure de ma pratique, Laurence. Bach et les grandes orgues de la cathédrale m'attendent.

– Je ne peux toujours pas t'accompagner?

– Quand tu m'entendras, le matin de ton mariage, que tu avanceras dans l'allée centrale au bras de ton père, ton pied mignon glissant sur le tapis rouge, tu en auras des frissons! Désolée, pas avant!

VIII

Les voisins de droite, comme les nommaient Arthur et Florence, par opposition aux Dagenais, sur la gauche, avaient vendu leur maison. Un couple sans histoire, dont les enfants étaient déjà tous mariés avant leur arrivée, et maintenant trop âgé pour habiter seul cette grande demeure. Les Lapointe en firent l'acquisition et y emménagèrent avec leur fille unique dans le courant du mois de janvier 1925.

Gérard commença à fréquenter leur jeune fille, Antoinette, dès le mois de février. À Adélaïde, qui ne l'avait pas encore aperçue parce qu'elle sortait de moins en moins de sa chambre, Florence en fit la description suivante :

– Jolie, sans plus.

– Si je comprends bien, c'est pas une seconde Laurence ?

– Pour tout vous dire, elle est pâle, maigrichonne et silencieuse. C'est une jeune fille résignée, soumise, qui ne demande rien à la vie. Gérard s'ennuiera à mourir avec elle, si vous voulez le fond de ma pensée.

– Gérard n'aurait pas supporté une femme flamboyante, tu le sais bien, Florence.

– Sans être flamboyante, il lui faudrait une femme enjouée, rieuse, capable de le faire sortir de sa coquille ! Si c'est vraiment son désir de fréquenter un éteignoir, il va être servi ! Vous ne verrez jamais la moindre étincelle entre eux !

Florence tourna les talons et laissa sa mère pensive.

– La vieillesse a du bon, Cléophas, dit Adélaïde en se berçant. Avec l'âge, on observe beaucoup plus qu'on participe. C'est moins fatigant et ça fait moins mal.

⋯⁊⁜⁜⁜⁜⁜⁜⁜⁜⁜⁜⁜⁜⁕

Simone entra dans la chambre de sa grand-mère sur la pointe des pieds. Adélaïde s'était assoupie dans sa chaise et un relent de tabac flottait dans l'air. Simone aéra la pièce, puis lui retira sa pipe des mains.

– Mémère! Vous savez bien que vous devez attendre quelqu'un pour fumer. Si maman s'en rend compte, vous allez encore vous faire disputer.

– Comme si j'avais peur de ta mère! Ferme la fenêtre, ma Simonette, sinon je vais attraper mon coup de mort.

Simone s'empressa de la refermer, consciente tout à coup de la fin possible de son aïeule.

– Vous allez pas mourir, mémère?

– Pas tout de suite, ma Simonette, mais un jour, oui, je vais mourir. Ta mémère est déjà bien vieille, tu sais.

Simone fondit en larmes et vint se blottir aux pieds d'Adélaïde qui caressa la chevelure de sa petite-fille, attendant qu'elle se calme.

– Quand ton grand-père nous a quittés, j'ai souhaité mourir à mon tour. Pourtant, je suis encore là. Petit à petit, on s'habitue à l'absence de ceux qu'on aime. On leur parle, on leur raconte nos joies, nos peines, tout comme on le faisait de leur vivant. Souvent, ma Simonette, on arrive même à sentir leur présence à côté de nous. Quand je serai plus là, tu feras de même et je viendrai près de toi pour t'encourager ou te consoler, c'est selon. Quand tu douteras de ma présence, dis-toi bien que je serai dans ton cœur, à ce moment-là. Je serai toujours dans ton cœur, ma Simonette.

⋯⁊⁜⁜⁜⁜⁜⁜⁜⁜⁜⁜⁜⁜⁕

Juchée sur un escabeau, Florence lavait les carreaux du solarium. Charles attendit qu'elle descende pour se manifester.

– Charles! On dirait que tu as passé la nuit sur la corde à linge. Laurence?

– Eh oui, grand-mère! J'arrive de l'hôpital. Faites un vœu de naissance.

– Un garçon!

– Oui! Un gros garçon de dix livres et deux onces. Je suis venu vous l'annoncer dès que Laurence s'est endormie.

Florence prit Charles dans ses bras et le garda contre elle en pleurant. Son aîné la faisait grand-mère! Elle tiendrait bientôt dans ses bras le fils de son fils! se disait-elle, heureuse comme elle n'aurait jamais pu l'imaginer.

– Tu as faim?

– Je meurs de faim! J'ai travaillé fort, cette nuit.

– Charles Grand-Maison!

– Je l'ai dit à la blague, mais je le pense sérieusement. On éprouve un sentiment d'impuissance tellement frustrant, à rester là sans pouvoir aider, à regarder sa femme souffrir, à penser qu'elle va en mourir, surtout quand on l'emmène ailleurs et qu'on ne sait plus ce qui se passe, qu'on finit par se sentir coupable de ne pas souffrir à sa place et, en ce sens-là, on travaille fort, même si c'est inutile.

Florence servit un copieux repas à son fils, en se disant que le bon vouloir des hommes était grand, mais que les familles seraient moins nombreuses, s'ils avaient à passer eux-mêmes à travers l'épreuve de l'accouchement.

– Il se prénommera Laurent, dit Charles entre deux bouchées.

⁕⁕⁕

– Il paraît qu'on sera une centaine de personnes, si c'est pas plus. Même les Richard vont venir de Floride, disait Louisa, toute excitée.

– Cinquante ans! Florence a raison de vouloir le fêter en grand. Tu penses qu'il s'en doute? demandait Malvina.

Elles se rendaient au ruisseau, derrière chez Malvina. Depuis le jour de la fameuse question, elles avaient pris l'habitude de venir s'y reposer et s'y rafraîchir. La mi-juin était chaude à souhait, et elles venaient de décider de faire leur première trempette de l'été.

– On n'est quand même pas obligées de se geler les pieds! dit Malvina en retirant les siens. L'eau est frette comme en hiver!

Comme Louisa ne répondait pas, Malvina se tourna vers elle. Elle avait les yeux révulsés, la bouche entrouverte, et Malvina eut tout juste le temps de l'attraper avant que sa tête ne heurte le sol. Elle retira ses pieds de l'eau, les frotta, la secoua, l'appela à tue-tête, rien n'y fit. Elle partit en courant, revint sur ses pas, repartit. «Les pieds dans l'eau glacée, aussi, après une grosse journée de travail!, disait Malvina tout haut. Non, mais! Faut-y être folles!» Elle courut jusqu'au premier champ, là où les hommes travaillaient.

– Va chercher le docteur, cria-t-elle au plus jeune de ses fils. Vite! Grouille-toi! C'est Louisa, Raoul. J'ai peur!

Tout le monde accourut au ruisseau et fit un cercle autour de Louisa. Raoul s'agenouilla auprès d'elle, mit son oreille sur son cœur, écouta un moment, puis releva la tête.

– Elle est morte, Malvina.

Ces quelques mots avaient ébranlé Malvina de la tête aux pieds et elle pensa, en se maudissant, que les mots de Raoul s'étaient logés au milieu de son sexe. Un désir foudroyant venait de l'électriser, tandis qu'elle sentait le rouge de la honte lui couvrir le visage. Convaincue que chacun pouvait voir ses mauvaises pensées, elle s'enfuit vers la maison en criant.

*

Comme il se doit à un enterrement, on pleura beaucoup à celui de Louisa. On l'avait aimée et respectée sa vie durant, et chacun lui témoignait à présent sa tristesse. Malvina voulut rester seule près de sa tombe et attendit que le cimetière retrouve son calme avant de lui parler.

– J'ai tellement honte, Louisa, que même si on vient de t'enterrer six pieds sous terre, ça me gêne de te parler. Demande-moi pas comment une chose pareille a pu arriver, j'en ai pas la moindre idée! C'est arrivé, c'est tout ce que je sais. À mon âge! Comme si j'avais encore dans la vingtaine! Comme si j'avais le feu au cul, Louisa! Je pense à ça tout le temps. En me couchant, en m'éveillant, en faisant à manger, en regardant chez vous par la fenêtre, en espérant que ton Raoul soit là, à espérer me voir, lui aussi, de l'autre côté du chemin. J'ai rien fait pour ça, Louisa, juré! Pourtant, c'est arrivé. Tout le corps me fait mal, tellement j'ai envie de lui. Aide-moi, Louisa! T'étais ma seule amie, je veux pas m'abaisser à te trahir, surtout morte à pas pouvoir te défendre! Ça fait trois jours que je saute presque sur Mathieu comme une enragée, que le pauvre me regarde comme si je sortais de l'enfer, qui m'a même dit que j'exagérais, à matin, avant qu'on se lève, pis malgré tout ça, ça passe pas! On dirait que je brûle par en dedans. Comme si les chaleurs du retour d'âge revenaient, mais en cent fois pire! Tu me pousserais dans l'eau glacée du ruisseau que ça changerait rien! J'ai peur. Peur de perdre le peu de dignité que j'ai fini par gagner de peine et de misère, au fil des ans. Peur pour mourir, Louisa.

⁓⁊⁑⁂⁙⁘⁗

À l'enterrement de Louisa succéda le baptême de Laurent dont Florence et Arthur étaient la marraine et le parrain.

Au début du mois d'août, on fêta les cinquante ans d'Arthur, malgré le deuil récent. À Florence qui s'en était inquiétée, Raoul avait répondu que la vie continuait et que Louisa n'était pas du genre à empêcher les autres de s'amuser.

À la fin du même mois, Jeanne allait prononcer ses vœux perpétuels et Florence dit à Arthur que si la vie pouvait ralentir un peu son rythme, elle ne s'en plaindrait pas. Elle n'était pourtant pas au bout de ses peines.

Un soir, alors qu'elle descendait la première à la rivière, Gérard dit dans son dos:

— Nous nous marions le mois prochain.

— Ce sera contre mon gré, répliqua-t-elle sans se retourner.

Ils ne s'accoudèrent pas, comme à l'accoutumée, mais fixèrent la rivière sans la voir, plantés là, tels des piquets de clôture chargés de garder un territoire. Au bout d'un moment, Gérard se risqua de nouveau à parler.

– J'en ai discuté aujourd'hui avec papa. Je lui disais justement que les parents d'Antoinette ne s'habituent pas ici, loin de leurs familles et de leurs amis. Ils ont décidé de retourner vivre à la campagne et nous offrent la maison en cadeau de mariage.

– Et il t'a semblé que ton père comprenait le langage de l'argent?

Gérard ne répondit pas.

– Je comprends mieux le langage du cœur, Gérard.

– Antoinette convient au mien.

Florence remonta vers la maison sans rien ajouter. «Quoi que je dise, pensa-t-elle, il ne changera pas d'idée.» Le lendemain et les jours suivants, elle souffrit de l'absence de son fils en allant nourrir les oiseaux et les écureuils. Il ne revint jamais plus l'attendre dans le petit escalier, un livre à la main.

⚜

– On pourrait manger sur le plancher tellement c'est propre, dit Florence les yeux fixés sur le parquet brillant du parloir.

Jeanne éclata de rire. Un rire en cascades, pensa Florence.

– Vous avez quand même pas demandé à me rencontrer seule à seule pour faire l'éloge des planchers du couvent!

– Tu m'intimides, maintenant.

– Maman! Je suis encore votre petite fille dévouée et aimante! Pourquoi dire une chose pareille?

– Parce que... Il y a des moments dans la vie où on n'est pas à la hauteur. Il y a sept ans, Jeanne, j'aurais dû t'accompagner dans la joie quand tu es entrée au couvent. Je n'ai pas pu.

– Et aujourd'hui? Pour mes vœux perpétuels?

– Si je tenais tant à te rencontrer avant, en privé, c'était justement pour te dire que je comprends mieux ton choix, que je l'accepte et que je suis très fière de toi, ma fille.

Jeanne était trop émue pour parler et mettait toutes ses énergies à ne pas se jeter dans les bras de sa mère. Elle l'avait toujours aimée de loin, cachée derrière une porte, à scruter ses humeurs sur son visage, ou à ses pieds, à attendre une caresse et, plus tard, à la servir, afin d'alléger ses peines et ses angoisses. Elle n'allait pas réclamer maintenant une démonstration physique.

Florence s'était levée et admirait à présent une immense fougère trônant sur un support de bois. Jeanne souhaita que sa mère lui parle encore, tout en évitant de vanter la beauté de la fougère.

– Tu vois ces feuilles? demanda Florence. Toutes plus saines et vigoureuses les unes que les autres. C'est parce qu'on veille sur la plante, sinon elle s'étiolerait. Je pense avoir bien veillé sur toi, dit-elle en se retournant vers Jeanne, même si je ne savais pas dire tout haut ce que je pensais tout bas.

Florence s'avança vers sa fille, qui ne pouvait plus retenir ses larmes, et la prit dans ses bras.

– Ma belle, ma grande Jeanne que j'aime tant, sois heureuse.

***

Antoine frappa à la porte et entra dans la chambre de sa grand-mère sans attendre de réponse. Il s'approcha du lit pour lui dire que sa mère servait des crêpes ce matin-là, et, voyant qu'elle dormait, il prit sa main pour la réveiller gentiment. La main de sa grand-mère était froide, et Antoine poussa un grand cri. Florence arriva la première, suivie de toute la maisonnée. C'était le premier dimanche du mois de septembre, le soleil se perçait une entrée à travers les persiennes et, une minute auparavant, chacun se faisait une joie de manger des crêpes au sirop d'érable.

Simone ne s'avança pas. Elle resta clouée à la porte de la chambre et Antoine, malgré ses douze ans, eut un choc en la voyant ainsi pétrifiée. Il comprit sa douleur et prit sa main.

– Je suis avec toi, Simone, je suis avec toi, disait-il tendrement et Simone entendit: «Je suis dans ton cœur, ma Simonette.»

– Venez, les enfants, dit Arthur. Votre mère a besoin d'intimité avec la sienne.

Florence se retrouva seule avec Adélaïde. Elle voulut lui parler mais n'y arriva pas. Elle s'étendit à ses côtés, coucha sa tête sur le ventre de sa mère et pleura silencieusement.

***

La vieille Rose-Aimée prit le lit en apprenant la mort d'Adélaïde. Elle n'était pourtant pas malade et Hortense, qui l'aimait
infiniment plus qu'elle avait aimé sa propre mère, se désolait. Florence, de son côté, assistait, impuissante, à l'effondrement de Simone. Elle avait bien réagi les premiers jours, mais à mesure que
le temps passait, son état devenait inquiétant. Les classes avaient
recommencé sans elle et personne ne trouvait le moyen de la sortir
de sa léthargie.

– Hortense a beaucoup de difficulté avec Rose-Aimée, parce
qu'elle est très affectée par la mort de ta grand-mère. Aimerais-tu
passer un peu de temps auprès d'elle? demanda Florence, sans
grande conviction.

– Oui. Elle pourrait me parler de mé... de grand-mère, répondit spontanément Simone.

On l'envoya donc chez Hortense où, près de Rose-Aimée, elle
s'habitua à l'absence d'Adélaïde. Elle se rendait utile à la maison
autant qu'aux serres, et y prenait plaisir. Le teint bruni par le soleil,
les épaules moins courbées, le rire plus facile, Simone, sans être
belle pour autant, devenait une jeune fille présentable et cette transformation étonnait Hortense.

– Vous avez remarqué à quel point la petite Simone a changé,
Rose-Aimée? En l'espace de deux semaines, on dirait une autre. À
croire qu'elle n'est pas heureuse chez elle!

– Soit dit entre nous, c'est ce que prétendait Adélaïde. En tout
cas, elle m'a sortie du lit! J'avais pourtant décidé qu'on m'en
délogerait pas autrement que les deux pieds devant!

– Vous avez pensé au chagrin que j'aurai, quand le temps sera
venu?

– Tu sais bien, ma belle Hortense, que ce temps-là est tout
proche. Ça peut se compter en jours, en mois, pas plus!

– Qu'est-ce que vous en savez? Peut-être que le bon Dieu
vous a oubliée? Ou peut-être qu'Il entend vraiment mes prières
quotidiennes?

– Ma vlimeuse, par exemple! C'est tes prières qui me retiennent comme ça?

266

Hortense pensa que le deuil de son amie en était à sa phase d'acceptation et que Rose-Aimée optait finalement pour la vie. Jamais malade, encore active, ratoureuse comme pas une, sa belle-mère allait l'enterrer, espérait-elle en son for intérieur.

Les serres des Charbonneau avaient pris de l'ampleur, grâce à Omer. Aucune culture ne le rebutait et seul le tempérament conservateur de son père mettait un frein à une expansion plus avancée. Sans parler des surnuméraires de l'été, ils engageaient maintenant deux employés à plein temps. L'un d'eux était fraîchement débarqué du Portugal, en début d'été. La famille se félicitait de son embauche et entendait le garder pour de bon. Premier arrivé, dernier parti, il abattait la besogne de deux hommes, sans jamais se plaindre ou montrer quelque signe de fatigue. Son vocabulaire français se résumait à une vingtaine de mots, mais il trouva celui qui devait toucher Simone, pour ne l'avoir jamais entendu dans la bouche de quiconque s'adressant à elle.

– Belle, souffla-t-il en passant derrière elle.

Simone s'était retournée, cherchant la femme à qui se destinait ce compliment, mais à part Manuel et elle-même, la serre était vide.

– Belle, lui dit-il encore en la désignant du doigt, avec un large sourire qui découvrait une dentition magnifique.

Elle lui sourit en rougissant. Ce soir-là, en faisant sa toilette, elle prit conscience de ses seins, de son sexe et de son chatouillement obsédant, de sa mouillure. Elle se coucha tout aussi étonnée que bouleversée. Le souvenir du visage de Manuel, de son sourire laissant apparaître des dents larges et blanches, sur une peau brune, accentua le chatouillement de son sexe. Elle se releva, l'essuya, inquiète de ne pas comprendre cet écoulement qui n'était pas du sang.

Une semaine passa ainsi, où Manuel disait «belle» en la désignant, provoquant à chaque fois le même malaise dans son corps, la même joie dans son cœur qui battait à tout rompre. Puis vint la nuit où elle le vit à la fenêtre de sa chambre, et où elle le suivit sans bruit jusqu'à la serre la plus éloignée. Chaque pas l'avertissait d'un danger, mais elle en aima la saveur, jouissant tout autant de la crainte qui la glaçait et l'électrisait dans la seconde suivante, que de la nuit noire où elle s'engouffrait, sa main dans celle de Manuel.

Une couche improvisée l'attendait et elle glissa avec volupté dans la chaleur des couvertures. Manuel alluma une chandelle et plus rien n'exista que ses dents blanches luisant au-dessus d'elle. Il murmura des paroles incompréhensibles, «dans une langue râpeuse, pensa Simone, une langue à écorcher les oreilles». Elle sourit pourtant, en entendant le mot amour, où se résumait, elle en était certaine, tous les autres mots étranges.

Les mains rugueuses, les gestes tendres, les yeux de braise qui lançaient des éclairs en baisant sa bouche, la soulevaient. Elle se donna corps et âme, librement, à cet inconnu venu de si loin pour l'aimer. Et il l'aima longtemps, cette nuit-là et les suivantes, la prenant et la reprenant sans cesse, faisant de ces jours une réalité qu'elle n'avait pas même imaginée.

Puis Manuel disparut au bout d'une semaine de nuits folles.

– Vous croyez qu'il reviendra? demanda Simone sur un ton neutre.

– Avec les étrangers, on ne peut pas savoir, répondit Hortense.

– Bien fol qui s'y fie, lança Louis. Quant à moi, c'est pas demain la veille qu'on m'y reprendra, à engager un étranger!

Florence et Arthur vinrent chercher Simone quelques jours après la disparition du Portugais. Un mois s'était écoulé depuis l'arrivée de leur fille chez Hortense. À part son teint bruni par le soleil, ils ne perçurent aucun changement en elle, car son rire s'était éteint et ses épaules s'étaient courbées de nouveau.

– Comment le trouves-tu?

– Bien. Très bien.

– Irène! Léopold est tout à fait charmant! Tu as vu comme il te regarde?

Irène haussa les épaules. Laurence avait de ces expressions! Bel homme, sûrement. Gentil, avenant, amusant, tout sauf charmant, se disait-elle. Charmant se rapportait à prince et prenait les allures de Louis-Marie. Et puis ce prénom! Comment tomber sérieusement amoureuse d'un homme qu'on a eu le mauvais goût de prénommer Léopold!

– Ses parents ont beaucoup d'argent, ce qui ne gâte rien, si on pense qu'il en héritera un jour.

– Laurence! Comment peux-tu dire de pareilles énormités?

– Nous ne sommes plus au siècle dernier, ma chère, où amour et pauvreté allaient de pair. Il faut vivre avec son temps et tirer parti du meilleur, sans le pire.

Irène passait beaucoup de temps chez Charles et Laurence. Si Florence se montrait réticente à accorder une nouvelle permission, Irène n'avait qu'à mentionner le petit Laurent, dont elle s'occupait, pour voir fléchir sa mère. Rares étaient les fins de semaine où elle ne séjournait pas chez eux.

En ce qui concernait ce samedi soir, Laurence avait quelque peu manigancé cette rencontre. Léopold, un confrère de classe et ami de Charles, représentait à ses yeux le meilleur parti possible pour Irène. Elles s'étaient appliquées, comme en tout ce qu'elles faisaient, à cuisiner un excellent repas et à dresser une table digne d'un roi. Les hommes les attendaient à présent au salon pendant qu'elles débarrassaient en vitesse. L'art de recevoir comportait certaines règles, selon Laurence. «Il faut donner l'illusion qu'une servante se cache derrière la porte et fait tout à ta place», avait-elle déjà expliqué à Irène. Selon cette logique, elles avaient donc remis de l'ordre en très peu de temps, et elles allaient rejoindre les hommes quand Laurence retint Irène.

– Il y a un Louis-Marie dans la vie de chaque femme, Irène. Certaines l'épousent et sont heureuses. Très peu, à mon avis. D'autres le perdent mais l'enferment au plus secret de leur cœur, sans commettre l'erreur d'en chercher un autre et de laisser passer bêtement le parti idéal.

Irène tombait des nues. Charles n'était-il pas le Louis-Marie de Laurence? Craignant d'en entendre plus, elle entra la première au salon.

Depuis la mort de Louisa, Malvina venait souvent au cimetière. Elle préparait un bouquet selon les fleurs du moment, et le fichait en terre pour faire plus vrai. Ce jour-là, elle avait arraché une énorme branche de pommier, prenant soin d'en choisir une garnie à souhait. Comme elle le faisait pour les bouquets, elle renfonça la branche dans le sol, cueillit deux pommes et s'assit au pied de la stèle des Grand-Maison.

– Une pour toi, une pour moi. C'est très beau. On dirait un pommier nain qui te pousse dessus. Les gens du village doivent penser que je vire folle, à me voir trimballer ma grosse branche, pis à faire attention que les pommes tombent pas chemin faisant. Au printemps prochain, je viendrai t'en porter une toute fleurie, comme tu les aimes.

Malvina croqua dans sa pomme. Elle avait peine à mastiquer, tant les sanglots l'étouffaient. Elle avala difficilement sa bouchée et n'en reprit pas une deuxième.

– À vrai dire j'ai pas tellement faim, pis tu manques pas grand chose parce qu'elles sont trop surettes, cette année. Pourquoi t'es partie, Louisa? Pourquoi t'es partie si vite? Si encore t'avais été malade avant, j'aurais pu me faire à l'idée! Ben non! C'est pas que j'aurais voulu te voir souffrir, c'est juste que c'est arrivé trop vite, pis que j'arrive pas encore à y croire. Des fois, je rêve à toi. Pareil comme si c'était la vraie vie! Assez pour me réveiller avec le sourire fendu jusqu'aux oreilles! Pis là, quand je réalise que c'était juste un rêve, que t'es vraiment partie, c'est là que je prie le bon Dieu de me réveiller, de me sortir de mon cauchemar!

Tout en parlant, Malvina creusait la terre de ses mains. Elle y enfouit la pomme de Louisa et reprit la sienne, sans pouvoir croquer de nouveau.

– Ça m'a pas lâché, Louisa. Par rapport à ton mari. Je voulais plus t'en parler, pour la bonne raison que, jour après jour, j'arrivais à me contrôler. Comment t'expliquer ça? Je suppose que de l'autre côté on doit être capable d'entendre et de voir ce qui se passe sur la terre sans souffrir? Sinon à quoi ça servirait de mourir? Autant te

270

le dire franchement, Louisa, le pire est passé pour Raoul et je pense que la sève du printemps lui remonte dans le corps, même si on est rendu à l'automne ! Tant que j'étais toute seule à me contrôler, ça pouvait aller. Maintenant, avec ce que j'ai vu dans le fond de ses yeux, je réponds plus de rien ! Veux-tu savoir comment je vois ça ? Comme un condamné à mort qui approche de la potence, conscient qu'on va lui mettre la corde autour du cou, pis qui prie jusqu'à la dernière seconde pour qu'on lui accorde sa grâce, tout en sachant que c'est trop tard, que c'est seulement une question de quelques pas de plus avant qu'il tombe dans le vide. Le pire, dans tout ça, c'est que j'ai presque plus peur tellement l'envie prend le dessus. Je veux même plus te demander de m'aider, des fois que tu y arriverais ! Je te demande seulement de me protéger quand ça va arriver. Quand je pense que je t'ai raconté que la cinquantaine calmait mes ardeurs !

Dans la main de Malvina, la pomme croquée dégageait à présent un arôme acidulé. Elle la lança à bout de bras et pensa qu'elle-même sentait le suri.

***

Après avoir été reporté, à cause du décès d'Adélaïde, le mariage de Gérard et Antoinette eut finalement lieu à la fin du mois d'octobre. Irène se fit accompagner de Léopold et ses parents le trouvèrent charmant. C'est au retour du mariage que Florence s'étonna des vomissements de Simone.

– Elle aura trop mangé, voilà tout ! dit Arthur en riant.

– Justement ! Elle mange deux fois plus qu'à l'accoutumée, depuis son retour de chez Hortense.

– Tant mieux si l'air de la campagne lui a ouvert l'appétit. Quelques livres en plus vont la remplumer !

En entendant ces mots, Florence s'inquiéta. Simone avait pris du poids, pensa-t-elle. Elle rectifia sa pensée aussitôt, en réalisant que seuls ses seins avaient pris de l'ampleur. «Comme si une chose pareille se pouvait !», finit-elle par se dire en se moquant d'elle-même.

Mathieu entra dans la cuisine en laissant claquer la porte derrière lui.

– Vous êtes pas partis? demanda Malvina, surprise de voir revenir son mari.

– Raoul est malade! Viarge! Y pouvait pas choisir une autre journée?

– As-tu absolument besoin de lui? C'est toujours toi qui as le dernier mot sur les achats.

– C'est ce que prétend Raoul en disant qu'on devrait y aller quand même. Tu penses que ça se fait?

– Les garçons se faisaient toute une joie de passer la journée à Montréal. Changez pas vos plans!

– Pourrais-tu traverser pour voir si c'est pas trop grave? Y m'a semblé mal en point.

– Comme si j'avais pas assez de ma besogne, maugréa Malvina.

– Comme ça, tu penses vraiment qu'y sera pas offusqué?

– Penses-tu! Passez une bonne journée, pis inquiète-toi pas, je tâcherai de traverser durant la journée.

Mathieu quitta la maison, heureux de ne pas avoir changé ses plans. Malvina se rendit à la fenêtre du salon et les regarda partir. Ses fils et ceux de Raoul avaient l'air tout aussi satisfaits que son mari.

– Ton oncle est malade! cria-t-elle au bas de l'escalier.

Gertrude, sa plus jeune et la seule de ses filles encore à la maison, descendit.

– D'après ton père, il est mal en point. Il veut que j'aille m'en occuper. Te sens-tu capable de prendre la maison en charge pour la journée?

– Je demande pas mieux! répondit Gertrude, heureuse de cette responsabilité. Vous allez être fière de moi, maman. Craignez pas!

– Je suis pas inquiète, ma fille. Vaillante comme tu l'es!

Malvina sortit de la maison la main sur le cœur, de peur qu'il ne lui sorte de la poitrine. Elle traversa sans hâter le pas, freinant son allure au prix d'un effort inouï. Raoul n'était pas à la cuisine, mais la porte de sa chambre à coucher était toute grande ouverte. Elle y entra.

– C'est la fièvre qui te fait briller les yeux comme ça ? demanda-t-elle sur un ton espiègle.

– Hier soir, en me couchant, j'ai pensé que l'occasion était trop belle pour la laisser passer. J'espérais seulement que tu comprennes et que tu viennes me soigner.

– J'ai pas mis longtemps à comprendre, crois-moi !

Toujours dans l'embrasure de la porte, Malvina commençait à déboutonner sa robe. D'un bond, Raoul fut sur elle. Il était complètement nu. Tandis qu'il la déshabillait, elle embrassait son cou, ses épaules. Quand elle fut nue à son tour, il plaqua son corps contre le sien en gémissant.

– Ça fait vingt-cinq ans que j'en rêve ! Vingt-cinq ans à te désirer, Malvina !

– Prends-moi ! Là ! Tout de suite !

Il tenta de la prendre debout mais leur excitation était telle, qu'ils se retrouvèrent sur le plancher, haletants. Le contact de l'un dans l'autre fut si foudroyant, qu'ils poussèrent en même temps un long cri rauque.

– C'est comme j'en rêvais, dit Raoul au bout d'un long moment. Viens vite dans le lit, sinon on va tomber malades tous les deux pour vrai !

Sous la chaleur des couvertures, Raoul palpait le corps de Malvina, passant des seins au ventre, des cuisses aux hanches, puis remontait, affolé de ne pouvoir la toucher partout en même temps.

– Toute dodue comme un beau fruit mûr, chuchota-t-il à son oreille qu'il mordilla ensuite. Ça c'était passé si vite, dans l'étable, que j'avais pas eu le temps de découvrir ton corps. C'était mon plus grand regret.

– Moi, j'avais fait une croix là-dessus pis, quand Louisa est morte, tout est remonté de vingt-cinq ans en arrière, aussi fort, aussi fou qu'avant.

Raoul n'avait pas cessé une seconde de la toucher et il l'embrassa alors comme il n'avait jamais embrassé auparavant, étonné lui-même de l'intensité de son désir, de la folie de ses gestes. Il agrippa d'une main la chevelure de Malvina et laboura ses cuisses de ses ongles, excité de l'entendre gémir sous ses mains, retenant son envie de la pénétrer de nouveau. Il attendit qu'elle l'attire et elle le fit, avec une violence si soudaine, le renversant et se jetant sur lui, qu'il en eut le souffle coupé et pensa, dans l'instant suivant, que tout son corps éclatait.

– Touche, dit Malvina en nage, toute ruisselante comme après la pluie, en mettant la main sur son cœur. On dirait qu'il va me sortir par la gorge.

– C'est pareil pour moi.

Malvina posa la tête sur la poitrine de Raoul, tandis qu'elle caressait mollement sa cuisse. Une surface un peu rugueuse l'arrêta et elle regarda. Sa main se figea.

– C'est une tache de naissance? réussit-elle à demander au bout d'un moment.

– Je gage que c'est la première fois que t'en vois une aussi grande!

– Non. Je connais quelqu'un qui a la même, exactement, sauf qu'au lieu d'être brune, elle est plus blanche que la peau. C'est Rose, Raoul. Je viens tout juste de réaliser, sans l'ombre d'un doute, que Rose est notre fille à tous les deux.

Malvina se blottit dans les bras de Raoul et pensa à la fameuse question. Si elle avait menti, Louisa l'aurait su, à cause de la tache de naissance. Elle le savait depuis que Rose avait quatre ans et elle n'avait rien dit! Elle se mit à pleurer sans bruit. Raoul le comprit par les larmes qui humectaient sa poitrine. Il la berça en serrant ses bras très fort autour d'elle.

– Louisa l'a toujours su, dit-elle finalement, à cause de la tache de naissance. Non seulement elle m'a pardonné, mais avec le temps, elle m'a acceptée comme amie. Je m'ennuie de Louisa, Raoul! Je m'ennuie de Louisa!

Malvina se mit à gémir et à pleurer, tout comme si Louisa venait à peine de mourir. Elle pleurait enfin la perte de son amie et elle le fit tant que Raoul pleura avec elle. Le cœur et le corps vidés, elle releva la tête et prit celle de Raoul entre ses mains.

– Oublie ce que j'ai dit à propos de Rose. Oublie aussi que je suis venue dans ta chambre aujourd'hui. Tu auras toujours une bonne place dans mon cœur, Raoul, mais il faut en rester là.

Malvina se releva et se rhabilla sans hâte. Raoul comprenait d'instinct qu'il n'y avait rien à dire. Il pensa soudainement à sa mère, la grande Zoé, et se remémora ses paroles: «Ce que femme veut, Dieu le veut!»

– Tu devrais prendre ton aîné et sa famille, comme l'a fait ton père avec toi. Tu aurais de la compagnie, on s'occuperait de toi, et de mon côté je serais moins inquiète.

Malvina se recoiffa, se pencha ensuite sur Raoul, l'embrassa sur les deux joues, très affectueusement, et partit.

– La boucle est bouclée, Louisa, dit-elle à voix basse, sur le pas de la porte de la cuisine. Tu peux reposer en paix.

***

Simone était dépourvue des capacités intellectuelles nécessaires à réussir des études convenables. À l'âge de quinze ans, elle doublait ses classes pour la troisième fois. À cause de cela, précisément, ses parents n'avaient pas hésité à l'envoyer chez Hortense même si elle manquait tout le mois de septembre à l'école, jugeant qu'un mois d'absence ne changerait rien à la situation.

À son retour en classe, en octobre, les religieuses notèrent une nette régression. En cette mi-novembre, la supérieure rédigeait un billet portant sur sa perte totale d'intérêt et suggérait qu'on la fasse examiner par un médecin, par mesure de prudence au cas où sa santé en serait la cause.

Florence froissa nerveusement le billet entre ses mains. «Et si la chose était possible?», se demanda-t-elle une fois de plus. Elle décida sur-le-champ de ne plus jouer à l'autruche et de confier ses inquiétudes à Arthur le soir même.

Il pleuvait à boire debout et les carreaux du solarium s'embuaient sous la giclée. Le tambourinement de la pluie sur les vitres ajoutait à l'impatience de Florence et Arthur, qui attendaient dans cette pièce le verdict du médecin. Malgré les signes évidents décrits par Florence, Arthur n'y croyait pas vraiment. Il pria tout de même le ciel qu'une telle humiliation leur soit épargnée. Le docteur Dagenais vint les rejoindre, l'air lugubre.

– Aucun doute possible, dit-il en s'adressant à Arthur, évitant de regarder Florence. Les sœurs de la Miséricorde reçoivent des jeunes filles dans sa condition. Il faudra prendre les dispositions nécessaires avant qu'on ne s'en aperçoive, ce qui ne devrait pas tarder. Je suis sincèrement désolé.

Arthur reconduisit le docteur à la porte et revint rapidement vers Florence. Droite, les lèvres pincées, l'air statufiée, elle l'attendait au milieu de la pièce. Il aurait tout donné pour empêcher sa femme de souffrir de nouveau. Il aurait également souhaité la prendre dans ses bras mais évita de le faire, la connaissant suffisamment pour savoir qu'aucun geste de tendresse ne pouvait l'atteindre, en cet instant, et risquait au contraire de l'irriter au plus haut point. Incapable de soutenir le silence plus longtemps, il se décida à dire le fond de sa pensée.

– Nous savons bien, toi et moi, que Simone n'a pas les mêmes capacités que ses frères et sœurs. Comment veux-tu qu'une enfant aussi innocente soit capable d'une telle chose? On l'a sûrement violentée! La pauvre petite n'a pas été capable d'en parler, voilà tout!

Afin de contenir sa rage, Florence fit quelques pas, inspira profondément, puis se retourna vers Arthur.

– Tu te souviens de ce que Hortense et Rose-Aimée nous ont dit, quand nous sommes allés la chercher?

– Non.

– Qu'elle était méconnaissable, c'est le mot qu'elles ont employé toutes les deux. Qu'elle courait de la maison jusqu'aux serres, pour aider tout un chacun, qu'elle riait du matin au soir. Selon toi, une jeune fille violentée pourrait-elle rire du matin jusqu'au soir?

– Non.

– Te souviens-tu, maintenant, de la discussion que tu as eue avec Louis ce même jour?

– À quel sujet?

– Au sujet d'un Portugais qui venait de leur fausser compagnie quelques jours auparavant, si ma mémoire est bonne.

Les yeux fermés, Arthur hochait la tête avec désespoir.

– Personne, jamais, tu m'entends? personne ne devra le savoir. Comment je survivrai à cette humiliation? Dieu seul le sait! Si par inadvertance on l'apprenait, j'en mourrais de honte!

– Personne ne l'apprendra, prends ma parole!

– Je vais lui parler, maintenant.

Florence monta et entra dans la chambre de Simone sans frapper, les muscles tendus, le regard dur.

– Le docteur Dagenais t'a-t-il parlé?

– Non. Est-ce que je suis malade?

– Tu es enceinte, tu attends un enfant. L'ignorais-tu?

Pour toute réponse, Simone ouvrit la bouche, les yeux écarquillés comme s'ils allaient sortir de leurs orbites. Puis, lentement, elle relia son état à ses rencontres nocturnes avec Manuel et se cacha le visage dans les mains. Elle comprit alors le regard dur de sa mère et souhaita mourir.

– Je pensais qu'il fallait être mariée pour avoir des enfants, balbutia-t-elle.

– C'est ce Portugais qui est venu travailler aux serres?

Simone acquiesça. Une boule énorme roulait dans sa gorge et l'étouffait. Consciente d'un danger plus grand que la boule si elle éclatait en sanglots devant sa mère, elle ravalait ses pleurs et tenait les yeux baissés. Elle avait peur, comme jamais elle n'avait eu peur auparavant, craignant que sa mère se jette sur elle, même si, de toute sa vie, Florence n'avait pas levé une seule fois la main sur elle.

– Tu sais ce qui arrive aux filles comme toi?

Simone se demanda vaguement ce qu'étaient des filles comme elle, mais la peur reprenant le dessus, elle attendit la réponse sans bouger, tel un animal traqué.

– On les envoie chez des religieuses, où elles doivent se cacher, afin que leur famille ne meure pas de honte. D'ici là, si on te questionne à propos de la visite du docteur Dagenais, tu diras que tu souffres d'anémie, tu m'entends ? Nous dirons ensuite que tu dois être traitée dans un hôpital et personne, jamais, n'apprendra la vérité. C'est à cette condition seulement que tu pourras revenir à la maison. Sinon, je ne réponds plus de moi. Tu as bien compris ?

Simone s'empressa cette fois d'acquiescer et attendit que sa mère referme la porte derrière elle pour enfouir sa tête dans les oreillers. Elle voulut pleurer enfin mais n'y parvint pas. La boule continuait pourtant de rouler dans sa gorge et de l'oppresser, mais ses yeux restaient secs. Ses pensées se bousculaient à un rythme fou, sans qu'aucune ne se précise. Elle se coucha sur le dos, étendit ses bras le long de son corps et ferma les yeux. Au bout d'un moment, elle pensa à l'enfant et posa ses mains sur son ventre. L'odeur du petit Laurent, qu'elle aimait tant, lui revint en mémoire, et c'est alors qu'elle pleura.

⚜

Tatiana fredonnait un vieil air de folklore russe. Igor ferma les yeux et se laissa transporter sur les bords du grand canal reliant le Don à la Volga, un dimanche après-midi de festivités familiales. C'était l'anniversaire de sa mère, lui semblait-il, et son père attachait un bracelet à son poignet. Elle riait, heureuse et insouciante, loin des jours de désespoir à venir. Tatiana termina son chant sur une note très haute et suspendit le rêve d'Igor. Il ouvrit les yeux et cueillit le baiser de sa femme, penchée sur lui.

– Où donc étais-tu, mon beau mari ? demanda-t-elle en relevant la tête.

– Tout près de ma mère, grâce à toi, à ta voix mélodieuse. J'ai entendu son rire, mon petit oiseau, comme si j'étais à ses côtés, toute la grande famille Rostopchine réunie pour la fêter !

– Tiens ! dit Tatiana en se penchant à la fenêtre. Voilà nos patrons qui reviennent.

Igor vint la rejoindre.

– Ces visites dominicales ne semblent pas les réjouir. Tu as vu leur mine ?

– Demain, pourtant, madame me parlera de Jeanne avec enthousiasme.

– Et de Simone ?

– À peine quelques mots et son visage s'assombrira, jusqu'à ce que je trouve un sujet de conversation plus enjoué.

– Selon toi, combien de temps attendront-ils pour la faire revenir ?

– Si mes calculs sont exacts, Simone aura l'enfant vers la fin du mois de juin. Ils attendront un mois ou deux de plus pour brouiller les pistes, et elle reviendra, supposément du sanatorium, fin juillet ou fin août.

– Les pauvres !

– Simone est beaucoup plus à plaindre, Igor. À son retour, je veillerai sur elle avec plus de tendresse. Quelle pitié !

Au contact de Laurence, Irène avait développé un talent en art culinaire qu'on ne lui aurait pas soupçonné l'année précédente. Antoine préférait sa cuisine à celle de Tatiana et de sa mère. En espérant que ses parents reviennent le plus vite possible, pour goûter un nouveau plat de sa sœur, il humait l'air avec délectation. Sous la gouverne d'Irène, il achevait de dresser la table de la salle à manger, où régnait une touche de fantaisie inhabituelle. Il recula pour voir l'effet d'ensemble.

– Très réussi ! Pourtant, quatre couverts c'est bien peu, soupira-t-il.

– Ainsi va la vie, Antoine. Bientôt, ce sera mon tour de partir et il ne restera plus que trois couverts.

Antoine regarda sa sœur avec de grands yeux tristes. Simone ne lui manquait pas vraiment, car il n'y avait pas de communication réelle entre eux. Irène, cependant, créerait un grand vide en partant. «Surtout, pensa-t-il, qu'elle emportera avec elle son piano et sa musique.»

– Je pourrai te visiter souvent quand tu seras mariée ?

– Tant que tu le souhaiteras ! Je vais d'ailleurs te confier un secret, si tu promets de le garder.

– C'est juré ! Croix de bois, croix de fer, si je mens, que j'aille en enfer !

– Léopold veut acheter la belle maison du notaire. À trois minutes d'ici, Antoine ! Tu te rends compte ? Tu pourras venir tous les jours, si tu le veux. Et moi, dans ma grande demeure, je te recevrai comme un prince !

– J'ai passé l'âge des contes de Tatiana, quand même !

Irène riait et tournoyait sur elle-même, moqueuse.

– Si j'étais reine, ma foi, j'offrirais un grand festin, à tous les braves chrétiens, au tsar Antoine y compris !

Arthur et Florence entrèrent à ce moment-là, coupant net le rire d'Irène et d'Antoine par leur mine abattue.

– Vous souperez sans nous, leur dit Arthur en suivant Florence qui gagnait la chambre, sans un mot.

– Ça valait bien la peine de nous donner tant de mal, marmonna Irène entre ses dents.

– Peut-être que Simone va mourir ?

– Peut-être, répondit Irène en pensant à Louis-Marie qui avait rendu l'âme au sanatorium.

Florence s'était étendue tout habillée sur le lit. Arthur fit de même.

– Boire le calice jusqu'à la lie.

Arthur préféra se taire. Il fallait d'abord que Florence se calme. Il espéra qu'elle tombe endormie, sachant que les chances étaient minces. Lui-même n'y parviendrait pas de sitôt, craignait-il. L'après-midi avait pourtant si bien commencé ! Jeanne rayonnait de bonheur et parlait de ses jeunes élèves avec un tel enthousiasme, que nul doute ne pouvait subsister dans l'esprit de Florence, quant au choix de leur fille, il en était certain. L'enseignement la passionnait tout autant que la vie communautaire. Rien ne la rebutait. Aucune demande n'était trop exigeante, aucun service trop minime, toute action tendant vers Dieu qui guidait ses pas.

Il en avait été bien autrement de la rencontre avec Simone. «J'ai à vous parler», avait-elle dit d'entrée de jeu, et le mouvement de tête de Florence n'avait pas échappé à Arthur, non plus que l'attitude décidée de Simone. Instantanément, le mot «affrontement» lui était venu à l'esprit.

— J'ai un marché à vous proposer, avait dit Simone.

— Te crois-tu au marché Bonsecours, ma fille? Où chacun offre ses prix à la criée? Tu n'es pas en mesure de marchander, que je sache!

Imperturbable, Arthur assistait à l'échange. «C'est bien mal parti, se disait-il. La pauvre Simone ne connaît pas la valeur des mots justes, si importants à la réussite de toute transaction.»

— Je veux que vous preniez mon enfant avec vous.

Bien malgré lui, Arthur avait bougé sur sa chaise, à l'encontre de Florence qui était restée de glace.

— Ici, la plupart des enfants sont abandonnés. Pourtant, par deux fois, j'ai eu connaissance de grands-parents repartis avec l'enfant de leur fille, comme si c'était leur propre enfant. Je sais bien qu'une chose pareille n'est pas possible pour notre famille, mais j'ai pensé à une solution qui ne ferait de tort à personne.

Simone n'avait jamais tant parlé et Arthur vit la sueur perler à son front. Il imagina les efforts qu'elle fournissait pour les affronter et admira son courage.

— J'ai décidé de ne plus retourner à la maison. J'entrerai au service des religieuses, avec les Madeleine. J'y passerai le reste de mes jours pour expier ma faute. En échange, je vous demande de prendre mon enfant avec vous, d'ici cinq ans. Personne ne pourra faire le rapprochement avec moi. Vous pourrez dire que c'est l'orphelin d'une employée de la manufacture et que vous prenez l'enfant par charité chrétienne.

— Et tu crois qu'on va accepter ça sans broncher? demanda Florence, estomaquée.

– J'ai déjà tout perdu. Mémère que j'aimais par-dessus tout, Manuel en qui j'ai cru et, bientôt...

Simone n'arriva pas à terminer sa phrase. Elle baissa la tête pour cacher ses larmes.

– Il fallait y penser avant, ma fille. Si tu crois qu'il suffit de dire je veux, j'ai décidé, pour me faire accepter une folie pareille, c'est bien mal me connaître!

Quand Simone avait relevé la tête vers sa mère, Arthur l'avait à peine reconnue. Ses yeux lançaient des éclairs et tout son corps se tendait, prêt à bondir.

– J'ai essayé de vous expliquer que j'avais tout perdu. Il me reste une seule chose: le désir de savoir mon enfant en sécurité dans ma famille, à ma place, celle que je lui donne! Je suis prête à n'importe quoi pour y arriver, n'importe quoi! Si cet enfant-là est abandonné à l'orphelinat, qu'est-ce que j'aurai à perdre, si je raconte à toute la famille, à tous les voisins, à toute la ville de Montréal que la famille Grand-Maison a caché une de ses filles chez les religieuses de la Miséricorde pour ne pas mourir de honte?

– Nous allons réfléchir à tout cela, ma fille, avait dit Arthur en se levant et en prenant le bras de Florence.

Un bruit de casserole ramena Arthur à la minute présente. Il jeta un coup d'œil en coin vers Florence. Sa respiration avait repris un rythme normal, mais malgré son calme apparent, il savait qu'elle n'allait pas «boire le calice jusqu'à la lie» aussi aisément.

– Suggère-moi une seule façon de contrecarrer les plans de Simone et j'abonde dans ton sens, Arthur.

– À moins de la bâillonner pour le restant de ses jours, je ne vois pas de solution et, au risque de te surprendre et de te choquer, Florence, je l'admire pour son courage et son abnégation.

Florence se releva, se retira dans la grande garde-robe, revêtit une chemise de nuit et vint se recoucher, blanche de rage.

– Évidemment, quand on n'a pas soi-même la conscience tranquille, on peut avoir l'indulgence plus facile pour les dérèglements des autres!

282

Arthur se leva à son tour. Juste avant d'ouvrir la porte, il se retourna vers sa femme.

– Évidemment, quand on est soi-même parfait, l'indulgence devient un luxe au-dessus de nos moyens !

Florence se rappellerait de cette période de sa vie comme ayant été l'une des plus actives. Elle peintura la maison de fond en comble, choisit de nouveaux tissus pour habiller les fenêtres, essaya de nouvelles recettes compliquées et agrandit le potager. Avec l'argent hérité à la mort de sa mère, elle se décida enfin à acheter deux autres maisons à revenus et, à parts égales avec Émile, un terrain vacant situé en plein cœur de la ville. De l'argent en banque, avait dit son frère qui croyait ferme à l'expansion du centre de Montréal. Arthur avait essayé, une fois de plus, d'entraîner sa femme dans une transaction boursière mais elle avait refusé net, le mettant en garde contre ce qu'elle appelait «des placements à risques trop élevés pour mes moyens et pour les tiens».

C'est ainsi qu'elle occupa son esprit et son corps du matin jusqu'au soir, s'accordant très peu de répit, afin de ne plus penser à l'impensable. Presque tous les dimanches elle rendait visite à Jeanne, et Arthur la reprenait en revenant de voir Simone. Vers la fin du mois de juin, en apprenant que Simone avait donné naissance à une fille prénommée Marguerite, elle accueillit la nouvelle avec un mélange de froideur et de résignation.

– Cette guérison miraculeuse, ce départ mystérieux et précipité auprès des religieuses missionnaires, tu y crois, ma tsarina ?

– J'y croirai quand les poules auront des dents et les cochons des ailes ! comme le disait la vieille Mme Beauchamp.

– Pourtant, tu as bien vu la lettre parvenue du Bengale ?

– J'avoue que ça m'intrigue.

– Peut-être tout cela est-il vrai, après tout ? Tu te seras trompée, mon petit oiseau !

– Les petits oiseaux se trompent rarement, mon beau mari ! Ils finissent toujours pas dénicher le fil qu'on leur cachait !

Irène étant la seule fille à marier de la famille, Arthur et Florence ne lésinaient pas et consentaient à presque toutes ses extravagances.

— Une fois de plus, ma mère me fait des histoires pour des riens !

— Et quel petit rien t'a-t-elle refusé, cette fois ?

Irène balaya l'air de sa main. Assise aux pieds de Laurence, elle achevait de poser les épingles, mesurant minutieusement le bord de la robe, avant de les glisser dans le tissu.

— Au fond, c'est une extravagante qui s'ignore. D'ici mon mariage, mes demandes seront toutes plus folles les unes que les autres et plus rien ne me sera refusé.

— De quoi ai-je l'air ? demanda Laurence en tournoyant dans sa robe, une fois la dernière épingle posée.

— De la femme la plus élégante en ville. Tourne lentement, que je vérifie.

— Et ta robe ? Elle est bientôt prête ?

— Je dirais qu'elle est terminée, mais que Tatiana ne veut pas l'admettre. Quand ce n'est pas une pince à reprendre, c'est une perle à rajouter et ça n'en finit jamais. Une robe de princesse, Laurence. Elle ne pouvait pas me faire un plus beau cadeau.

Les yeux d'Irène s'embuèrent.

— Comme vous vous aimez, toutes les deux !

— Tatiana est la mère que j'aurais choisie. Sans elle, je ne serais pas ce que je suis, aujourd'hui. Quant à moi, je remplace la fille qu'elle n'a pas eue, malgré toutes ses prières à la Vierge de tendresse. Parlant de cette Vierge, attends de voir l'icône qu'elle m'offrira ! Ça fait un an qu'elle y travaille en cachette. Ma pauvre Tati ! Comme si elle pouvait me cacher quoi que ce soit !

Laurence avait retiré sa robe. Ne restait plus qu'à coudre le bord à la main et, Irène étant venue expressément à cet effet, elles s'y mirent sans plus attendre, profitant du sommeil de Laurent.

— Dis-moi, Irène, tu sais à quoi t'attendre le soir de tes noces ?

– Bien sûr! répondit-elle en rougissant. Enfin, c'est un peu vague, mais je m'y ferai le temps venu, comme toutes les femmes avant moi, je suppose.

– Demande-lui de la patience. Les hommes ne connaissent pas bien ce mot.

Le petit Laurent pleura et Irène en fut soulagée. Elle n'aimait pas aborder un tel sujet.

⟶⟫⟫⟫⟪⟪⟪⟵

– Mon pauvre Antoine! Tu vas t'arracher les yeux!

– J'ai presque terminé. Venez voir.

Florence visitait rarement l'atelier. C'était la chasse gardée des hommes et, en y mettant les pieds, elle avait l'impression de pénétrer en territoire étranger. Elle aimait pourtant l'odeur du bois et par-dessus tout le travail de son fils qui, selon Igor, maîtrisait de mieux en mieux l'ébénisterie.

– Antoine! Comme c'est beau! Irène sera tellement heureuse.

– Vous croyez qu'elle l'aimera vraiment?

– Tu connais ta sœur, tout ce qui est raffiné lui plaît. Elle mettra ta table en évidence, c'est certain!

– Dans l'entrée, peut-être?

– Sûrement! Avec tous ses bibelots et l'icône de Tatiana juste au-dessus, tu verras!

– Plus tard, je fabriquerai de grandes armoires, des bahuts, des meubles de toutes sortes.

– À temps perdu ou à plein temps?

Florence avait posé la question négligemment mais Antoine, qui venait d'appliquer la dernière couche de vernis à sa table, savait qu'il lui fallait saisir la perche tendue. Il trempa son pinceau dans la térébenthine, puis releva la tête vers sa mère.

– Vous seriez bien déçus, papa et vous, si je ne suivais pas les traces de Charles et de Gérard?

– Ce qui nous décevrait, ton père et moi, c'est que tu ne suives pas ta propre voie.

– Alors, je serai ébéniste à plein temps. Toute ma vie!

– Je l'ai toujours su ! lui dit Florence sur un ton enjoué. Il n'y a pas grand-chose qui m'échappe. Tiens ! Prends cette armoire, par exemple, je sais qu'elle renferme un trésor caché.

– Un trésor caché ? demanda Antoine en fronçant les sourcils, l'air un peu inquiet. Il n'aurait à aucun prix dévoilé de lui-même le secret des hommes.

– Là, derrière les pots de peinture, dit Florence en désignant la dernière tablette de l'armoire, il y a trois bouteilles de boisson. Presque tous les soirs de la semaine, depuis de nombreuses années, ton père, Igor et le docteur Dagenais y puisent des forces. Je ne suis pas née de la dernière pluie, Antoine.

Florence sortit de l'atelier en riant, laissant son fils songeur. Sa mère savait toujours tout, se dit-il en essuyant son pinceau. Il se demanda si elle savait aussi à quel point il l'aimait et conclut, tout en martelant le couvercle du pot de vernis, qu'elle savait cela, comme tout le reste, sans qu'il ait besoin de lui dire. Il admira la petite table une dernière fois avant d'éteindre. Il sortit à son tour et contempla les étoiles un moment. C'était une soirée magnifique et il s'imprégnait de sa douceur, de ses odeurs, pour en garder le souvenir, heureux et soulagé que sa mère soit d'accord avec le choix de son métier.

Demain, il confierait à Igor qu'il était devenu un homme, le soir du 27 juillet 1926, à l'âge de quatorze ans, tout juste une semaine avant le mariage de sa sœur Irène.

IX

À mesure que les bonhommes en pain d'épices sortaient du four, la maison de Laurence s'imprégnait de l'odeur du gingembre. Irène s'empressait de les percer vers le haut tandis qu'ils étaient encore chauds, et Laurence les étalaient ensuite sur le comptoir pour les refroidir.

– Le mois dernier, dit Laurence en sortant la dernière plaque à biscuits, Laurent m'a demandé pourquoi tu avais un gros ventre. Je lui ai expliqué que tu portais un enfant et que ton ventre grossissait en même temps que ton enfant. Alors, il m'a dit: «Tante Antoinette, elle a un gros ventre, parce qu'elle mange trop. C'est Colette qui l'a dit!»

– Quant à choisir entre les feuilles de choux ou les sauvages, je me demande si je ne préfère pas l'embonpoint?

– Moi, je préfère la vérité!

– Je sais bien, Laurence, mais comment veux-tu que la pauvre Antoinette parle librement à ses enfants, quand elle vit auprès de mon frère?

– Il est pourtant cultivé et qui dit culture sous-entend émancipation, non?

– Laurence! Tu oublies que nous parlons de Gérard! Sa culture est enviable, d'accord, mais à force de refouler ses sentiments et d'empêcher son entourage de s'exprimer librement, sous prétexte que monsieur sait tout, il s'étouffe avec sa grande culture!

Mon frère s'émancipera dans la semaine des quatre jeudis, t'aurait dit ma grand-mère.

– Pauvre Antoinette ! Tu as vu sa dernière robe ? Si nous étions charitables, toi et moi, on pourrait lui dire que le rouge vin n'est vraiment pas sa couleur, non ?

– La question est de savoir si nous sommes charitables !

Irène et Laurence avaient plusieurs points en commun. D'abord leur belle-sœur Antoinette, leur souffre-douleur, par amour de la moquerie plutôt que par méchanceté, et le fait de détester les travaux ménagers usuels. Elles n'en parlaient jamais entre elles, en faisaient abstraction, tout comme si ces tâches les avilissaient. Par contre, elles adoraient se livrer à ce qui faisait appel à leur imagination et leur savoir-faire.

Chaque année, elles décidaient d'une nouvelle décoration du sapin de Noël, pour le simple plaisir d'épater. Irène avait terminé le sien, tout en boules et boucles roses, du jamais vu. Celui de Laurence s'ornerait uniquement de bonshommes en pain d'épices, rattachés aux branches par des rubans rouges et blancs. Elles venaient de terminer la décoration des bonshommes à l'aide d'une crème se durcissant au contact de l'air et enfilaient à présent les rubans.

– Dis-moi, Laurence, c'est normal d'avoir des marques sur le ventre ?

– Quand on est enceinte, oui ! Ce sont des vergetures. Certaines femmes en ont, d'autres pas. C'est une question d'élasticité de la peau.

– Ça prend combien de temps avant de disparaître ?

– Mais, ma pauvre chérie, ça ne disparaît jamais !

Irène écarquilla les yeux, d'abord incrédule devant l'énormité que venait de prononcer sa belle-sœur, puis fondit en larmes.

– Irène ! Le bonheur que tu éprouveras en tenant ton enfant dans tes bras vaudra toutes les vergetures possibles et tous les maux endurés pendant l'accouchement. Je le jure !

Irène avait refoulé ses larmes et encaissait le coup, tout en imaginant une crème miracle, capable de faire disparaître les affreuses marques violettes. Juchée en haut d'un escabeau, Laurence accrochait les bonshommes que lui tendait Irène.

– Tu es au courant des difficultés qu'a éprouvées ton père, lors du krach?

– Non, répondit Irène qui sortait des nues. Quel genre de difficultés?

– Des achats d'actions sur marge si j'ai bien compris, ce qui veut dire que ton père s'est retrouvé en bien mauvaise posture. Sans l'aide de ta mère, il était ruiné!

– Il est hors de danger à présent?

– Ton père, oui! Pour Charles et Gérard, c'est une autre paire de manches!

– Ils ont aussi acheté des actions sur marge?

– Non, mais si ta mère est devenue la principale actionnaire de la compagnie, comme le soupçonnent tes frères, c'est leur avenir à eux qui en prend un coup!

– Avaient-ils les moyens de sauver la compagnie?

– Tu sais bien que non!

– Alors?

Le silence s'établit entre elles. Irène avait beau ne rien comprendre aux affaires, elle voyait tout de même clair dans le jeu de ses frères et la révolte gronda en elle. Elle prétexta une migraine pour partir. Juste avant de franchir la porte, elle fut cependant incapable de retenir sa langue.

– Pour une femme émancipée, Laurence, je trouve ton attitude assez incompréhensible. En quoi ma mère est-elle une menace à l'avenir de mes frères? Croyaient-ils se partager le butin à eux seuls?

Laurence s'en voulut amèrement d'avoir parlé. «J'avais oublié une chose, se dit-elle, et non la moindre: Irène est une Grand-Maison!»

Ahuntsic, 20 décembre 1929.

Ma très chère Zélia,

Vous savez si bien dire, en parlant du temps qui s'écoule par le grand trou de l'entonnoir, comme si on le tournait à l'envers une fois passés les premiers vingt ans de notre vie. Voyez à quelle vitesse il file, me faisant grand-mère à chaque année, creusant une nouvelle ride ou ajoutant un malaise aux autres, pourtant assez nombreux! (Les pieds, cette fois, qui me forcent à acheter des chaussures dont la mode se moque). Et notre trentième anniversaire de mariage, le mois prochain! (Dieu veuille que nos enfants nous fêtent simplement. Vous connaissez les idées de grandeur de votre filleul...)

Pourtant, je me sens si jeune encore. Vous arrive-t-il, parfois, de ressentir cette jeunesse, certaines belles journées, et d'apercevoir tout à coup votre reflet dans le miroir? De rester figée sur place, face à l'image qu'il vous renvoie? Étonnée de la réalité, alors que deux minutes auparavant vous vaquiez à vos occupations en vous croyant légère, jeune et jolie comme à vos seize ans?

Comme à l'accoutumée, nous attendons le jour de l'An avec joie. Arthur s'est surpassé dans le choix du sapin, qui touche le plafond! Ai-je besoin de vous dire qu'il s'est également surpassé dans l'abondance des étrennes? L'âge ne restreint pas ses largesses, au contraire! (eh oui, chère Zélia, malgré le bord du gouffre qu'il vient d'éviter de justesse!) Parlant de cadeaux, je me suis renseignée à la bijouterie Birks, pour savoir ce qu'on offrait lors d'un trentième anniversaire de mariage et je vous le donne en mille: des perles! Moi qui ai tant de difficulté à faire étalage de notre aisance, vous pouvez être certaine que je serai condamnée à me pavaner avec le plus long collier de perles jamais vu! Pour n'être pas en reste, je lui ai fait faire une épingle à cravate en or, incrustée d'une perle et de deux petits diamants, qu'il portera, lui, avec ostentation.

Tatiana et moi attendons la venue de l'enfant d'Irène avec un peu d'anxiété. Elle s'alourdit de jours en jours et se décourage. Elle, si peu faite pour la misère, si délicate, comment passera-t-elle à travers cette épreuve? Sans oser le dire à personne d'autre que vous, je crois que la pauvre enfant ne tenait pas vraiment à la maternité et croyait même, au bout de trois ans passés de mariage, qu'elle allait profiter de sa liberté sa vie durant. Je lui envoie

Tatiana trois jours par semaine, afin d'alléger ses tâches. Antoi-
nette la suivra de peu, ce qui portera le nombre de nos petits-en-
fants à huit. La lignée des Grand-Maison n'est pas en voie d'ex-
tinction, comme le dit fièrement Arthur.

Florence déposa sa plume et se leva. Durant la nuit, les carreaux des fenêtres du solarium s'étaient couverts de givre qui formait à présent, sous l'effet du soleil, de magnifiques arabesques où
dentelles et feuillages se confondaient. Elle observa les carreaux un
à un, puis dans leur ensemble, et elle s'émerveilla de la splendeur
du jardin d'hiver s'incrustant aux vitres. Elle posa sa main sur l'une
d'elles et l'encre qui tachait ses doigts teinta une arabesque en bleu
très pâle, créant ainsi un feuillage féerique. Elle revint à son secrétaire et reprit sa plume, sans la faire courir sur le papier.

«Neuf petits-enfants, pensa-t-elle, les yeux fermés, neuf et
non pas huit, ma très chère Zélia. Si je pouvais seulement vous
confier mes sentiments les plus intimes! Mais a-t-on le droit de
s'affaiblir à ce point? De toute façon, comment vous dire ces choses-là, qui sont en soi impensables? Comment vous dire, par exemple, qu'une enfant viendra vivre auprès de nous dans un an et cinq
mois, la fille de ma fille? Comment vous parler de la haine inscrite
au fond des yeux de Simone à notre dernière rencontre? Comment
expliquer ma propre rage face à elle, où nul pardon n'arrive à se
frayer un chemin, tout en gardant pleinement conscience du peu
d'amour que j'ai pu lui prodiguer depuis sa naissance? Toutes les
mères vous assureront qu'elles aiment leurs enfants également. La
mienne, plus sage et plus réaliste que bien d'autres, prétendait que
c'était impossible. Sans doute est-ce la raison pour laquelle elle
s'est attachée à Simone et a su compenser mes propres manque-
ments. Me juge-t-elle de là-haut? Elle-même aurait-elle pu réagir
autrement dans les mêmes circonstances? Et n'a-t-elle pas été très
dure à l'égard d'Émile?

«Comment vous dire ces choses-là, très chère Zélia? Je ne
suis pas à la hauteur et j'en souffre terriblement. Rien ne suffit à
expliquer ce manquement à l'amour et cette rancune qui m'habite.
Car, maintenant que nous sommes à l'abri du scandale, je pourrais

lui pardonner et la visiter. Peut-être que je redoute de retrouver intacte la haine inscrite dans ses yeux ou est-ce que je lui en veux trop de m'imposer sa volonté? À mon âge, a-t-on envie d'élever un autre enfant? Non! Cent fois non!»

Florence laissa la plume lui glisser des mains et décida de terminer sa lettre plus tard, quand le calme lui serait revenu.

***

Émile avait mal à sa jambe de bois. C'est ainsi qu'il pouvait le mieux expliquer cette douleur incompréhensible d'un membre inexistant. Sa manière de l'exprimer faisait rire, ce qu'il préférait à l'apitoiement, mais le mal était pour lui une réalité constante, familière. Il sortit son flacon de gin *De Kuyper* du fond de sa poche et avala une bonne rasade, puis comme il le faisait de plus en plus fréquemment, il répéta son geste une deuxième fois. Il tâta le fond de son autre poche, mais ne trouva pas de menthes anglaises pour se rafraîchir l'haleine. Florence venait ce matin-là, histoire de se rendre compte des travaux entrepris sur sa cinquième maison à revenus, et pour rien au monde il n'aurait voulu lui déplaire. Il enfila donc son manteau et sortit rapidement pour acheter les boules blanches qui masquaient si bien l'odeur du gros gin.

***

Assis bien droit sur sa chaise, un livre ouvert sur les genoux, Gérard fixait les mots sans les voir. Antoinette l'observait depuis un moment, songeuse. «À quoi rêve-t-il? se demandait-elle, et sait-il seulement rêver?» Colette entra dans la pièce sans bruit et vint s'asseoir aux pieds de son père, juste avant qu'arrivent en trombe ses frères Roger et Marcel. Les deux enfants firent sortir Gérard de sa torpeur, qui déjà tendait les bras vers ses fils.

– On joue au galop? demanda-t-il tout sourire.

Les deux garçons s'élancèrent vers lui et sautèrent sur ses genoux. Tandis que Colette levait la tête vers eux, écoutant les «p'tits galops, gros galops», les regardant sauter dans les airs, le cœur d'Antoinette se serrait. «J'aurais beau lui donner tous les sourires, toutes les caresses possibles, rien n'y fera tant et aussi longtemps que son père l'ignorera», se dit-elle en se levant péniblement de sa chaise. «Ce sera une autre fille, se répétait-t-elle pour la centième fois en observant son ventre qui débordait de chaque côté, sans la forme pointue qu'offrait la grossesse de ses fils. Une autre mal aimée, tout comme ma petite Colette et moi.»

– C'est l'heure du dodo, maintenant, dit-elle de sa voix un peu traînante.

Gérard releva la tête vers elle et perçut son regard. «Une lassitude, logée au fond des yeux en permanence», soupira-t-il intérieurement.

⟶≯⟩🦋⟨≮⟵

– Dis-moi, Tati, un homme qui sort plusieurs soirs par semaine, qui rentre tard et sent le fond de tonneau à plein nez, est-ce un homme amoureux de sa femme?

Tatiana fut prise au dépourvu. Elle ne connaissait pas ce genre de problème et ne pouvait pas même imaginer son Igor faisant la noce sans elle. «Toutes ces années de mariage, réalisait-elle soudainement, n'ont rien changé à notre amour». Elle allait en faire part à Irène, quand elle comprit à son expression grave l'erreur qu'elle s'apprêtait à commettre.

– Peut-être ton mari travaille-t-il trop fort et ressent-il la nécessité de se changer les idées?

– Loin de moi?

– Certains hommes ont sans doute besoin d'une plus grande liberté que d'autres.

– Léopold ne m'aime pas!

Irène était de glace et Tatiana hésita un moment avant de la questionner.

– Et toi, Irène, l'aimes-tu?

– Si je l'aime? demanda Irène décontenancée.

– Toute la question est là, ma chère petite.

⟶≯⟩🦋⟨≮⟵

Malvina avait fini par se dénicher une vieille paire de raquettes au fond de la remise des Grand-Maison. Elle pouvait désormais visiter Louisa au cimetière, malgré l'hiver et l'épaisseur de la neige. Elle s'y rendait en général une fois par semaine, parfois deux, selon son besoin de se confier.

– Je suis venue te faire part des nouveaux développements entre Raoul et la veuve Grolo. Ton mari parle de mariage, figure-toi donc! Rien de précis encore, mais il en parle. Ton fils et ta bru le prennent très mal! Surtout ta bru! Elle qui se croyait la maîtresse absolue des lieux, tu comprends bien qu'elle n'a pas l'intention de céder son territoire aisément! Enfin, j'ignore si j'ai bien fait, mais j'ai suggéré à Raoul de s'installer chez la veuve, advenant le cas où il se décide à la marier. Mathieu est de mon avis et pense que ça éviterait bien des disputes. Je sais, Louisa, je sais! Toutes nos tracasseries doivent te sembler bien inutiles, de là-haut. Pourtant, le moins que tu puisses faire est d'aider tout un chacun à voir clair dans les petites choses de la vie, comme dans les grandes. Intercède auprès d'un saint et demande-lui d'éclairer nos lanternes. Je sais, par exemple, que saint Antoine peut nous aider à retrouver des objets perdus, mais j'ignore qui est en charge des affaires familiales, et c'est pourquoi je te demande de trouver le saint le plus approprié dans ce cas là. Prends soin de ménager les plus importants pour les grandes causes, du genre saint Judes pour celles qui nous semblent désespérées. Bon! C'est bien beau, tout ça, mais j'ai mon barda à finir, et c'est pas toi qui vas pouvoir m'aider! Si tu voyais la couture que j'ai accumulée, t'en croirais pas tes yeux! J'avais tant de plaisir à m'y mettre avec toi... Toute seule, je remets au lendemain et j'entasse! Tu me manques tant, Louisa. Le sais-tu?

Malvina sortit du cimetière, la tête et le cœur encore avec Louisa, et oublia de se défaire de ses raquettes. C'est seulement en passant devant la maison de la veuve Grolo qu'elle s'en rendit compte et s'arrêta pour les enlever. Après quelques hésitations, sans trop savoir pourquoi, elle décida de lui payer une visite.

– Malvina! Quelle belle surprise! Entrez! Entrez!

– Je ne vous dérange pas, j'espère?

– Pensez-vous! C'est un plaisir et un honneur de vous accueillir!

Plus souvent qu'autrement, Malvina éprouvait de l'agacement quant au ton exalté de la veuve. Cette fois, c'est à peine si elle l'entendait, n'ayant pas assez de ses deux yeux pour tout reluquer. Le salon sortait de l'ordinaire des campagnes avec ses tableaux encadrés de dorure, ses lampes torchères, ses carpettes moelleuses et ses vases précieux, le tout parfaitement agencé et du meilleur goût.

Trop heureuse de satisfaire la curiosité d'une belle-sœur potentielle et surtout de s'en faire une alliée, la veuve n'allait pas rater l'occasion et lui fit visiter la maison. Afin de ne pas passer pour celle qui n'a jamais rien vu, Malvina retenait de son mieux les exclamations qui lui venaient. Au deuxième étage, cependant, quand la veuve ouvrit la porte sur une pièce ensoleillée, ce fut plus fort qu'elle.

– Une Singer électrique!

Son défunt mari lui ayant légué un important héritage, la veuve Grolo possédait tout ce qu'elle désirait. Pourtant, jusqu'à très récemment, elle avait tout ignoré des plaisirs de l'amour et ne souhaitait plus qu'une seule chose au monde: vivre au grand jour avec Raoul Grand-Maison, qui lui faisait connaître en cachette des joies insensées. Elle aurait donné sa dernière chemise pour y arriver et sa nouvelle Singer, dont elle était si fière, ne pesa pas plus lourd qu'une goutte d'eau dans sa décision de s'allier Malvina.

– Je me demande bien pourquoi je l'ai achetée, dit-elle en dodelinant de la tête. Je ne m'en sers plus!

– Ah non? Je croyais que vous faisiez vous-même votre couture?

– Plus maintenant, dit la veuve en refermant la porte. Et vous, Malvina, vous cousez beaucoup?

– Beaucoup! Au lieu de ma vieille machine à pédale, si j'en avais une électrique, j'y passerais tous mes temps libres!

– Elle est à vous!

Malvina fronça les sourcils, incrédule. La veuve Grolo insista tant et si bien que l'affaire fut conclue, et il fut entendu que

Mathieu passerait prendre la Singer en fin de journée. Malvina sortit de la maison avec des palpitations au cœur.

– Eh ben, ma vieille Louisa! Si c'est ta façon de me dire que tu es toujours avec moi, tu peux être sûre et certaine qu'on va coudre à pleine épouvante, toutes les deux! Moi, assise à travailler, toi, debout derrière moi à m'encourager... Tu peux faire des miracles, maintenant?

⚜

Laurent et Pauline avaient installé la petite Madeleine sur le plancher de la cuisine, au milieu des casseroles et des ustensiles, et l'incitaient à choisir ses propres instruments. L'enfant ne tarda pas à imiter son frère et sa sœur et tenta même de les suivre à quatre pattes à travers la maison. Laurence la trouva en pleurs, tandis que les deux autres l'avaient abandonnée, poursuivant sans elle leur ronde infernale. Laurence la prit dans ses bras et appela Charles à sa rescousse.

– Papa! Papa! Viens jouer du tambour avec nous!

Charles accourut, saisit un poêlon et une spatule de métal avant de battre la marche à la recherche des aînés. La petite Madeleine riait, tapait des mains. Charles, derrière toute sa famille, criait à tue-tête: «Qu'on laisse passer le tambour-major!»

Laurence aimait ces moments de gaieté où la famille formait un tout solide. Le soir, en se couchant, elle dit à Charles:

– Quand les enfants seront devenus des adultes, je veux qu'ils gardent de nous l'image de parents enjoués, sans rigidité aucune.

– À mesure qu'ils vieilliront, il faudra pourtant user d'autorité.

– Je crois plutôt qu'on doit cultiver le sens des responsabilités en chaque être humain. Regarde un peu les enfants de ton frère! Tu trouves normal qu'ils se comportent déjà en adultes? Quels souvenirs garderont-ils de leur jeunesse? Surtout la pauvre Colette!

– C'est ainsi qu'on nous a élevés. Notre conduite se devait d'être irréprochable.

296

– Les temps ont changé! Je veux que nos enfants apprennent à discuter avec nous, qu'ils donnent leurs opinions sur tous les sujets possibles. Je veux faire d'eux des êtres libres, tu comprends?

Charles acquiesça, tout en cherchant le corps de sa femme à l'extrémité du lit. Il ne se rassasiait pas d'elle et la désirait comme au premier jour, malgré sa faible participation. Elle était douce et docile sous ses mains, mais sans l'enthousiasme qui le caractérisait aux jeux de l'amour. Certains soirs le frustraient plus que d'autres et lui faisaient prendre conscience de la différence entre une femme qui se laisse prendre et une autre qui s'offre pleinement. Il refrénait alors, tout comme ce soir-là, ses désirs trop ardents. Ne se permettait-il pas de cueillir ailleurs, de temps à autre, des fruits plus savoureux? Aucune culpabilité ne venait troubler son sommeil pour autant, puisqu'il aimait Laurence et n'aimerait qu'elle pour le restant de ses jours. Tout cela était affaire d'appétit, pensait-il sincèrement, et le sien était trop grand pour une seule femme.

***

C'était un lundi, jour de lessive, et ni Florence ni Tatiana n'entendirent la sonnette. Elles se trouvaient à la cave et tentaient de réparer elles-mêmes le tordeur de la machine à laver.

Depuis la demeure voisine, par la fenêtre de sa cuisine, Antoinette aperçut Irène à la porte de ses beaux-parents et la trouva bien imprudente de sortir par un froid pareil, à quelques jours de son accouchement. Réalisant qu'Irène n'obtenait pas de réponse, elle voulut soulever le chassis pour lui crier de traverser chez elle, mais il était coincé dans la glace. Par le temps qu'elle mit à enfiler ses bottes et son manteau, elle-même déjà très grosse avec ses huit mois de grossesse, elle ne vit plus Irène en arrivant sur sa galerie arrière. Elle allait rentrer, pensant qu'on lui avait finalement ouvert, quand une forme bougea, étendue par terre juste devant la porte.

– Bonne sainte bénite! s'écria-t-elle en descendant les marches le plus rapidement que son état le lui permettait. Irène! Irène! criait-elle en calant dans la neige. Si j'étais pas si lourde, aussi, je calerais moins creux!

Elle atteignit tant bien que mal le terrain d'à-côté, mieux entretenu par les bons soins d'Igor, et accéléra le pas jusqu'à la galerie des Grand-Maison.

– Vite! supplia Irène. Personne ne répond.

Antoinette prit une pelle à neige, appuyée au mur, et enfonça le manche dans un carreau de la porte. Elle y passa la main, débarra et ouvrit. Sans plus attendre, elle souleva Irène en passant ses bras sous les siens et la tira à l'intérieur.

– Madame Grand-Maison! Tatiana!

Elle continuait de crier et de tirer Irène vers la chambre de ses parents quand les deux femmes montèrent de la cave en courant. Elles virent d'abord du sang et crurent que c'était celui d'Irène, ce qui les secoua si fortement qu'elles soulevèrent son corps d'une seule et même énergie, l'installèrent sur le lit et la déshabillèrent en un rien de temps, avant de découvrir que le sang coulait de la main d'Antoinette.

– Je m'ennuyais trop, toute seule à la maison, dit Irène, pendant qu'on lui enfilait une chemise de nuit, et j'ai pensé qu'une petite marche me ferait du bien. J'ai perdu mes eaux, juste à la porte, et je me suis sentie si faible, que je me suis retrouvée par terre.

– Tu es en sécurité, maintenant. Allez vite désinfecter la main d'Antoinette, Tatiana. Je téléphone au docteur Dagenais.

Le docteur Dagenais n'était pas à la maison mais sa femme promit de tout faire en son pouvoir pour le rejoindre. Florence fit bouillir de l'eau, se lava soigneusement les mains, changea de tablier et s'occupa de sortir une pile de draps et de serviettes, avant d'aller s'assurer que la blessure de sa bru n'était pas grave.

– Retournez vite chez vous, Antoinette. Vous avez déjà eu trop d'émotions pour une femme dans votre condition. J'enverrai Antoine s'occuper des enfants, et vous pourrez vous reposer. Merci, pour Irène, ajouta-t-elle en serrant chaleureusement Antoinette dans ses bras. Merci de tout cœur.

Secouée par les événements et profondément remuée par le geste affectueux de sa belle-mère, Antoinette sortit en retenant ses larmes.

– Je vais avertir Antoine et je reviens vous aider, madame.

– Tatiana ! Le docteur Dagenais n'est pas là.

Reconnaissant l'angoisse au fond des yeux de Florence, Tatiana revint sur ses pas et prit ses mains entre les siennes.

– Avec l'aide de votre mère, je vous ai assistée pour Irène, Simone et Antoine. Plus tard, avec l'aide de sa mère, j'ai été auprès d'Antoinette pour ses trois enfants. J'ai un peu d'expérience, non ? Vous verrez, nous formerons une bonne équipe jusqu'à l'arrivée du docteur.

Quand Tatiana revint de l'atelier, Florence souleva le drap et pointa du doigt ce qu'elle venait de découvrir.

– Doux Jésus ! s'écria Tatiana en apercevant les cheveux de l'enfant. Tu n'as pas de douleurs, Irène ?

– Oui, mais ça s'endure.

– Mais c'est que tu vas accoucher comme une petite chatte, ma toute belle !

De soulagement, Florence fondit en larmes.

– Ne pleurez pas, maman, pas tout de suite. Gardez ça en réserve !

Florence et Tatiana riaient à présent, trop heureuses qu'une femme, enfin, échappe à la norme.

– Presque tout le travail s'est fait à ton insu, Irène. C'est déjà ça de pris ! Prions la Vierge de tendresse que ça continue ainsi, mais il se peut que tu commences à souffrir bientôt. Tu le sais bien, n'est-ce pas ?

– Nous sommes avec toi, mon enfant. Si je le pouvais, je prendrais ta place. Ah oui !

C'est à ce moment-là qu'Irène poussa un cri terrible. La douleur fut si forte que la peur agrandit ses yeux et la fit trembler de la tête aux pieds. Florence pensa qu'elle ne pourrait pas supporter un seul cri de plus et pria sa mère de venir à sa rescousse. Elle en ressentit un bienfait immédiat et prit la main d'Irène dans les siennes.

– Tu pourras serrer mes mains, ça t'aidera !

– Avec vos douleurs d'arthrite, y pensez-vous ?

– Tu tombes sur une bonne journée, ma fille, je n'ai aucune douleur aujourd'hui, mentit Florence qui regrettait amèrement d'avoir passé une partie de l'avant-midi les deux mains dans l'eau et qui en ressentait déjà les méfaits.

– Ça pousse! Ça pousse! hurla Irène en broyant les mains de sa mère.

Tatiana jeta sur Florence un regard désespéré. Puis tout se passa très vite. Trop vite. La tête de l'enfant sortit, déchirant tout sur son passage. La sonnette de l'entrée retentit et Florence courut à la porte en espérant de toutes ses forces que ce soit le docteur Dagenais.

– Docteur! Dieu soit loué! Vite! La tête de l'enfant vient de sortir, vite!

– Tiens bon, mon petit enfant. Ne sors pas tout de suite, disait Tatiana, quand les deux autres entrèrent dans la pièce.

Le docteur Dagenais prit la relève. Florence avait l'impression que la chambre baignait dans un brouillard épais et qu'elle-même y flottait, les membres engourdis. Elle vit l'enfant sortir, une fille, la peau bleuâtre mais toute entière et bien formée, le long cordon qui la rattachait encore à sa mère, puis, comme un flot continu, elle ne vit plus que le sang qui s'écoulait du corps de sa propre fille.

⟡❀⟡

Non seulement Émile rénovait-il les maisons achetées par sa sœur pour les transformer en logements fort convenables, mais il les entretenait par la suite et les locataires l'appréciaient à sa juste valeur. Une jeune femme dans la trentaine, en particulier, abandonnée par son mari et devant subvenir seule aux besoins de ses deux enfants. Émile passait souvent la voir et prétextait des surplus de nourriture pour lui laisser différentes denrées. Un jour, en fin d'après-midi, alors qu'il venait de réparer la chaîne de la chasse d'eau, elle l'invita à prendre le thé. Émile avait beaucoup bu, ce qui n'avait pas échappé à la jeune femme. Ils parlèrent de tout et de rien, avant que Germaine prenne une grande respiration et ose le questionner.

– Pourquoi buvez-vous autant, Émile?

– Parce que j'ai mal à ma jambe de bois.

– Elle a bon dos, votre jambe de bois!

Émile aimait le sourire de Germaine, ses yeux doux, sa bouche. Émile aimait Germaine comme un fou, même s'il était convaincu de l'impossibilité d'un tel amour. Si elle apprenait ses sentiments, se disait-il, elle ne pourrait réprimer un haut-le-cœur.

– Je dois partir, maintenant. Merci pour le thé, Germaine.

– La solitude amène à la réflexion, si elle n'est pas noyée dans l'alcool. Ce n'est pas un jugement, Émile, c'est une constatation et je sais de quoi je parle, croyez-moi! Si vous décidez un jour de ne plus endormir votre mal, et je ne parle pas du mal occasionné par votre jambe de bois, je serai la plus heureuse des femmes si vous veniez alors vous confier à moi. Enfin, si vous éprouvez le besoin de vous confier.

– Ça fait beaucoup de si, vous ne trouvez pas?

Émile lut un tel désappointement dans les yeux de Germaine, qu'il fut incapable de le supporter. Il la quitta à la hâte et descendit les marches en vitesse, au risque de tomber. Peu lui importait. Émile avait mal, il avait honte et, par dessus tout, il avait très soif.

<hr>

Igor et Tatiana s'étaient installés chez Léopold et veillaient sur la petite Élisabeth, leur filleule, avec un amour infini. Dès les premiers mois de sa grossesse, Irène leur avait annoncé son intention de les choisir comme parrain et marraine. Ils n'avaient pas osé y croire vraiment, pas avant que leurs signatures dans le registre en témoignent officiellement. Depuis le jour du baptême, ils remerciaient la Vierge de tendresse pour ce bonheur inespéré.

Léopold travaillait plus que de coutume et sortait presque tous les soirs, bien souvent en compagnie de Charles. Il accordait très peu d'attention à sa fille et s'en remettait entièrement au couple russe pour l'organisation de la maison et les soins de l'enfant.

Élisabeth avait maintenant quatre mois et gazouillait dans son berceau. Penchés au-dessus d'elle, Igor et Tatiana se pâmaient au moindre son de l'enfant. Dans sa langue maternelle, sa marraine lui murmurait mille mots d'amour.

– Si nous n'y prenons garde, dit soudainement Igor, notre tsarinette ne saura pas un mot de français.

– Ma foi, tu as raison. Ce ne serait pas bien de notre part.

– Si tu le veux, je lui parlerai uniquement en français. De ton côté, tu pourras continuer à lui parler notre langue.

– Ce ne sera pas suffisant, je le sais bien. C'est mon devoir de lui enseigner sa propre langue et je le ferai durant toute la journée. Le soir, toi et moi, nous lui parlerons russe.

– Ma sage, ma loyale tsarina, dit Igor en ouvrant les bras.

Tatiana vint s'y blottir et versa une fois de plus quelques larmes.

– Pleure, mon petit oiseau. Pleure pour la joie et pour la tristesse aussi.

***

En plein milieu de l'avant-midi, Florence abandonna son travail et sortit pour humer l'odeur du muguet et des lilas en fleurs. Pâle et cernée, elle s'abrutissait dans sa besogne quotidienne, forçant tout son corps à endormir son esprit.

La vie, tout alentour, reprenait ses droits. Elle ferma les yeux, se laissa inonder de soleil, inspira profondément et se grisa du parfum de la terre et des fleurs. En ouvrant les yeux de nouveau, la lumière du jour lui sembla douce et porteuse des promesses habituelles du printemps.

De sa poche de tablier, elle sortit son sécateur et commença à couper les branches des lilas les plus fleuris. Plusieurs blanches et plusieurs mauves, écloses avant les violettes, dont les grappes refusaient encore de s'ouvrir. Elle en coupa tout de même deux branches, pour la beauté du bouquet, et allait rentrer quand elle vit une toile d'araignée aux formes étranges. Une araignée minuscule se tenait au cœur de la toile et une autre, grosse et velue, se balançait à l'extrémité. Florence déposa son bouquet et les observa. La plus grosse avança, la plus petite fit de même, puis elles figèrent sur place un moment, répétant le manège à tour de rôle. Florence n'arrivait pas à détacher les yeux de ce jeu cruel où la survie de l'une, pensa-t-elle, dépendait de facteurs multiples: courage, ténacité, endurance, entraient en ligne de compte, sans parler des revirements dus au hasard. «Cela signifie, dans ce cas précis, se dit-elle, ma propre intervention!» Malgré sa peur et son dédain de la bestiole, elle saisit l'araignée velue et l'écrasa sous son pied. «Tu peux vivre, à présent», dit-elle à l'araignée minuscule.

Elle reprit son bouquet de lilas et entra dans la maison, la tête haute et souriante. Elle emplit d'eau son plus beau vase et y plaça joliment les fleurs, en prenant soin de bien répartir les couleurs. Elle se rendit ensuite au solarium et déposa le vase sur le dessus de son secrétaire. Elle ouvrit toutes grandes les fenêtres et se tourna vers le lit qu'on avait installé là depuis plusieurs mois.

– Maintenant, ma fille, tu vas te battre et tu vas vivre!

Elle cassa une branche de lilas et l'écrasa sous le nez d'Irène qui ouvrait de grands yeux étonnés sur sa mère.

– Respire un peu ce parfum et dis-moi si la vie ne vaut pas la peine d'être vécue!

Elle déposa la branche dans les mains de sa fille, la souleva tout entière pour l'asseoir, appuya sa tête sur les oreillers et la couvrit.

– Je téléphone à Tatiana pour qu'elle t'amène la petite Élisabeth. À partir de maintenant, Irène, j'exige des efforts de ta part! Nous commencerons doucement, mais sois certaine qu'à chaque jour tu recevras la visite de ton enfant, que tu feras quelques pas, que tu réapprendras à te nourrir seule, à faire ta toilette et j'en passe! À partir de maintenant, tu auras à te battre et j'y veillerai personnellement, prends ma parole!

Florence sortit et Irène huma l'odeur du lilas, les yeux pleins de larmes. «Je me porte sûrement mieux, pensa-t-elle, pour que maman me brasse ainsi, comme un vieux paquet de chiffons oublié au fond d'une armoire.» Elle entendit des coups de marteau, pensa à Antoine et eut envie de le voir. Elle pensa ensuite à sa fille et sourit. «Oui, la vie vaut la peine d'être vécue ailleurs que dans un lit», se dit-elle, la branche de lilas écrasée sur son nez.

~7}♦♦♦(♦~

Depuis le jour où sa sœur avait été transportée d'urgence à l'hôpital, jusqu'à celui de son retour à la maison, faible et méconnaissable au point que personne n'aurait gagé sur sa survie, Antoine vivait dans l'angoisse. Afin de surmonter cette angoisse, il avait entrepris de construire une grande salle de jeux pour ses neveux et nièces, juste derrière son atelier. «Si je la termine d'ici deux semaines, s'était-il dit, ma sœur vivra.» Au bout de ce temps, la salle terminée, avec ses fenêtres dont une donnait sur la rivière, il décida de la transformer en petite maison et obtint trois pièces en ajoutant des cloisons. Il perça une porte et construisit également un perron, ce qui donna à sa construction l'allure d'une vraie petite maison.

Il allait visiter Élisabeth, ronde et rose, tous les après-midi. Au retour, il s'installait auprès d'Irène pour l'informer des progrès de sa fille. Certains jours, elle semblait l'entendre. La plupart du temps, elle avait l'air si malade, qu'il se contentait de tenir sa main sans parler.

Pour ne pas perdre courage, une fois sa petite maison terminée, il élabora un autre plan. C'est ainsi qu'il fabriqua des meubles pour la garnir et le jour où Irène entendit des coups de marteau, il terminait la dernière chaise d'un mobilier conçu à la mesure de ses neveux et nièces. Laurent, Pauline, Madeleine, Colette, Roger, Marcel et Liette la dernière-née, ainsi que la petite Élisabeth viendraient tous jouer dans la petite maison, pensait-il, et de son atelier, il entendrait leurs cris et leurs rires, ceux d'Élisabeth plus forts que ceux des autres, parce que sa maman aurait survécu à sa maladie. Fort de cette conviction, il avait subitement eu envie de voir Irène et l'avait trouvée debout, accrochée à sa mère qui lui faisait faire quelques pas. Il était reparti vers son atelier pour se cacher et pleurer sa joie.

~7}♦♦♦(♦~

Germaine tournait en rond dans la maison. Depuis l'hiver, Émile buvait de plus en plus et espaçait ses visites. Il y avait maintenant six jours qu'il n'était pas venu la voir et elle s'inquiétait.

Elle décida de confier ses enfants à une voisine et d'aller s'assurer que ses craintes n'étaient pas fondées. Elle frappa plusieurs coups à sa porte sans obtenir de réponse, puis tourna machinalement la poignée pour s'apercevoir que la porte n'était pas barrée. Elle hésita un moment mais finit par entrer. Émile gisait sur le plancher, au milieu de nombreuses bouteilles vides. Une odeur âcre la prit à la gorge, alors qu'elle avançait vers le corps inerte. Elle tâta son pouls. «Saoul comme une barrique», conclut-elle.

Elle ouvrit les fenêtres et nettoya minutieusement l'appartement.

– Comme un sou neuf, dit-elle fièrement en jetant un regard circulaire sur la pièce où Émile cuvait son vin.

Elle fit ensuite l'inspection des armoires et des tiroirs, afin de vérifier qu'aucune bouteille ne s'y trouvait, et quitta les lieux. «Peut-être est-il trop bête pour se rendre compte par lui-même de mon amour? se demanda-t-elle chemin faisant. Peut-être s'imagine-t-il que sa jambe de bois me fait peur? Si c'est le cas, il faudra bien que je parle la première...»

⚜

L'église était pleine à craquer et croulait sous les fleurs. Au jubé, les doigts nerveux d'Irène attendaient le signal pour entamer la marche nuptiale. Ils arrivent! Ils arrivent! Les mots circulaient d'une rangée à l'autre et la fébrilité devenait palpable à mesure que les minutes s'écoulaient.

– Ma grande foi du bon Dieu! s'exclama Arthur en descendant de voiture, tout ce monde-là pour une messe anniversaire en l'honneur de nos parents?

– J'ai bien peur que nous soyons en retard, Arthur. Il me semble pourtant qu'on nous avait dit onze heures, dit Florence nerveusement, elle qui ne souffrait aucun retard.

Igor et Tatiana, qui les accompagnaient soi-disant par respect pour les défunts de leurs familles respectives, gardaient difficilement leur sérieux. Ils les précédèrent et ouvrirent pour eux les grandes portes. Au même moment, l'orgue résonna de tous ses tuyaux, faisant vibrer l'air et les cœurs. Un long tapis rouge couvrait l'allée centrale de la nef et deux prie-Dieu, juste devant la balustrade, semblaient attendre les jubilaires.

Arthur prit alors le bras de Florence, et Tatiana vit dans leurs yeux tant d'amour qu'elle en fut chavirée. Ils avançaient, majestueux, des larmes plein les yeux, renouvelant pour eux-mêmes les promesses échangées trente ans plus tôt. En arrivant au bout de l'allée, juste avant qu'ils aient eu le temps de s'agenouiller, le curé surgit du fond du chœur et ouvrit les bras vers eux.

– Soyez les bienvenus, Arthur et Florence Grand-Maison, dans cette église qui vous a vu naître et grandir, de qui vous avez reçu vos sacrements les plus chers, celui du mariage y compris. Soyez les bienvenus pour cette messe qui sera célébrée en l'honneur de vos trente ans d'union et à laquelle participeront vos parents et amis, dont certains sont venus de fort loin pour vous rendre hommage.

À ce signal, Auguste et Zélia Richard sortirent par la porte latérale, donnant sur l'allée gauche, et se dirigèrent vers leurs amis. Zélia déposa une gerbe de fleurs entre les mains de Florence, tandis que son mari accrochait un œillet à la boutonnière d'Arthur. Ils pleuraient tous les quatre et ne purent résister à l'envie de s'embrasser, même si aucun d'eux ne prisait les effusions en public. Dans l'assistance, les femmes sortaient leurs mouchoirs et les hommes, subitement, se raclaient la gorge pour chasser leurs trop vives émotions.

Ce fut une fête splendide, à laquelle assista même la vieille Rose-Aimée, maintenant âgée de quatre-vingt-six ans.

– Je n'aurais pas manqué ça pour tout l'or du monde! criait-elle.

– Je suis si heureuse de vous voir, lui dit Florence.

– Boire? À mon âge, y penses-tu!

Hortense, toujours aussi belle à l'approche de ses cinquante ans, riait de bon cœur et expliquait à Florence que sa belle-mère entendait très mal et confondait tout.

– Parfois, elle me nomme Adélaïde, ou alors Zoé, et me raconte des histoires du passé, tout comme si elle s'adressait à ses amies. À part cela, elle est en pleine forme et j'espère qu'elle va m'enterrer. Nous nous sommes négligées ces dernières années. Il faudrait nous voir plus souvent, tu ne trouves pas?

– Je suis de ton avis, Hortense. Que dirais-tu d'un dîner au bord de l'eau, dans deux semaines, jour pour jour?

– Je dirais que j'accepte et que ton amitié m'a terriblement manqué ces derniers temps.

Les deux femmes ne purent aller plus loin dans leurs épanchements, parce qu'on réclamait Florence de toutes parts. La fête se transporta de la maison paternelle des Beauchamp à celle des Grand-Maison et se prolongea fort tard. Arthur et Florence décrétèrent que leurs enfants avaient fait les choses en grand et que la remise de cet anniversaire, à cause de la maladie d'Irène, avait valu le coup de l'attente.

***

Les employés du magasin Max Beauvais formaient une haie d'honneur, quand Arthur Grand-Maison et Auguste Richard entrèrent sous les applaudissements. Les fils Grand-Maison, qui travaillaient plus souvent qu'autrement à la manufacture, avaient tout abandonné ce matin-là pour organiser cette réception spéciale et se tenaient fièrement au bout de chaque rangée. Arthur, en son for intérieur, leur sut gré de cet accueil grandiose fait à l'homme qui avait transformé sa vie.

Encore une fois, M. Richard fut habillé de pied en cap et on le traita comme s'il eût été le roi d'Angleterre ou une star du cinéma américain. L'avant-midi y passa, avant qu'il monte au bureau du troisième pour y rejoindre Arthur. Après un apéritif et un bon cigare, accompagnés de Charles et de Gérard, ils se rendirent au Ritz Carlton où une table leur était réservée. À sa grande surprise, Igor fut invité à partager le repas avec eux. Les cinq hommes burent et mangèrent longtemps et leur table fut la plus animée de la salle à manger. Au sortir du restaurant, alors que M. Richard se trouvait seul un moment avec Arthur, il s'approcha et lui prit le bras.

– Vous aurez été un fils pour moi, mon cher Arthur. Je n'oublierai jamais cette journée et pour vous dire à quel point nos rapports me comblent, j'aimerais vous offrir mon bien le plus précieux. Non pas tant pour sa valeur marchande, mais plutôt pour la valeur sentimentale qui s'y rattache.

Auguste Richard retira alors la bague sertie d'un diamant qui ornait son annulaire droit et Arthur, qui l'avait admirée depuis le premier jour de leur rencontre, en eut le souffle coupé.

– Elle me vient de mon père qui m'a dit, quelques jours avant de mourir: «Cette bague est pour toi, mon fils, en gage de mon amour et afin qu'elle te rappelle à mon souvenir.»

Arthur comprit que les mêmes mots s'appliquaient à lui et qu'il ne pouvait refuser ce cadeau du cœur. Il prit la bague et la porta à son annulaire droit, prit ensuite dans ses bras cet homme qu'il aimait tant et le serra contre lui.

– Cette bague m'accompagnera pour le reste de mes jours et reviendra à votre filleul à ma mort. Ainsi, nos souvenirs seront emmêlés au cœur de Charles.

En venant avertir les deux hommes que la voiture était avancée, Igor se demanda ce qui avait bien pu les mettre dans un état pareil.

Florence et Zélia descendaient le grand escalier menant à la rivière, le soleil du midi dans les yeux. Elles déposèrent les paniers d'osier et vinrent s'accouder à la barre du treillis. Une brise douce et chaude caressait leurs visages offerts, tandis que le clapotis des eaux se brisant sur le quai se faisait murmure rassurant. Côte à côte, sans un mot, elles profitaient du moment magique de leurs retrouvailles et le courant entre elles fut soudainement si fort que, d'un même élan, elles se tournèrent l'une vers l'autre et s'enlacèrent en pleurant. Elles pleuraient tout à la fois la joie des retrouvailles, les absences trop longues, les malheurs et les bonheurs confondus, où nul mot n'avait à se frayer un chemin pour être traduit en langage véritable. Les sentiments passaient et se suffisaient à eux-mêmes. Elles pleurèrent longtemps avant de se détacher et de se faire face.

– Nous sommes-nous tout dit ? demanda Zélia entre le rire et les larmes.

– Je crois bien que oui, répondit Florence en s'essuyant les yeux.

– C'est une bonne chose de faite, alors.

Les deux femmes sortirent d'un panier une nappe, des ustensiles et des couverts, de l'autre panier des salades de toutes sortes, des petits sandwichs de fantaisie, en spirale, en carré, en triangle, du saumon, des pâtés, du *Saumur* rosé bien frais, de quoi se régaler aussi bien que la veille, avec les restes du buffet d'anniversaire.

Une chaleur moite rendait l'air du wagon irrespirable. Zélia ferma les yeux et rappela à son souvenir la brise légère de la rivière et le clapotis de l'eau sur le quai. Du même coup, les émotions surgirent et ce moment si doux, si tendre, où Florence et elle n'avaient formé qu'un bloc d'amitié indestructible, la secoua d'un frisson. Elle laissa couler ses larmes sans honte, heureuse d'avoir vécu ces instants privilégiés. Auguste Richard vit couler les larmes de sa femme, se leva de sa banquette et vint s'asseoir auprès d'elle. Il prit son visage entre ses mains et baisa ses joues tendrement.

– Ce sont de bien beaux souvenirs, pour faire couler de si jolies larmes. Juste à leur goût, j'en suis jaloux.

– Des souvenirs de femmes.

– Auxquels je ne comprendrais rien ?

– Des souvenirs qui n'ont pas de mots pour les traduire, qui se portent au secret du cœur.

– Ces souvenirs sont inestimables et il faut les garder pour soi.

Le train venait d'entrer en gare et son immobilisation, toutes portes ouvertes, faisait transpirer les voyageurs à grosses gouttes. Les hommes retiraient leur veston, s'épongeaient le front à grands coups de mouchoir, tandis que le couple Richard, immobile au milieu de cet îlot torride, se perdait dans leurs souvenirs. Le train repartit par à-coups, puis petit à petit reprit sa vitesse de croisière vers la frontière des États-Unis.

— Est-ce que je te dis assez combien je t'aime, ma douce Zélia?

— Pas assez, Auguste, pas assez. Il n'y a jamais d'excès dans ce domaine-là.

— Je t'aime, je t'aime, je t'aime.

Zélia entendit résonner ces mots un long moment encore, bien après que le train soit entré en collision avec un autre et que le wagon soit précipité au fond du ravin qui longeait la voie ferrée. Elle les entendit d'abord chuchotés à son oreille, puis leur résonance s'installa en elle entièrement jusqu'à la chute du wagon. Peu à peu, seul la berçait un doux murmure, à peine perceptible, mais suffisant pour la porter aux frontières de l'au-delà.

※

Arthur acheta un terrain au cimetière de Ahuntsic et fit graver sur la pierre tombale, juste en dessous des noms de leurs amis et des dates de leur existence: «Les liens de l'amitié sont parfois aussi forts que ceux du sang.»

Après l'enterrement, Hortense amena Florence à Sainte-Dorothée et Charles accompagna Arthur en Floride. Auguste Richard avait tout prévu et laissait un testament clair, indiquant que la maison et son contenu revenaient à Arthur et Florence Grand-Maison. Ils pouvaient en disposer à leur guise, soit la vendre ou la garder pour venir s'y reposer, eux et tous les membres de leur famille. Arthur décida de la garder, convaincu que c'était le vœu le plus cher du couple. En tant que filleul, Charles hérita des biens liquides qui représentaient une somme considérable, bien au-delà de ce que Arthur avait imaginé.

Au retour, Arthur vint chercher sa femme à Sainte-Dorothée et ne tarda pas à la convaincre de retourner avec lui en Floride.

— Je prendrai les plus longues vacances de ma vie et nous ferons le deuil de nos amis au milieu de leurs souvenirs.

Florence aurait voulu répondre que c'était sûrement la meilleure façon de faire, mais n'arrivait pas à prononcer une seule parole. Elle se contenta de hocher la tête en refoulant ses larmes.

– Quand nous serons là, dit Arthur en prenant Florence dans ses bras, nous pleurerons tout notre soûl, sans retenue. C'est une perte trop grande pour garder ce chagrin à l'intérieur sans qu'il nous étouffe.

Ils passèrent un mois au bord de la mer et revinrent brunis et le cœur apaisé. Ils en rapportèrent des souvenirs inoubliables et quelques bibelots dont Florence orna le solarium et Arthur le bureau du troisième étage.

Depuis un bon moment, Germaine tentait de briser un maillon de la chaîne qui permettait de tirer la chasse d'eau, quand il céda enfin. Elle téléphona alors à Émile et le pria de venir effectuer une réparation d'urgence. Il arriva au bout de dix minutes, l'air plus sobre qu'à son habitude, et répara la chaîne en un rien de temps.

– Je vous aime, dit Germaine au moment où il tirait la chasse d'eau pour en vérifier le bon fonctionnement. Je vous aime, répéta-t-elle, au cas où il n'aurait pas entendu.

Émile se lava soigneusement les mains, avant de lui faire face.

– Vous ne connaissez rien de moi. Comment pouvez-vous croire une chose pareille ?

– J'aime cet Émile Beauchamp qui se tient devant moi, là, présentement. Je ne connais rien de l'autre, celui du passé, mais je sais que je l'aimerais tout autant, que je tenterais d'apaiser sa souffrance, si seulement il voulait me la faire partager. Et ne dites pas qu'il y a trop de si, cette fois !

Émile sourit à Germaine et caressa timidement sa joue.

– Je suis trop vieux, trop amoché pour vous. De l'extérieur, comme de l'intérieur.

– Je ne suis plus de la première jeunesse, Émile, et je suis tellement seule ! Faut-il que je vous supplie de m'aimer ?

– Vous savez bien que je vous aime aussi. La question n'est pas là.

– C'est la religion qui vous empêche de m'approcher? Si j'étais veuve, ce serait plus acceptable?

– Est-ce que j'ai l'air d'un suceux de balustre? Vous savez bien que non!

– Vous m'aimez et vous préférez me laisser seule et malheureuse?

– Il faudrait d'abord que je vous raconte mon passé, et j'ai peur de vous perdre en le faisant. J'ai peur de lire de l'horreur et du dégoût au fond de vos yeux. Ça, je ne pourrais pas le supporter. Le comprenez-vous, Germaine?

– Cette histoire du passé, elle est reliée à votre jambe de bois?

– Oui.

– Alors, retournez chez vous et mettez vos idées en place pour tout me raconter. Pendant ce temps, j'imaginerai la pire histoire qui soit, la plus horrible. Comme ça, je serai prête à tout entendre.

– Et si c'était pire encore? Pire que tout ce que vous pouvez imaginer?

– Les femmes ont une imagination débordante, Émile. C'est bien connu!

Antoine inaugura la petite maison en invitant tous les petits-enfants, accompagnés de leurs parents. Il leur envoya même un carton la représentant, avec la date et l'heure où ils étaient attendus. C'était un dimanche du mois d'août et des flocons blancs flottaient mollement dans l'air. Les enfants couraient et ouvraient les mains pour s'en emparer. «C'est beau! C'est doux!» criaient-ils et leurs parents s'émouvaient de leur ronde gracieuse au milieu de la mousse des pissenlits, tandis que Florence fixait leur image sur son «Kodak». La pipe à la bouche, Arthur jetait sur sa descendance un regard fier et Florence, en riant, saisit également cet instant.

Il y avait des rideaux de dentelle aux fenêtres, un tapis à l'entrée et Antoine, en ouvrant la porte, dit aux enfants qui attendaient derrière lui, tout excités:

– Voici votre petite maison, les enfants.

Seuls Laurent et Colette se souviendraient plus tard de cette journée, de la magie entourant la petite maison, mais ils en parleraient tant, que chacun des petits-enfants à venir s'approprierait le souvenir de l'oncle Antoine ouvrant la porte et des cris de joie qui s'ensuivraient. Chacun des petits-enfants à venir y jouerait également et dégusterait la dînette de Florence, servie dans une soupière autrefois argentée et devenue toute cabossée. Une dînette composée de pommes, d'oranges et de bananes coupées en dés, arrosée d'eau sucrée, délectable durant l'enfance et infecte à l'âge de l'adolescence.

⚜

Septembre 1930.

Ma très chère Zélia,

J'ignorais que vous teniez un journal et en le découvrant dans un de vos tiroirs lors de notre séjour chez vous (car cette maison sera toujours la vôtre, comme si vous nous l'aviez prêtée), j'ai d'abord eu le réflexe de le brûler. J'en ai parlé à Arthur qui m'a conseillé d'attendre. « Peut-être que de là-haut elle connaît maintenant tes pensées les plus intimes, m'a-t-il dit, et sait-on jamais si elle ne souhaite pas qu'il en soit de même pour toi ? » Je l'ai rapporté, sans l'ouvrir, et j'en caresse la couverture tous les jours depuis. Comment savoir si j'ai le droit ou non de commettre une telle indiscrétion ?

Moi qui commence aujourd'hui ce journal, pour apprendre à extérioriser mes sentiments, comme l'a suggéré Arthur, je ne sais pas si, après ma mort, je souhaiterais qu'on vienne fouiller dans ma tête et dans mon cœur, en ouvrant ce cahier. Je vous demanderais bien un signe, afin de connaître votre volonté, mais je n'y crois pas. On leur fait dire tout ce que l'on veut ! Souvenez-vous de notre trentième anniversaire, de l'histoire de Malvina qui croit dur comme fer que Louisa lui a procuré sa nouvelle Singer électrique ! Enfin, pour l'heure, je ne l'ouvre pas. Le seul fait de l'avoir en ma possession me comble déjà.

Hortense et moi nous avons renoué avec une vieille amitié qui sommeillait depuis fort longtemps. J'en suis heureuse et elle aussi, mais nous ne sommes pas sans savoir que les coupures laissent des cicatrices. Qu'importe! Elle m'a soutenue lors de votre disparition, et je lui rendrai la pareille, quand sa chère Rose-Aimée la quittera.

Zélia! Zélia! Dieu veuille que vous n'ayez pas souffert! Vous, si délicate, si fragile! Je fais encore des cauchemars où un train déraille et s'engouffre au fond d'un ravin. J'entends alors des bruits de ferraille tordue, des cris, des râles, et je m'éveille en sueurs, priant le ciel de vous avoir épargnée, et que Dieu, dans son infinie sagesse à laquelle nous n'entendons rien, vous garde au creux de sa chaleur, tout contre Lui.

Je pleure encore, mais au fil des jours les larmes sont moins amères. La mort est peut-être la plus forte, puisqu'elle finit par nous emporter, mais la vie, malgré tout le mal qu'on en dit, vaut qu'on se batte jusqu'à la fin. C'est pourquoi, je suppose, les larmes prennent un autre goût avec le temps.

Veillez sur moi, très chère Zélia, et dites à ma mère, si vous la rencontrez quelque part par là, de ne plus s'en faire au sujet de l'orage de juillet et de la perte d'une de ses épinettes couchée au sol par la foudre. Ferdinand s'est empressé d'en planter une autre au premier jour de l'automne, sachant qu'elle ne pourrait pas supporter ce vide.

⚜

Germaine avait imaginé le pire, c'est-à-dire, un meurtre à coups de poignard dans le dos. Quand Émile commença enfin à raconter son long séjour à Dawson City, sa rencontre avec Lulu aux hanches de serpent, sa propre ruée vers l'or, alors que le désenchantement ramenait la plupart des chercheurs, elle attendait le moment fatidique où il lui avouerait son crime crapuleux.

Il lui parla d'une longue quête, à travers les montagnes enneigées, de la beauté de la rivière Klondike se jetant dans le Yukon à l'heure où le soleil couvre montagnes, rivière et fleuve de rose et de violet, de l'appât du gain, plus fort que la peur du froid, du hurlement des coyotes la nuit et de la sauvagerie des hommes. Il lui parla d'un mourant révélant l'emplacement d'un gisement inépuisable juste avant son dernier soupir dans les bras de Lulu, de son association avec elle et de leur pénible expédition où il perdit son âme, après avoir reçu un coup de pioche dans la jambe et avoir décidé froidement, pour survivre, de pousser son attaquant au fond d'une crevasse aussi noire et profonde que l'enfer. Il lui parla de la courageuse Lulu, lui amputant la jambe afin de lui sauver la vie, de sa mort à elle, sans qu'il en ait connu la raison, sur le chemin du retour et alors qu'il venait de demander sa main malgré son passé peu reluisant, de l'enterrement sommaire et du trou qu'il souhaita se creuser pour lui-même juste à côté d'elle. Enfin il lui parla des bandits qui l'avaient finalement soulagé de son or, le laissant pour mort, presque à l'entrée de Dawson City, de son sauvetage in extremis par une expédition de chercheurs, puis des longs mois de convalescence à se refaire une santé physique et mentale.

Émile avait parlé d'une traite, les yeux rivés au plancher. Germaine l'avait écouté, bouche bée, retenant sa respiration pour ne pas le distraire et lui permettre d'aller jusqu'au bout de son histoire. Quand il s'arrêta de parler, elle attendait encore l'abominable aveu et mit du temps à comprendre que le pire avait existé uniquement dans son imagination.

– C'est tout? finit-elle par demander.

– Vous n'avez pas compris que j'ai poussé cet homme avec la ferme intention de le tuer?

– En légitime défense, oui! Pour sauver votre vie et celle de votre compagne, oui! Émile! J'avais imaginé une histoire sordide et vous me racontez une histoire de survie!

– Le cri de cet homme me poursuit depuis toutes ces années. Un cri qui me glace et m'empêche de vivre!

– Un cri qui vous donne soif... Dites-moi, Émile, connaissez-vous un endroit désert?

Il la regarda en fronçant les sourcils, incapable de comprendre le sens de sa question.

– Il faut trouver un endroit où personne ne pourra vous voir ni vous entendre. Il le faut ! Quand vous y serez, criez à votre tour, sortez ce cri de votre poitrine, avant qu'il vous étouffe pour de bon. Criez autant que vous le pourrez, à vous en écorcher la gorge ! Ensuite, vous aurez envie d'un grand verre d'eau pour étancher l'assèchement de votre gorge. Un grand verre d'eau, rien d'autre ! Vous boirez ce verre d'eau d'un trait et vous saurez que vous n'avez plus soif, que vous n'aurez plus jamais soif, Émile.

– Je connais cet endroit, dit-il en souriant. Je serai de retour dès demain.

Germaine s'approcha et l'embrassa sur la bouche. Elle avait une odeur de menthe anglaise, pensa Émile, celle du thé des bois qu'il affectionnait tant. Une odeur qui chasse toutes les autres.

X

L'arrivée de la petite Marguerite en avait surpris plus d'un mais, la vie étant ce qu'elle est, chacun n'y vit que du feu. Pour certains, la générosité de Florence et d'Arthur ne faisait aucun doute. Pour d'autres, leur geste relevait d'une lubie qu'ils ne tarderaient pas à regretter. Seule Tatiana ne fut pas dupe de l'histoire d'un retraité du magasin venu demander à Arthur de prendre sa petite-fille sous sa protection, pour des raisons dont le couple préférait garder le secret.

— Elle est bien maigrichonne, cette petite, avait dit Igor après l'avoir vue.

— Et triste comme la pluie, avait rajouté Tatiana.

— Une histoire bien mystérieuse, tout de même, mais très touchante. Nos patrons sont bien généreux !

— Igor ! s'était exclamée Tatiana en haussant les épaules. Si tous les membres de la famille sont aussi naïfs que toi, le secret de la famille Grand-Maison ne risque pas d'éclater au grand jour !

Bouche bée, Igor avait alors posé sur sa femme de grands yeux étonnés.

— Crois-tu ?... Vraiment ?

Florence relisait la lettre de Simone pour la troisième fois et se demandait encore ce qu'elle en ferait.

Ma chère petite Marguerite,

Mon nom est Simone. Je suis une missionnaire laïque au Bengale, un pays lointain et très chaud, où j'aide les religieuses à soigner les malades. Parfois, je me sens bien seule. L'an prochain, tu iras à l'école et tu apprendras à lire et à écrire. À partir de ce moment-là, tu pourras m'écrire des lettres pour que je me sente moins seule. Je te répondrai à chaque fois. Ainsi, même si nous sommes éloignées l'une de l'autre, nous pourrons apprendre à nous connaître. Qu'en penses-tu? Pour cela, il te faudra bien travailler à l'école.

Tous les jours de ma vie, je ferai une prière au petit Jésus, afin qu'Il te protège. Sois bien sage, ma petite, et remercie Dieu de t'avoir placée dans une si bonne famille.

Tante Simone.

Florence replia la lettre et la remit dans sa poche de tablier. Elle tenta de s'occuper, sans succès, et se retrouva finalement au solarium. Elle ouvrit le tiroir où elle rangeait le journal de Zélia, en caressa la couverture, puis le serra sur son cœur. Elle ne l'avait pas encore lu et ne savait pas si elle le ferait un jour. Le téléphone sonna et elle déposa le journal à la hâte sur le coin du secrétaire avant d'aller répondre. Après le coup de fil, elle revint au solarium et vit le journal grand ouvert sur le plancher. Elle se pencha au-dessus et lut, au hasard des phrases bien alignées: «Tout problème possède sa propre solution.» Elle s'installa confortablement dans sa chaise berceuse et reprit à partir du haut de la page.

Il y a des jours où j'erre de pièce en pièce, à travers la maison, sans but, sans intérêt, croyant que les choses se feront d'elles-mêmes, que les décisions se prendront d'elles-mêmes. Je dois apprendre à me recueillir, à trouver au plus profond de mon être les réponses à mes questions. Tout problème possède sa propre solution. Il faut d'abord le regarder de haut, s'en détacher pour voir chaque facette sous l'angle de la raison et l'étudier froidement. Ensuite, une fois les émotions trop fortes extirpées, il importe de laisser parler son cœur avec amour et simplicité.

– Zélia ! C'est pas une Singer électrique que vous m'envoyez, c'est une brique sur la tête !

Florence ferma les yeux et se recueillit. Au bout d'un long moment, elle vint inscrire dans son propre journal : « Il y a parfois des décisions à prendre, où seule la raison doit nous guider. » Elle prit ensuite une feuille de papier à lettres et écrivit :

Simone,

Si tu le désires, je pourrai dorénavant accompagner ton père et te visiter. C'est à toi d'en décider. Pour le reste, ton père et moi avons respecté notre entente et tu dois également t'en tenir à ce qui avait été convenu entre nous, pour le bien de chacun. C'est après mûre réflexion que j'en suis arrivée à la conclusion qu'il est trop risqué d'agir autrement. Si on l'apprenait, on trouverait étrange ton intérêt pour une enfant que tu ne connais pas. De là à en déduire la vérité, il n'y aurait qu'un pas. Sois cependant assurée de mon dévouement pour Marguerite.

Ta mère.

Simone avait reçu le billet de sa mère comme un coup de poignard en plein ventre et dit à son père qu'elle ne voulait plus jamais la revoir. Arthur pleura en la quittant, comprenant les raisons de l'une et la douleur de l'autre, impuissant à trouver une meilleure solution.

~✿~

– Tout juste aux limites de Ahuntsic et de Cartierville, il y a un immense terrain à vendre.

Laurence berçait Marie-Renée, la petite dernière, et bien qu'elle comprit exactement où Charles voulait en venir, elle fit la sourde oreille et continua de bercer l'enfant.

– L'emplacement est excellent. Au bord de la rivière, tu te rends compte ?

– Il y a aussi une maison à vendre finit par dire Laurence, en sachant fort bien que Charles ne démordrait pas de son idée, la troisième à gauche de chez Irène et Léopold.

– L'ancienne maison du juge Rondeau?

– C'est ce qu'a dit Irène, en ajoutant que ça valait une fortune, mais que c'était la plus belle maison de Ahuntsic.

– C'est en effet la plus belle, et de loin! Si elle te plaît, elle est à toi. Après tout, il faut bien que mon héritage nous serve!

– La maison pour moi et le terrain pour toi?

– Pour Léopold et moi. Nous avons décidé de nous associer. Attends de voir les plans! Un club nautique unique en son genre.

– Évidemment! Ce sera le seul! Tu as l'intention d'abandonner la compagnie?

– Jamais de la vie!

– Alors, tu vas travailler vingt-quatre heures par jour?

– Tu sais bien, Laurence, que j'ai besoin de dépenser mon énergie. Comme nous vivrons juste à côté de chez Irène, tu auras de la compagnie! Si ça peut te rassurer, je promets de passer tous mes dimanches avec toi et les enfants.

Il n'y avait rien à rajouter, la discussion était close et Laurence le savait parfaitement. «Au moins, se dit-elle, j'ai obtenu la maison.» Irène avait raison, il s'agit de savoir demander les choses au bon moment!

Florence ne croyait pas possible qu'un corps puisse fabriquer autant de larmes, même si Hortense lui prouvait le contraire en pleurant du matin jusqu'au soir. Elles parlaient entre deux sanglots, puis Florence reprenait la besogne en interdisant à Hortense de lever le petit doigt.

– Chacune de nous doit vivre son deuil à sa manière et c'est tant mieux si tu pleures.

– Rose-Aimée était une mère et une amie pour moi. Comment veux-tu que j'arrive à me consoler d'une perte aussi grande?

La plupart du temps Florence ne répondait pas, sachant pertinemment à quel point les mots soi-disant consolateurs pouvaient faire plus de mal que de bien. Elle se contentait d'accomplir les tâches quotidiennes et de s'asseoir auprès de son amie pour l'écouter dès qu'elle en manifestait le besoin. Au matin du cinquième jour, Hortense sortit de sa chambre sans pleurer, le sourire aux lèvres.

– J'ai fait un rêve. Un très beau rêve.

Florence abandonna tout et vint s'asseoir devant Hortense, comme si rien n'avait plus d'importance que son rêve.

– Nos trois commères sont enfin réunies, dit-elle en s'étirant pour prendre les mains de Florence. Je les ai vues et je les ai entendues, tout comme si c'était la vraie vie! Elles riaient tellement, toutes les trois, que je me suis mise à rire avec elles. En m'entendant, elles se sont retournées vers moi et Rose-Aimée m'a dit: «Tu vois? La vie, la mort, c'est du pareil au même!» À mon réveil, je me suis sentie toute joyeuse, comme si j'avais gardé leurs rires en dedans de moi.

– C'est un beau rêve, Hortense.

– Tellement beau, que ça donne envie de chanter. Tu peux retourner chez-toi, Florence, je suis en pleine forme!

Florence se mit alors à pleurer tout doucement, sans bruit, sans soubresaut. Hortense prit ses mains de nouveau, l'air décontenancée.

– Tu n'as pas vu Zélia dans ton rêve?

– Florence! Tu sais bien que Zélia n'est pas toute seule!

– Je m'ennuie tellement d'elle!

Hortense accompagna Florence dans ses pleurs et quand Louis entra dans la cuisine et les surprit ainsi, il reprit le chemin de l'extérieur sur la pointe des pieds. Les deux femmes l'avaient cependant vu et partirent à rire ce que Louis perçut comme une folie de femmes, à laquelle il n'y avait rien à comprendre.

– As-tu perdu la tête, Irène?

– Complètement!

– Dis-moi que c'est une blague, que tu me fais marcher!

– Dire que pendant toutes ces années, j'ai pensé que l'amour était une corvée...

– Irène! Te rends-tu compte de ce que tu fais? Réalises-tu les conséquences possibles si Léopold l'apprenait? Sans parler du scandale qui pourrait en découler! Ah! Mon Dieu! Mon Dieu!

Autant Laurence était horrifiée, autant Irène flottait sur un nuage, inaccessible à la raison.

Antoinette déposait la soupière au milieu de la table, quand Colette demanda:

– Qu'est-ce que c'est une vulve?

Antoinette prit le bol de Gérard et le servit, tout comme si elle n'avait rien entendu.

– C'est l'ensemble des parties génitales externes de la femme, répondit Gérard en brassant sa soupe pour la refroidir.

– Quand je serai grande, j'en aurai une?

– Tu en as déjà une, comme ta sœur Liette, ta mère et toutes les femmes, tandis que tes frères et moi avons un pénis, comme tous les hommes.

Gérard avala sa première cuillerée de soupe, puis ajouta, à l'endroit de sa femme:

– Tu trouves normal que j'aie à faire l'éducation sexuelle de notre fille?

Antoinette continua de servir, sans relever la tête. «Tu trouves normal, se contenta-t-elle de penser, que je ne sache jamais sur quel pied danser? Que je ne sache jamais comment agir, dans quelque circonstance que ce soit, parce que je crains de te déplaire?»

– Si j'en ai une, je peux la montrer à Laurent?

– La vulve et le pénis sont les parties les plus intimes du corps, répondit Antoinette avec une soudaine assurance. Tu n'as pas à montrer ta vulve à Laurent et il n'a pas à te montrer son pénis. D'ailleurs, tu sais bien comment c'est, un pénis, tu as vu tes petits frères. Tu diras à ton cousin qu'il demande à sa maman de lui expliquer ces choses-là, ma chérie.

– Ta soupe est délicieuse, dit Gérard, l'air satisfait.

La petite Colette était aux anges. Il fallait donc parler de choses sérieuses et compliquées pour attirer l'attention de son papa? Tandis que sa mère se levait pour servir la suite du repas, elle se creusait déjà les méninges pour trouver une autre question importante.

– Tu sais que Charles achète l'ancienne maison du juge Rondeau ? demanda Gérard, tout en caressant la tête de son fils Roger.

– Oui, ta mère me l'a dit. Irène et Laurence doivent être heureuses !

– Tu ne crois pas que ce serait le moment d'en profiter et de faire un effort pour te rapprocher de tes belles-sœurs ?

Antoinette finissait de servir l'assiette de Gérard, mais en entendant la question, elle rajouta une énorme portion de petits pois, tout en sachant à quel point il ne les aimait pas.

– Termine ta soupe, disait-il justement à Marcel, on ne doit pas laisser de nourriture !

⸻✾⸻

Florence avait défait son chignon et se brossait à présent les cheveux, le regard d'Arthur lui brûlant le dos. Après tant d'années, elle aimait toujours qu'il l'observe ainsi et elle mettait dans ses gestes une langueur qui la menait au désir.

– Comme tu es belle, ma reine.

Florence éteignit la lumière et vint se blottir dans les bras d'Arthur. Au fil des ans, ils faisaient moins l'amour, mais en riaient entre eux, convaincus que la qualité l'emportait sur la quantité. Florence avait mis du temps à toucher Arthur et elle le faisait maintenant sans pudeur, avec volupté.

– Parfois, dit Arthur en caressant les seins de Florence, j'ai l'impression que notre lit est une île en plein milieu de l'océan, que des vagues soulèvent notre île, dit-il encore en faisant glisser ses mains dans le dos de sa femme pour la serrer très fort contre lui, et que nous retenons notre souffle, jusqu'au moment de sombrer.

Arthur pressait le corps de Florence en imprimant à ses hanches un mouvement lent, léchant son cou, ses épaules, avec des gémissements qu'il avait peine à retenir. Florence l'attira sur elle et prit sa bouche pour empêcher son cri d'exploser. De nouveau blottie dans ses bras, encore haletante, elle demanda :

– Tu sais ce que je préfère de la Floride ?

Arthur attendit la suite en caressant les cheveux de sa femme.

– C'est l'intimité de la maison, où personne ne peut nous entendre. Ce soir, j'aurais voulu être en Floride.

– Moi aussi, mon amour, et pour les mêmes raisons que toi.

– J'aimerais y retourner, Arthur.

– Ça te plairait de fêter tes cinquante ans au soleil ?

– Tu pourrais te libérer pour février ?

– C'est déjà fait ! Déjà prévu ! Libéré de tout !

Arthur ne savait pas si bien dire. Mais comment reconnaître les mots que la vie nous impose, quand on ignore le code pour les déchiffrer ?

Arthur venait de se retirer dans le solarium. C'était pour chacun la marque de son recueillement avant la bénédiction du jour de l'An et le ton baissait, à mesure que Florence rassemblait tout son monde au salon. Quand ils furent tous là, elle fit signe à Charles qui, à son tour, se dirigea vers le solarium.

– Papa, au nom de tous, je suis venu vous demander de nous bénir.

Le rituel était immuable mais aussi émouvant, d'une année à l'autre. Après avoir fait sa demande, Charles revint au salon et prit place auprès des autres. Le silence régnait, chargé de respect, quand Arthur apparut dans l'embrasure de la porte. Tous s'agenouillèrent alors, attendant avec émotion les paroles qui allaient être prononcées.

– Je souhaite que cette nouvelle année vous apporte avant tout de la joie. De la joie dans les gestes quotidiens les plus simples, de la joie avec vos semblables, de la joie jusque dans le dépassement de vos contrariétés. C'est maintenant avec humilité que je demande à Dieu de vous bénir, à travers moi. Au nom du Père et du Fils et du Saint-Esprit. Amen.

Tout comme le grand Eugène, Arthur avait le geste large de son père, en bénissant, et un frisson parcourut l'assemblée qui se signait en pleurant. Les larmes ruisselaient aussi sur le visage d'Arthur, tandis que ses petits-enfants se jetaient les premiers dans ses bras pour l'embrasser, suivis de tous les autres, Florence un peu en retrait et se réservant le dernier baiser.

Ce baiser de Florence et d'Arthur, le seul de l'année qu'ils se donnaient au vu et au su de tous, constituait en lui-même un événement. On l'attendait, un sourire aux lèvres, le regard en coin, comme une représentation, un moment magique où deux êtres s'unissent dans un amour infini. Plus d'un aurait aimé entendre les paroles échangées entre eux, après ce baiser, mais c'est à l'oreille qu'ils se murmuraient leurs vœux et personne n'y avait droit.

Depuis plusieurs années, déjà, Tatiana et Igor fêtaient Noël en compagnie de leurs amis. Pour rien au monde, cependant, ils n'auraient voulu se trouver ailleurs qu'au sein de la famille Grand-Maison pour le jour de l'An. Lors de la bénédiction, ils s'agenouillaient parmi les autres et la recevaient les yeux fermés, avec, à travers Arthur, la symbolique d'un père bien à eux, même si la tradition n'existait pas chez eux.

Après le dépouillement de l'arbre, juste avant de passer à la salle à manger, alors qu'on ramassait les rubans et les papiers d'emballage et que l'on rangeait les cadeaux en lieu sûr, Antoine s'écria:

– L'oncle Émile!

Cahin-caha, sur sa jambe de bois, Émile avançait dans la grande allée enneigée, accompagné d'une femme et de deux enfants. Il fit une entrée fracassante.

– Je vous présente ma femme et ses deux enfants, qui sont devenus, par la même occasion, les miens.

Florence reconnut Germaine et Émile sut, au même moment, qu'elle se souvenait de son histoire. Elle les accueillit pourtant à bras ouverts. Profitant d'un moment d'accalmie, Émile attira sa sœur dans un coin.

– Je sais que nous vivons en marge des lois de l'Église, mais je l'aime. Je donnerais ma vie pour elle s'il le fallait. Tu comprends ça, Florence?

– Il y a la loi des hommes et il y a la loi de Dieu, qui est notre seul juge. Si tu es enfin heureux, mon frère, je ne demande rien d'autre. Et puis cet homme, qui nous dit qu'il n'est pas mort? Depuis le temps qu'il l'a abandonnée!

Comme de coutume, le repas était trop abondant et chacun s'empiffrait. «C'est pas tous les jours fête!», disait Florence à ceux qui tentaient de refuser une deuxième assiettée. Assis à la droite d'Igor, Charles saisit l'occasion pour lui parler de son club nautique, dont la construction devait débuter au printemps, et pour lui offrir un emploi rémunérateur.

– Je dois tout à ton père, Charles, dit Igor après l'avoir écouté jusqu'au bout. Comment pourrais-je l'abandonner?

– Parlez-en avec Tatiana, Igor. Elle est de bon conseil. De toute façon, vous avez encore bien du temps pour y réfléchir.

Le *Saumur* rosé coulait à flot, le ton montait, les hommes retiraient leur veston et desserraient leur nœud de cravate.

– L'oncle Émile aura toujours l'air de sortir du fond des bois, murmura Irène en se penchant vers Laurence. Attendons seulement qu'il commence à raconter ses histoires grivoises et la fête sera complète!

– Chaque famille possède son oncle Émile, chuchota Laurence à son tour, mais j'avoue que les oncles Émile sont plus drôles dans les familles des autres.

Durant l'après-midi, pourtant, Émile les surprit tous. Pas une goutte d'alcool, pas une seule blague osée, mais la révélation d'une voix superbe lorsqu'il chanta une complainte et de vieilles chansons à répondre.

Laurence, qui voulait se refaire une beauté, confia la petite Marie-Renée à Marguerite, lui demandant d'en prendre grand soin durant quelques minutes. L'enfant se mit à pleurer en voyant disparaître sa mère.

– Pleure pas, Marie-Renée, ta maman va revenir bientôt. Ma maman à moi, elle m'a perdue et elle me cherche partout! Un jour elle va me trouver et elle va me prendre dans ses bras.

Arthur aurait préféré ne pas entendre les derniers mots de Marguerite, tellement son cœur se serra. Quand Laurence revint et reprit sa fille, il tendit la main vers Marguerite.

– Viens dans mes bras, Marguerite, viens voir grand-père.

Comme à chacune de ses tentatives, elle lui échappa.

– Cette enfant est une vraie sauvageonne, dit Gérard qui prenait place aux côtés de son père.

– Cette petite sauvageonne, comme tu dis, porte toute la souffrance du monde dans son cœur.

La grande horloge du salon sonna quatre heures. Les adultes se regardèrent entre eux, retenant leur souffle. Florence et Arthur se rejoignirent et quittèrent la pièce.

– On dirait que grand-père et grand-mère vont pleurer, dit Colette assise aux pieds de son père.

– C'est l'heure où M. et Mme Richard téléphonaient de Floride, lui expliqua Gérard. Maintenant qu'ils sont morts, ils ne téléphoneront plus jamais et, à chaque jour de l'An, quand l'horloge sonnera quatre heures, ils seront tristes durant un moment.

Colette quitta son père et se faufila à travers les gens et les pièces jusqu'à la chambre à coucher de ses grands-parents, à la limite du solarium d'où elle pouvait les observer, tapie dans l'ombre. Son grand-père avait passé son bras autour des épaules de sa grand-mère et, debout face aux fenêtres donnant sur la nappe blanche de la rivière, ils semblaient figés. Quatre heures, se répéta Colette en les fixant, ne sachant que faire de ces quatre heures qui immobilisaient ainsi ses grands-parents dans la tristesse. En arrivant derrière elle à pas feutrés, Laurent la fit sortir de sa bulle.

– Tu espionnes grand-père et grand-mère? lui demanda-t-il à l'oreille.

– Chut! Ils ont de la peine, à cause de l'horloge qui a sonné quatre heures.

Laurent entraîna sa cousine dans l'immense garde-robe, où la plupart de leurs secrets se racontaient.

– Est-ce que ta maman a encore trop mangé? demanda Laurent d'un air taquin.

– Non ! Elle va avoir un bébé, c'est pour ça qu'elle a un gros ventre.

– Avant, tu disais qu'elle avait trop mangé ! C'est parce que tu savais pas ! Et moi je savais ! Eh ! Eh !

De honte et de mépris, la·révélation de Laurent cloua Colette sur place. Non seulement passait-elle pour une ignorante aux yeux de son cousin, mais, pire encore, sa mère lui avait menti pour la naissance de Liette et elle n'avait pas fait le lien en apprenant que, cette fois, le gros ventre signifiait la venue d'un bébé. Seul son père était digne de confiance, conclut-elle en ce jour de l'An 1932, peu après que la grande horloge du salon eut sonné quatre heures.

～➤➤❉❊❦❦～

Les préparatifs pour la Floride allaient bon train. Après avoir parcouru tous les grands magasins de Montréal, Florence examinait à présent son butin, étonnée d'avoir tant dépensé pour sa propre lingerie. En lui remettant une enveloppe bourrée d'argent, Arthur avait été clair à ce sujet: «Je veux que tu dépenses jusqu'au dernier sou noir de ce montant, sans remords !»

«J'aimerais bien que tu m'accompagnes, avait-elle dit à Irène. Qui pourrait me conseiller mieux que toi, ma fille ? Tu es l'élégance même.» Ce compliment avait touché Irène et elle s'était efforcée, tout au long du magasinage, de tenir compte de l'âge, du poids et de la sobriété naturelle de sa mère pour la conseiller. Le résultat avait de quoi surprendre mais plaisait à Florence, tant dans le choix des tissus plus légers que dans celui des couleurs moins ternes.

Elle achevait de plier et de ranger sa nouvelle lingerie dans sa valise. Elle avait bouclé celle d'Arthur la veille et, comme à l'accoutumée, tout serait fin prêt bien à l'avance. À la cuisine, Tatiana fredonnait un air russe, tout en préparant un plat de viandes et de légumes au nom imprononçable que la famille, pour simplifier les choses, nommait depuis toujours le bouilli Rostopchine.

Tatiana interrompit son chant au milieu d'un refrain qu'affectionnait particulièrement Florence, tout comme si deux notes d'une trille s'étaient entrechoquées dans sa gorge. Florence sourit en entendant ce son disgracieux et allait lui demander si elle venait d'avaler de travers, quand Arthur entra dans la chambre. Elle écrirait plus tard dans son journal qu'il avait le teint jaune, les yeux cernés, le regard un peu voilé et que tous ces signes étaient présents depuis un bon moment sans qu'elle en eût pris vraiment conscience, mais jamais aussi révélateurs que ce jour-là. Tatiana dirait de même à Igor, ajoutant qu'elle en avait eu le sifflet coupé en le voyant arriver.

– Je suis un peu fatigué, Florence, avait dit Arthur sur un ton las. Je vais m'étendre avant le souper.

⁂

Tout avait commencé sur le ton du badinage. Un après-midi où Irène se croyait seule en l'église Notre-Dame et jouait de l'orgue avec une confiance absolue, un prêtre l'avait abordée alors qu'elle venait de plaquer les derniers accords d'une fugue de Bach.

– Vous êtes réelle ou si j'ai affaire à une apparition ?, avait-il demandé dans un sourire narquois.

– Pour le commun des mortels, je suis en chair et en os. Mais pour qui porte le col romain...

Irène avait suspendu sa phrase espièglement, complètement retournée par ce regard d'homme qui la transperçait.

– Si le col vous gêne... avait dit le prêtre en le faisant sauter d'un geste vif.

Le choc avait été complet. Non seulement n'avait-elle jamais été attirée à ce point par un homme, mais cet homme était un prêtre et, qui plus est, n'en semblait nullement embarrassé. «Dans la demeure du Seigneur!», avait-elle pensé soudainement, ramassant en vitesse ses cahiers de musique.

– À votre tenue de clergyman, avait-elle dit pour cacher son émoi, j'en déduis que vous êtes uniquement de passage ici ?

– Je ne suis pas de passage, mais j'arrive de voyage. De Rome, pour tout vous dire.

– Vous avez rencontré le Saint-Père ?

– Puis-je vous offrir un café ? J'ai un bureau, juste à côté.

Toutes les fibres de son corps en éveil, la sommant de prendre ses jambes à son cou, Irène avait pourtant accepté. Ils s'étaient revus plusieurs fois, conscients du jeu dangereux qu'ils jouaient, incapables l'un et l'autre d'y mettre un terme.

Quand Irène avait parlé à Laurence, elle avait déjà franchi la limite de l'inconcevable et repoussait, depuis, les remords de conscience à plus tard. En ce début d'après-midi, couvert de nuages très bas et annonçant une neige certaine, elle marchait à ses côtés en prenant garde d'éviter les plaques de glace qui couvraient une grande partie des trottoirs.

— On arrive bientôt?

— Nous y sommes! dit-il en désignant l'église juste en face.

— Tu me fais marcher sur la glace vive depuis quinze minutes pour m'emmener dans une église? demanda Irène, sidérée.

— Allons-y, tu vas comprendre.

À part une femme âgée, assise sur un banc de la dernière rangée, l'église était vide. Une odeur d'encens flottait dans l'air et de nombreux cierges répandaient une lueur jaunâtre, créant une atmosphère irréelle. Irène suivit son compagnon jusqu'à l'autel latéral dédié à la Vierge Marie et s'agenouilla avec lui à la balustrade.

— C'est ici même, à l'âge de quinze ans, que j'ai promis à la Vierge de me faire prêtre si elle sauvait ma mère qui reposait alors entre la vie et la mort. Elle a aujourd'hui soixante-dix-huit ans et se porte à merveille.

Ils restèrent un moment sous la statue de Marie, se signèrent et sortirent de l'église.

— Ta vocation repose donc sur les épaules d'un enfant qui était prêt à tout, sauf à perdre sa mère?

— En quelque sorte. J'ai échangé ma liberté contre la vie de ma mère, et je dirais que cette vocation repose aujourd'hui sur les épaules d'un homme de cinquante ans qui respecte encore sa promesse, même s'il a rompu un de ses vœux. Que Dieu me pardonne, je n'étais pas né pour la chasteté. Pour le reste, je pense être utile à mon prochain.

– Si j'en avais le courage, ou si j'avais la foi du charbonnier ou celle d'un enfant de quinze ans, j'irais me jeter aux pieds de la Vierge et je lui ferais la promesse de ne plus te revoir en échange de la vie de mon père. Mais, hélas, je n'ai ni ce courage, ni cette foi.

– Ton père ne va pas mieux?

– Je dirais plutôt qu'il va de mal en pis.

***

– Combien de temps, docteur Dagenais?

– Difficile à dire avec exactitude, monsieur Grand-Maison. Mais, au rythme où la maladie progresse, vous devez bien savoir que le temps vous est chichement compté. Vos affaires sont en règle?

– C'est à ce point?

– Je vous estime trop pour vous cacher la gravité de votre état. À mesure que j'augmenterai la dose de vos calmants, vous perdrez une partie de votre lucidité. Tandis qu'il en est encore temps, vous devriez en profiter pour faire vos adieux. Si vous saviez à quel point il est important de le faire! J'ai connu tant de conjoints et d'enfants pleurant les derniers mots qu'ils auraient souhaité entendre et que la personne disparue a emportés avec elle, sans les avoir prononcés.

– Où trouver le courage de dire ces derniers mots?

– Au-dedans de vous-même, en allant puiser jusqu'au fond de l'homme que vous êtes réellement, monsieur Grand-Maison.

Le médecin retira le stéthoscope de son cou, le remit dans sa trousse qu'il referma d'un coup sec, ramenant Arthur à la réalité.

– Soit! Je commencerai donc par vous, docteur Dagenais. Je ne suis pas homme à reprendre d'une main ce que j'ai donné de l'autre mais, sur mon lit de mort, comment l'appeler autrement?, j'ai une faveur à vous demander en échange d'un service qui vous a un jour sorti d'un grand embarras.

– Je vous dois ma réputation, dit le docteur Dagenais en rougissant au souvenir de cet épisode lamentable, et la réputation d'un homme n'a pas de prix. Demandez!

– Je n'ai jamais parlé de cet incident à ma femme et je n'ai pas l'intention de le faire. Seulement, avant de mourir, j'aimerais lui dire que vous avez une dette envers moi et qu'elle peut compter sur vous pour quoi que ce soit.

– Elle pourra compter sur moi, je vous en fais le serment, dit gravement le médecin, la main sur le cœur.

– J'aimerais aussi vous dire à quel point j'ai apprécié notre amitié, nos discussions alimentées par nos divergences d'opinion, surtout en matière de politique, et vous dire le regret que j'ai à ne pas partager un dernier verre en votre compagnie et celle d'Igor, à l'insu de nos épouses.

Le docteur Dagenais hochait la tête en serrant les lèvres, incapable de prononcer une parole. Il tendit la main à Arthur et s'empressa de sortir.

– Tout ça pour te dire que la veuve Grolo va finir par perdre patience. Sans compter les mauvaises langues qui doivent déjà jaser!

– Malvina a raison, Raoul. Viarge! Veux-tu la marier ou si tu veux juste la niaiser? La veuve Grolo, c'est quand même pas n'importe qui!

– N'empêche que c'est toute une décision à prendre, dit Raoul en se passant une main dans les cheveux. Toi, Malvina, t'as vu comme c'est beau chez elle? Tu te sentirais à l'aise de vivre dans une maison comme ça?

– Demander ça à une créature! dit Mathieu en se claquant la cuisse. Un coup parti, demande-moi donc si j'aimerais pas mieux six trente sous, au lieu de quatre, pour faire une piastre?

– Ben toi, si t'es si fin, essaye donc de t'imaginer tiré à quatre épingles du matin jusqu'au soir, voir si t'aimerais ça! Si tu penses que je l'entends pas venir avec ses gros sabots, à force de me faire répéter qu'elle a assez d'argent pour que j'arrête de travailler, pis qu'on se fasse une belle vie, pis qu'on irait m'habiller chez Max

Beauvais, rien de moins! Me vois-tu arriver au magasin d'Arthur avec la veuve à mes trousses?

Malvina riait à chaudes larmes et, quand le téléphone sonna, elle eut toutes les peines du monde à répondre sérieusement. Pourtant, Mathieu et Raoul réalisèrent très vite la gravité de la conversation, au changement de la voix et au teint subitement livide de Malvina. En raccrochant, elle demeura un long moment la main suspendue à l'appareil, sans oser regarder les deux hommes.

– Tu vas pas te sentir mal, ma femme? Viens t'asseoir, avant de tomber dans les pommes.

– Pour l'amour du ciel, Malvina, c'est pas un des enfants?

– Non! Non! C'est...

Malvina regarda Mathieu et Raoul, tour à tour, l'air si malheureuse, que ni l'un ni l'autre n'osa plus la questionner au sujet de la communication.

– Prendrais-tu un p'tit boire, ma femme? T'es toute pâle.

– Sers-en trois! Bien tassés!

D'un trait, ils vidèrent tous trois leur verre et Mathieu, derechef, les remplit encore à ras bord.

– C'est Arthur.

– C'est Arthur qui a téléphoné pour dire que Florence est malade? demanda rapidement Raoul.

– C'est l'inverse.

– Arthur est malade? demanda Mathieu avec une petite voix que Malvina ne lui connaissait pas.

– Très malade. Florence vous attend.

❦

Perdu dans ses pensées, Charles tournait la bague sertie d'un diamant dans son annulaire droit, insensible au vacarme des enfants.

– C'est l'heure d'aller dormir, dit sévèrement Laurence, devançant le coucher face au désarroi de son mari, tout en se disant que les enfants ne choisissaient vraiment pas leur moment pour se montrer si turbulents.

Après les avoir mis au lit, elle revint rapidement auprès de Charles.

– Tu veux m'en parler? demanda-t-elle de sa voix la plus douce.

Charles se leva, arpenta le salon un moment et vint se rasseoir. Laurence savait consoler ses enfants mais ne trouvait pas les mots pour soulager la douleur inscrite sur le visage de son mari. Elle remit de l'ordre dans les plis de sa jupe et fixa les fleurs du tapis en pensant à son beau-père qui, peut-être, avait donné des indications à Charles, quant à la succession de sa présidence dans la compagnie. Égarée dans le cheminement de cette pensée, elle posa la question qui lui brûlait les lèvres, inconsciente de l'incongruité de la question et du moment choisi pour la poser.

– Avez-vous parlé affaires, ton père et toi?

Charles se raidit et posa sur sa femme un regard de glace, avant de quitter la maison. Il revint à l'aube, la peau imprégnée d'un parfum lourd, fort différent de celui qu'employait Laurence, et complètement ivre.

❋

Irène sortit de la chambre en pleurs. Florence aurait voulu la consoler mais s'aperçut qu'elle avait à peine la force d'y penser et y renonça.

– Antoine t'attend à l'atelier, dit-elle simplement à sa fille.

Irène s'habilla à la hâte, incapable de tolérer plus longtemps le regard absent de sa mère, pas plus que les cernes sous ses yeux indiquant l'angoisse des nuits sans sommeil.

Antoine avait empli la truie à pleine capacité et Irène pénétra dans l'atelier comme dans un ventre chaud. Elle ouvrit ses mains au-dessus du feu et respira l'odeur du bois brûlé, puis resserra son manteau autour d'elle avec l'impression que le froid la saisissait de nouveau.

– Tu devrais enlever ton manteau, dit Antoine avec douceur, sinon tu vas geler tout rond en sortant.

– Je suis déjà gelée jusqu'aux os, Antoine. C'est comme si j'avais des glaçons dans le sang et que mes veines allaient éclater d'un moment à l'autre, sous la pression.

– C'est une façon comme une autre de dire que tu as de la peine. C'est juste plus compliqué.

– Il t'a parlé?

– Oui, ce matin.

– Il t'a dit de belles choses?

– Oui. Des choses qu'il n'aurait pas osé me dire en sachant qu'il allait guérir. Des choses qu'on dit seulement à l'heure de la mort, parce qu'on laisse enfin tomber la fausse pudeur.

– Tu devrais écrire ce qu'il t'a dit, pour ne jamais l'oublier.

– Inutile, c'est gravé en moi.

Irène enleva son manteau et le tendit à son frère, puis fouilla dans son sac à main et en sortit une feuille jaunie.

– Tiens! Je veux que tu lises, tellement c'est beau. Tu es le seul avec qui j'ai envie de partager ça. C'est un poème d'Albert Lozeau. Il l'avait lu, un jour, dans un livre de tante Zélia, et avait déchiré la page, sans rien dire. Il l'avait appris par cœur dans l'intention de me le dire, mais finalement, à chaque fois qu'il voulait le faire, ça l'intimidait trop. Tout à l'heure, il m'a dit: «Si tu penses que j'ai appris ça par cœur et que je vais partir sans rien dire!». Il me l'a récité de mémoire, de sa belle voix grave, comme un vrai poète. Lis-le sans que je t'entende, parce que je veux garder sa voix dans mon souvenir.

Antoine déplia la feuille jaunie et lut pour lui-même le poème intitulé: «Mains musiciennes».

Oh! les grâces patriciennes
Des belles mains musiciennes
Sur les claviers de clair ivoire!
Qui vont souvent en gestes vagues
Que nimbent les éclats des bagues,
Réveiller les gammes muettes,
Et faire chanter des choses
Que retiennent les lèvres closes

Des amants et des poètes!
Les belles mains ingénieuses
Qui traduisent harmonieuses,
En rythmes sonores et tendres,
Les amours dont les âmes rêvent,
Et comme des vents les soulèvent,
Pour les laisser tomber en cendres!
Les belles mains que ma tendresse,
En un vol de baisers, caresse,
De la note blanche à la noire,
Sans que jamais, hélas! ma bouche
Ne les effleure ni les touche,
Tant vite elles vont sur l'ivoire.

Antoine releva la tête, les yeux embués.

– Tu as lu ce qu'il a ajouté de sa main?

– Je peux?

– Donne! Je vais te le lire. «Ma très chère fille. En relisant ce poème, dis-toi bien que j'aurais voulu l'écrire moi-même, en pensant à toi, à tes belles mains courant sur le clavier. Ton père qui t'aime.»

Irène remit son manteau en souriant et juste au moment où elle allait quitter l'atelier, Antoine la retint.

– Regarde, dit-il en ouvrant la main.

– Son épingle à cravate! Elle t'ira aussi bien que me va le poème!

Antoine prit sa sœur dans ses bras et la serra très fort contre lui.

– Comprends-tu, à présent, le peur que j'ai eue de te perdre, il y a deux ans?

La tempête faisait rage depuis plusieurs heures. Le vent s'infiltrait sournoisement entre les fenêtres de l'extérieur et de l'intérieur, créant au milieu de cet espace un hurlement sourd et lugubre.

336

À la porte du salon, Florence guettait l'arrivée de Gérard. Elle le vit avancer péniblement, la tête de côté pour se protéger des bourrasques.

– Heureusement que tu habites à côté, dit-elle en se hâtant de refermer la porte, sinon tu n'aurais jamais pu arriver jusqu'ici.

– Rien au monde ne m'aurait empêché de venir, que j'habite à côté ou à cent milles d'ici.

– Il t'attend.

Florence suivit son fils jusqu'à la salle à manger et s'installa à la grande table où l'attendait son journal.

Mon amour, mon homme, ma vie, mon cœur, comment te dire ces mots-là, quand tout ton être combat pour ne pas se laisser engloutir sous les émotions? Tu m'as dit: «J'entends ce que tu penses et c'est doux, c'est chaud.» Tu l'as dit sans me regarder et moi pour ne pas pleurer, pour ne pas crier, je t'ai offert une soupe. Une soupe! Arthur! Arthur! J'aurai cinquante ans demain et déjà tu m'abandonnes?

Florence referma son journal d'un claquement sec et pour ne plus penser elle concentra toute son attention sur les plaintes excessives de la tempête. Toute petite, se souvint-elle, seule dans son lit, elle s'affolait d'abord des rafales qui, croyait-elle alors, allaient faire voler les vitres en éclats. Afin de se protéger, elle se cachait la tête sous les couvertures. Au bout d'un certain temps, voyant que rien de tragique ne se produisait, elle les rabattait peureusement, puis, petit à petit, se laissait emporter par la tourmente et tendait l'oreille dans un plaisir encore mal assuré. Elle s'endormait enfin, bercée par la complainte amie. De la tempête à son lit, à sa chambre, à la maison de son enfance, à ses parents, Florence remonta le cours du temps et s'endormit, la tête appuyée sur son journal.

Gérard posa une main sur l'épaule de sa mère endormie.

– Je m'étais assoupie, dit-elle aussitôt.

– Si vous le vouliez, je pourrais le veiller, tandis que vous prendriez une bonne nuit de sommeil.

– Ce sont mes dernières nuits avec lui, Gérard.

– Vous savez que vous pouvez tout me demander? Vous le savez?

– Je le sais, mon fils.

La voix de Florence était si douce, son regard si tendre, que Gérard dut faire un effort surhumain pour ne pas s'effondrer dans les bras de sa mère.

– Vous savez ce qu'il m'a donné? demanda-t-il après s'être éclairci la gorge.

– Non. Je ne sais rien de ce qu'il dit, de ce qu'il donne. Je sais seulement qu'il met toute son âme à vous rencontrer à tour de rôle et que je dois lui donner le temps de se remettre après chaque visite. Viens, allons au salon, j'ai encore du temps.

Gérard suivit sa mère et s'arrêta devant la grande horloge. Il l'examina comme s'il la voyait pour la première fois, en caressa les contours quelques secondes et vint prendre place auprès de Florence.

– Il me l'a donnée, dit-il en désignant l'horloge de la tête. À moi! Son bien le plus précieux, à moi!

Cher Arthur, pensa Florence, qui répare l'injustice de son amour trop grand pour Charles au détriment de Gérard.

– Cette horloge, je la donnerai un jour à mon fils Roger. Pourtant, de votre vivant, je ne la sortirai pas d'ici. Je vous offre mon bien le plus précieux et vous en fait cadeau, jusqu'à la fin de vos jours.

Gérard se leva et s'habilla si rapidement que Florence n'arriva pas à réagir avant qu'il soit sorti. Elle se leva à son tour et vint à la porte pour le suivre des yeux mais ne le vit pas. Elle le devina, adossé au mur de briques, en entendant son cri de souffrance à travers la tourmente du vent. Alors, elle s'appuya sur le mur du salon, juste derrière l'endroit où elle se le figurait, et elle pleura avec lui.

───※───

Depuis trois jours, Malvina suppliait son mari et son beau-frère d'essayer leur nouvelle garde-robe et de parader devant elle.

Rien n'y faisait! N'étant pas femme à abandonner facilement, elle opta pour le marchandage.

– Raoul! Tu vas chercher tes affaires et, tous les deux, vous me montrez enfin de quoi vous avez l'air en gentlemen! En échange, j'invite la veuve Grolo à souper, accompagnée de son chevalier servant, bien entendu. Vous me dites ce que vous avez envie de manger et c'est comme si c'était déjà fait. Pis, après souper, on joue aux cartes!

– Tu pourrais nous faire un rôti de porc avec des patates jaunes? demanda Raoul en salivant.

– Pis une tarte au citron avec de la meringue? demanda Mathieu à son tour.

– J'en fais même deux pour le prix d'une! Comme ça, vous pourrez en manger à vous en rendre malades!

Le dernier mot les ramena sur terre, leur rappelant l'état d'Arthur. Un long silence s'installa.

– Bon! finit par dire Malvina résignée, oubliez ça!

– Si tu téléphonais à Florence? demanda Mathieu dont les papilles gustatives frétillaient encore à l'idée de la tarte au citron. On sait jamais! Des fois qu'Arthur aurait décidé de prendre du mieux?

– Si Arthur va mieux, c'est marché conclu?

Les deux hommes se jetèrent un rapide coup d'œil, avant d'acquiescer, un peu gênés d'une telle spéculation sur le dos de leur frère.

À leur grande surprise, Arthur se portait mieux. Cette fois, Malvina n'eut pas à leur redemander de parader, tellement ils étaient heureux. Ils s'installèrent dans une chambre du haut, «pour se déguiser», dirent-ils à la blague, et Malvina les reconnut à peine quand ils redescendirent.

– Quand je pense que ça fait des lustres qu'Arthur vous offre de vous habiller gratuitement et que c'est juste maintenant que vous avez accepté!

– Comme c'était présenté, on pouvait vraiment pas refuser!

«Est-ce qu'on refuse le cadeau d'un homme qui aura plus jamais la chance d'en faire?» qu'il nous a dit.

– Pas besoin de vous dire qu'on s'est vite rendus à son magasin !

– Reçus par Charles et Gérard et traités comme des rois !

– Avec le cognac et les cigares, dans le grand bureau par-dessus le marché ! Oui, madame !

– Et c'est juste à c't'heure que vous m'en parlez ? Comme si ma vie à la campagne, en plein hiver et au fond de ma cuisine, était tellement excitante que ces belles nouvelles-là pouvaient pas m'intéresser ?

– Faut pas oublier les circonstances, ma femme.

– En tout cas, si l'habit fait pas le moine, on peut dire que ça vous arrange le portrait en diable !

Malvina tournait autour de Mathieu et de Raoul, touchait les tissus, reculait pour mieux les admirer, revenait vers eux, complètement subjuguée.

– On dirait des ministres sortant du cabinet de l'honorable Taschereau. Viarge, que vous êtes beaux !

***

– Madame.

Florence sursauta. Elle s'était endormie dans une chambre du haut et malgré le soin de Tatiana à la réveiller en douceur, elle s'imagina qu'Arthur était au plus mal.

– Je descends !

– Mais non ! Tout va bien ! Vous n'avez pas encore le droit d'y aller et je n'ai pas le droit de parler, mais, monsieur me le pardonnera sûrement, j'ai pensé que vous devez absolument être à la hauteur de la surprise.

Après avoir dormi plus de trois heures en plein jour, parce que son mari avait l'air mieux et qu'il l'avait exigé, soi-disant pour lui préparer une surprise, Florence n'arrivait pas à mettre ses idées en place et ne comprenait rien à ce que disait Tatiana.

– J'ai pris votre plus belle robe et tous vos bijoux. Voyez ! Je pense qu'il faut vous faire belle.

– Dites-moi, Tatiana, vous croyez ce que le docteur Dagenais a dit?

– Pauvre madame, dit Tatiana en baissant la tête.

– Mais pourquoi se sentirait-il mieux aujourd'hui, si c'est pour retomber plus bas demain?

– Peut-être que votre mari a ramassé toutes ses forces pour vous offrir cette belle surprise?

– Et moi je dois mettre ma plus belle robe et faire comme si la mort ne rôdait pas autour de lui?

– Faire comme si elle n'existait pas! Il faut profiter de ce beau moment qu'il prépare avec tant d'amour et le vivre pleinement!

– Chère Tatiana. Plus facile à dire qu'à faire.

– Quand tout sera prêt, je viendrai vous chercher et je partirai ensuite. Vous serez seuls dans la maison. Antoine et Marguerite ne coucheront pas ici, ce soir.

Florence comprit alors qu'en organisant l'intimité de la maison, Arthur voulait créer l'illusion d'un îlot bien à eux, à l'abri de la réalité. Elle en fut si profondément touchée, qu'elle retrouva d'un coup son énergie.

– Tatiana! Allez vite me chercher ma robe blanche. Celle que je devais porter en Floride.

Tatiana sourit. La robe que choisissait sa patronne irait à merveille avec le décor que monsieur avait inventé.

– Une robe d'été, madame? demanda-t-elle innocemment.

– Oui! Et mon chapeau de paille! Et du ruban bleu, dans le dernier tiroir de ma commode! Et des ciseaux!

~≫꒷꒰꒱꒦≪~

Arthur jeta un dernier coup d'œil au solarium et fut satisfait du résultat. Durant le sommeil de Florence, Igor et Antoine avaient complètement vidé la pièce de ses meubles, laissant uniquement les plantes. De la cave, ils avaient remonté deux chaises de jardin en toile rayée et une table basse. Un fleuriste était venu et avait savamment disposé tout autour d'énormes bouquets de fleurs colorées. Tatiana avait joliment dressé la table basse sur laquelle reposait un cabaret empli de bouchées de toutes sortes, tant salées que sucrées. Une *Veuve Clicquot* refroidissait dans un seau, deux flûtes juste à côté.

Le soleil avait disparu et la noirceur gagnait à présent la pièce. Arthur alluma toutes les bougies des chandeliers, tous ceux de la maison en plus des autres empruntés chez Antoinette, puis il traversa dans la chambre et jeta cette fois un coup d'œil au miroir. Il fut moins satisfait du résultat, mais pensa que la lueur des bougies atténuerait sa maigreur. Il ajusta le pli de son pantalon blanc, se couvrit de son canotier, prit la rose déposée sur le lit, vérifia l'heure, éteignit la lumière, supplia Dieu de lui accorder que ce jour de rémission se prolonge jusqu'au lendemain et attendit, le cœur battant, l'arrivée de Florence. Elle frappa trois petits coups discrets.

– Avez-vous votre billet, madame ? demanda Arthur de l'autre côté de la porte.

– Mon billet pour la Floride, monsieur ?

– Comment l'avez-vous deviné, madame ?

– En apprenant que nous serions seuls ce soir, monsieur. Comme je suis légèrement vêtue, me laisserez-vous bientôt passer du côté de l'été ?

Arthur ouvrit la porte sur une Florence rayonnante dans sa robe blanche, garnie du collier de perles, portant bague et boucles d'oreilles aux pierres d'eau, un chapeau sur la tête, dont un large ruban bleu égayait la paille, les pieds nus.

– Ma reine ! Par quel miracle as-tu retrouvé tes seize ans ?

– Et toi, ton allure de grand fend l'vent ?

– C'est la magie des bougies, dit Arthur en entraînant sa femme.

– Arthur ! Si je m'attendais à ça ! On se croirait vraiment en Floride !

– Mais nous y sommes vraiment ! dit Arthur en tendant la rose à Florence.

– Est-ce que tu m'en voudras, si je pleure un peu ? demanda-t-elle en prenant la rose.

– Ce soir, Florence, tout est permis. Nous pouvons rire et pleurer, nous pouvons tout nous dire, nous pouvons manger et boire, nous pourrons même gémir sans que personne ne nous entende ! Ce soir, ma reine, je te fais mes adieux et nous n'allons pas faire semblant que c'est facile.

⁂

– Déjà cinq heures ! s'écria Mme Charlotte Labonté en abandonnant sa couture. Quand on fait ce qu'on aime, on ne voit pas le temps passer. Tu dois comprendre ça, toi, ma grosse Fripouille !

La chatte s'étira mollement, puis, après un long bâillement, suivit sa maîtresse jusqu'à la cuisine.

– Une vraie chatte de poche ! Qu'est-ce que je deviendrai, moi, quand tu disparaîtras ? Cinq heures ! Tu parles d'une heure pour commencer le souper ! Qu'est-ce que tu dirais d'un bon pâté chinois ?

Charlotte s'assura qu'il lui restait du blé d'Inde en crème et sortit ensuite les oignons, la viande hachée et les pommes de terre. Dans le bas de l'armoire, juste sous l'évier, elle prit le premier cahier de *La Presse* venu, sur la pile de vieux journaux, et l'étala sur la table. Elle emplit un chaudron d'eau, choisit son couteau le mieux aiguisé et commença à peler ses patates.

Les épluchures s'amoncelaient en tas sur la page nécrologique, quand elle reconnut tout à coup la photo d'Arthur Grand-Maison. Le couteau lui glissa des mains et le sang gicla aussitôt, sans qu'elle en tienne compte. Seule la photo, au milieu des épluchures, importait. Elle leva les yeux vers le haut de la page et trouva la date du 3 mars.

– Depuis trois jours ! Sans que la moindre intuition vienne me tirailler !

D'un geste infiniment doux, elle caressa la photo d'Arthur, qui se barbouilla de sang. Elle enroula sa main dans son tablier et se laissa choir sur une chaise.

– Tu vois comme la vie est étrange, Fripouille ? Je n'ai plus de larmes pour pleurer Arthur, à l'heure de sa mort. Juste un pincement, pas plus !

Charlotte replia les coins du cahier et jeta le paquet d'épluchures aux ordures.

– À vrai dire, je n'ai plus tellement faim. Qu'est-ce que tu dirais d'un vieux reste? Moi, je me contenterai de te regarder manger.

Charlotte rinça les pommes de terre et les sala abondamment afin de les conserver jusqu'au lendemain.

– Toutes ces années sans nouvelle! A-t-il seulement pensé à l'enfant, quelques fois? L'enfant que j'aurais pu chérir, mort avant terme... Si tu savais comme je l'ai pleuré, Fripouille, ce petit garçon aux cheveux noirs...

Charlotte s'affaira à tout ranger, puis servit une platée du bouilli de la veille à son chat.

– Tu vois, Fripouille, longtemps je me suis fait un cas de conscience au sujet de la pension déposée dans mon compte à tous les mois. Il y a belle lurette que les remords m'ont quittée! Rien ne pourra compenser pour ma peine!

Charlotte resserra le tablier tout mouillé autour de sa main et reprit, sur le ton de la raillerie:

– «Vous ne devez jamais tenter d'entrer en contact avec mon mari. C'est bien clair?» Pour être clair, c'était clair! Combien veux-tu parier avec moi, Fripouille, qu'elle va continuer à me verser la pension? Orgueilleuse comme elle l'est, il n'y a pas d'inquiétude à se faire!

Charlotte pensa alors à sa main et se dirigea vers la salle de bains pour la désinfecter. La blessure pétilla sous le peroxyde qui la fit grimacer. Une mousse blanche se forma et tout en l'essuyant elle fondit en larmes.

– Tu vas quand même pas te mettre à pleurer pour une petite coupure de rien du tout, maintenant? Viens, Fripouille, viens voir la vieille Charlotte qui pleure encore pour rien!

⚜

Florence réalisa qu'elle avait plus d'une heure à perdre, avant la lecture du testament chez le notaire. Elle s'étendit sur son lit, prenant soin de bien s'installer pour ne pas friper sa robe, et ferma les yeux. «La prière, madame Grand-Maison, lui avait dit le prêtre en venant donner l'extrême-onction à Arthur, il n'y a que la prière pour vous aider.» «La prière, se répéta-t-elle, allongée sur son lit, la prière... On prie pour demander ou pour remercier. Demander quoi? Que je me réveille enfin de ce nouveau cauchemar et que je crie à travers toute la maison que c'était seulement un mauvais rêve? Ou que je remercie pour tous les êtres chers qu'on m'enlève?»

Florence se releva, traversa au solarium et ouvrit son journal.

Je me fais l'effet d'une vieille femme comptant les morts autour d'elle. Ta mort, Arthur, entre toutes, insupportable! Oui, je continuerai à tenir mon journal, puisque je te l'ai promis. Oui, j'écrirai mes peines, mes angoisses, afin de ne pas tout enfouir au fond de moi, mais ton départ est trop récent, Arthur, et la révolte est mon seul refuge. Je sais! J'ai promis d'accepter! Ce soir-là, j'aurais promis n'importe quoi, tu le sais bien!

Et puis ce choix que tu laisses reposer sur mes épaules! Me donner, à moi, le soin de décider qui sera nommé président! Ils ont tous les deux les qualités requises, mais, comme tu l'as souligné, Charles est l'aîné. «À moins, as-tu ajouté en riant, que tu prennes toi-même la présidence? Mon testament est fait de telle sorte que tu le pourrais.»

Florence déposa son crayon. «Gérer une maison ou gérer des entreprises, se dit-elle, où se trouve réellement la différence? Dans le budget? En plus du roulement de la maison, j'ai quand même acquis assez d'expérience avec mes propres affaires et accumulé assez d'argent pour sauver Arthur d'un désastre financier, lors du krach!... "Mon testament est fait de telle sorte que tu le pourrais..." Arthur! Quand tu l'as suggéré en riant, c'était pour te moquer gentiment ou c'était ta façon de m'indiquer une voie possible, selon ton désir? Arthur! Et si c'était ma planche de salut pour survivre à ton absence?»

Florence rangea son journal et vint se poster aux fenêtres du solarium. Un paysage de désolation s'étalait sous ses yeux. Une nature endormie, où tout se confondait dans un blanc terne, sous un ciel gris et bas. Une nature morte, pensa-t-elle amèrement.

– Madame? Igor vous attend.

– J'arrive, Tatiana.

Florence ajusta son chapeau, descendit la voilette sur ses yeux et s'approcha du miroir. Les paroles d'Arthur revenaient, toutes plus belles les unes que les autres, durant ce soir d'été, en plein hiver, ce soir de Floride, alors qu'elle retirait son chapeau de paille et laissait tomber sa longue chevelure grise sur son dos, ce soir où elle retrouvait la beauté de ses seize ans, tandis qu'il plongeait son regard noir jusqu'au fond de son âme et murmurait: «Quand je mourrai, Florence, j'emporterai avec moi le souvenir de tes yeux, de leur bleu lumineux, et ce souvenir à lui seul me soutiendra.»